W9-AQM-897

新 潮 文 庫

黙示録殺人事件

西 村 京 太 郎 著

新 潮 社 版

2949

黙示録殺人事件

蝶の群れ

1

　子供の走り廻る音で眼をさました亀井は、今日が日曜日で、家庭サービスを約束してあったのを思い出した。

　危うく迷宮入りしかけた殺人事件が、どうにか解決して、久しぶりに得た休日である。本来なら、一日中寝ていたいところだが、前から約束してあったのでは、そろそろ、起きざるを得ないだろう。

　それでも、未練がましく、布団にもぐったまま、

「おい。雨が降ってるんじゃないか？」

　と、妻の公子に声をかけた。

「雨なんか降っていませんよ。いいお天気ですよ」

公子の声が笑っている。

「しかし、雨の音が聞こえるぞ」

「お隣りが、ホースでお庭に水を撒いているんですよ」

「畜生」

小さい声で呟やいてから、亀井は、やっこらさと、起き上り、カーテンを開けた。

雨どころか、眩しいような四月の陽光が射し込んできた。

小学校五年の健一と、五歳のマユミは、もう支度をして待っている。こうなっては、覚悟を決めるより仕方がない。

顔を洗い、ワイシャツを着る。公子の差し出すネクタイを受け取りながら、

「何処へ行くんだったかね？」

「本当に忘れたんですか？」

「だいぶ前に約束したことだからな」

「遠くは駄目だから、銀座の歩行者天国で遊んで、デパートでお買物、そして外で夕食」

「ああ、思い出したよ」

「お疲れなら、私と子供たちだけで行って来ますけど」

「疲れるほど、年はとっておらんよ。まだ若いんだ」

亀井は、勢い込んでいった。二カ月前に四十五歳になったが、まだ四十五歳なのだと、常に思うように努めている。

急に、支度する手の動きが早くなり、玄関で待っている子供たちに向って、

「出かけるぞ！」

と、大声で怒鳴った。

「パパ。早くウ」

マユミの声が、はね返ってきた。

亀井と公子が、玄関に出て行くと、マユミは、久しぶりの父親との外出に大喜びで、スキップをして、はしゃいでいる。男の子の健一の方は、嬉しいのだろうが、照れてもいる感じだった。その小さな頭を、こつんと一つ叩いてから、亀井は、「さあ、行こうか」といった。

警視庁に勤め、事件の捜査では、たびたび銀座にも出かけているのに、日曜日の歩行者天国を見るのは、亀井は、初めてだった。

このところ、週末になると天気がぐずついていたのが久しぶりに晴れたせいか、亀井たちが、地下鉄をおりた頃には、沢山の家族連れや、若いカップルで賑わっていた。丁度、銀座の何とか祭りともぶつかって、少女鼓笛隊や、バトントワラーなどの行進が始まった。

まだ四月上旬なのに、初夏を思わせる暖かさだった。

歩道には、パラソルつきのテーブルが並んでいる。その一つを、やっと確保して、亀井たちは、お昼の弁当を広げた。

殺人犯を追っての徹夜捜査には、音をあげたことのない亀井だが、子供の手を引いて、雑沓の中を歩くことに、何となく疲れてしまった。

健一とマユミが、旺盛な食欲を見せて、母親の作ったいなりずしや、サンドイッチをぱくついているのを眺めながら、亀井は、煙草に火をつけた。

「お腹でも痛いんですか？」

公子が、心配そうにきいた。

「何ともない。あとで食べるよ」

と、亀井は、笑ってから、

「歩行者天国といっても、コンクリートで作った天国だな」

ところどころに、今日のために、観葉植物の鉢が置いてあるのだが、それが、唯一の緑である。彼が育った東北の春は、むんむんするような緑の色彩と、植物の匂いに包まれていた。植物だけではない。畠に咲くれんげ草の群落の上を、無数の蝶が飛びかっていたものだった。

(そういえば、この天国には、虫も、鳥もいないな)

と、亀井が思ったとき、突然、マユミが、

「あッ。チョウチョだ！」

と、サンドイッチを持った手で、空を指さした。

2

まぎれもなく、一匹の蝶が、頭上に舞っていた。

身体の小さくて白いモンシロ蝶だった。

優雅に、というより、懸命にという感じで、その蝶は、飛び廻っている。観葉植物の一つに止まろうとすると、近くのテーブルにいた子供が、手を伸ばして捕えようとし、蝶は、また飛び立った。

「何処から迷い込んで来たのかな?」

「銀座に、蝶がいるんでしょうか?」

公子が、首をかしげた。

「コンクリートだらけの場所に、蝶は住めんだろう。夜の蝶なら、いくらでもいるがね」

亀井は、自分の口にした下手な冗談に、自分で照れて頭をかいた。

「パパ、また、チョウチョ」

マユミが、嬉しそうに声をあげた。

「また?」

亀井は、半信半疑で、娘の指さす方に眼をやった。そんなに、たびたび、蝶が迷い込んでくるとは思えなかったからだが、確かに、同じモンシロ蝶が、和光ビルの方から、こちらに向って飛んで来るのが見えた。

驚いたことに、その数が、二匹、三匹と増えていく。

「一匹、二匹、三匹——」

と、健一が、大声で数えていたが、途中で、止めてしまった。

「すげえや!」

健一が叫ぶ。空に舞うモンシロ蝶の数が、驚くほどの早さで増えていき、高く低く、人々の頭上を乱舞しはじめたのだ。

何匹いるのか、亀井には、もう数えられなかった。

何百、いや、何千という数かも知れない。まるで、その羽根音が聞こえてきそうな数だった。

亀井たちのテーブルに、飛び疲れたのか、一匹、二匹と、蝶が落ちてきた。

子供たちは、大喜びで、追いかけ廻しているが、大人たちは、突然のモンシロ蝶の異常発生に、戸惑い、不安の表情になっていた。

「どうしたんでしょう?」

公子が、宙を見上げて、不安そうにきいた。

無数の蝶は、春の陽に羽根をキラキラ光らせながら、飛び続けている。

子供たちに踏み潰(つぶ)された蝶の死骸(しがい)が、コンクリートの舗道の上に増えていく。

「地震の前触れじゃないかしら?」

「馬鹿なことをいうな」

亀井は、公子を叱ってから、立ち上った。

「何処へいらっしゃるんですか?」

「この蝶が、何処から来たか、ちょっと調べてくる」

蝶たちは、和光ビルの方から飛んで来た筈だった。

亀井は、大股(おおまた)に、和光ビルに向って歩いて行った。その間も、頭上の蝶の乱舞は続き、そのうちの一匹が、方向を見失ったのか、彼の顔にぶつかってきた。反射的に手で払うと、その蝶は、地面に落ちて動かなくなった。

歩いている亀井の肩や頭にとまる蝶もいた。飛び疲れたのか、彼が肩をゆすっても、へばりついたまま、飛び立とうとしない。亀井は、そのままにして、和光ビルの横の路地に入ってみた。

明るい大通りから、陽の射さない暗い路地に入ったので、一瞬、眼の前が見えなくなった。立ち止まって眼をぱちぱちさせているうちに、路地の奥に、何かのかたまりがあり、そこに、二、三十四のモンシロ蝶が、止まっているのに気がついた。

亀井が近づくと、その蝶たちが、一斉に舞い上った。

そのあとに、人間が横たわっていた。小さな土盛りに見えたのは、仰向けに倒れた若い男の身体だったのだ。

3

二十五、六歳のジャンパー姿の男だった。その顔は、微笑していた。が、よく見ると、微笑したまま、人形の顔のように動かない。

(死んでいるのか?)

亀井は、急いで、男の傍に屈み込んだ。手首をつかんで脈を診、次には、心臓に耳を当ててみた。脈は消えており、心臓の鼓動も聞こえて来ない。

その代りのように、甘い、アーモンドの匂いがした。

（青酸だ）

「どうしたんですか？」

急に、背後で、声がした。
五、六人の男女が、のぞき込んでいる。
「救急車を呼んで下さい！　それに、警察も！」

と、亀井が、怒鳴った。
二、三人が、電話するために駈け去るのを見送ってから、亀井は、立ち上り、改めて、周囲を見廻した。
大きなダンボールの空箱が、三つばかり、置いてあった。中をのぞいてみると、どの箱にも、五、六匹の蝶の死骸が落ちていた。死にかけて、羽根を喘ぐように動かしている蝶もいた。

明らかに、ジャンパー姿の男は、この三つのダンボール箱に、モンシロ蝶を詰め込んできて、空に放したのだ。

何故、そんなことをしたのか、亀井には、見当がつかなかった。単なる悪戯なのか、それとも、何か意味があって、やったのだろうか。

パトカーと救急車が、ほとんど同時に到着した。

二人の救急隊員は、男の身体を調べていたが、

「もう死んでいますね」

と、亀井にいった。

「やっぱり、駄目ですか」

「もう死斑が出ています。青酸中毒死と考えられますが、自殺ですか？」

「それが私にもわからないのですよ」

と、亀井はいった。出来ることなら、死体のポケットを探って、所持品を調べてみたいのだが、今日は非番である。手が伸びかけるのを、じっと抑えているのは、仕事熱心な亀井には辛いことだった。

二台のパトカーから、築地署の刑事たちがおりて来た。その中に、顔見知りの井本刑事が入っていて、「やあ、カメさん」と、声をかけて来た。

「あんたが、発見者なんだってね」

井本は、亀井より三歳年下なのだが、頭髪が薄いので、逆に年上に見える。

「非番で、家族サービスに来ていて発見したんだ」

亀井は、突然、無数の蝶が飛び立ったこと、それが何処から来たのかと探している中に死体にぶつかったことを話した。

「蝶なら、ここへ来る途中で見たよ。大騒ぎをしていたな。この仏さんが飛ばしたのか」

「あのダンボールに入れて運んで来たらしい」

「なるほどね。君も一緒に調べてくれないか」

「しかし、非番だからね。家族も、向うで待っているしね」

「何をいってるんだ。その眼が、この事件を調べたくて、うずうずしているじゃないか」

井本が、ニヤニヤ笑った。

亀井は、とたんに、嬉しそうな表情になり、歩行者天国に置いて来た妻子のことなど、すっかり忘れてしまって、井本たちと、調査に取りかかった。

死体の傍に、空になったオレンジ・ジュースのびんが転がっているのが見つかった。もし、この中に毒が入っていたとすれば、男は、それを自分で飲んだか、或は、誰かに飲まされたと見るのが、妥当なところだろう。

ジャンパーのポケットから、六千五百円入りの皮財布と、十円玉ばかり十二枚入った小銭入れが見つかった。が、身分証明書の類(たぐい)は、何一つ見つからなかった。

Gパンの尻ポケットにあったのは、洗いざらしのハンカチ一枚だけだった。

死体を動かしたり、ダンボールの下まで探してみたが、遺書はおろか、それに類するメモも見つからなかった。

「自殺だとしても、これじゃあ、何のために死んだのかわからんな」

井本が、文句をいった。

死んだ若者は、遺書を書く必要がないと思って、それらしいものを残さなかったのだろうか。

それとも、これは、他殺なのだろうか。

ダンボールの一つから、蜜(みつ)が入っていたと思われる罐(かん)が見つかった。これは、多分、男が、蝶に与えていたのだろう。男の着ているジャンパーにも、ところどころに、蜜がこびりついていた。

亀井が、この路地に入った時、男の身体にモンシロ蝶が群がっていたのは、この蜜のためだったに違いない。

「よっぽど、蝶が好きな男だったんだな」

井本が、ダンボールに細かくあけてある空気穴や、底に落ちている蝶の死骸を見ながら呟いた。

確かに、それだけの蝶を集めるのは大変だし、好きでなければ出来ないだろうと、亀井も思う。問題は、男が、何故、こんなことをしたかだ。

亀井は、もう一度、死体の傍に屈み込んだ。さっきから、死体の左手首にはめられた金色のブレスレットが気になっていたからである。

亀井の年齢では、男がブレスレットをするのは、どうも、ぞっとしないのだが、今の若者にとっては、どうということはないのだろう。外してみると、金ではなく、真鍮製だった。

裏側に、四ツ葉のクローバーの絵と、文字が彫り込んであった。

〈われらは地の塩なり〉

と、読めた。

「どこかで聞いた言葉だな」

井本が、のぞき込んでいった。

「新約聖書のマタイ伝に出て来る言葉さ。正確には、『汝(なんじ)らは地の塩なり』だが、これはキリストの言葉だから、信者の立場からいえば、『われらは』となるんだろうね」

「やにくわしいね」

「息子が日曜学校に通っていたことがあってね」

と、亀井は、笑った。

「すると、この仏さんは、キリスト教の信者ということになるのかな?」

「さあね。単なるアクセサリーとして、身につけていたのかも知れないよ」

「それにしても、わからんな」

「何がだい?」

「この仏さんが、何故、こんな満足そうな顔をして死んでいるかさ。自殺にしても、青酸中毒死なら、さぞ苦しかったろうからね」

井本が、首をかしげながらいった。

死体の口元に浮んでいる微笑は、亀井にとっても謎(なぞ)だった。信仰のせいだろうか。しかし、キリスト教は、自殺を禁じている筈だが。

ふいに、頭上が騒がしくなった。

羽根音だ。見上げると、歩行者天国を乱舞していた蝶の群れが、この路地に舞い戻って来たのである。

放たれた場所へ戻って来るのが、蝶の習性なのか、それとも、鑵の底にわずかに残っている蜜を求めて戻って来たのか、亀井にはわからなかった。

わからないままに、亀井は、一瞬、頭上を飛び交う蝶の群れに見とれた。

4

突然の蝶の乱舞と一人の青年の奇妙な死は、銀座の歩行者天国での白昼の出来事ということもあって、マスコミの恰好の材料となった。

全てのテレビ局が、六時台のニュースで、この事件を取りあげた。

特に、事件の起きた時刻に、たまたま、歩行者天国の取材に来ていたTNSテレビは、頭上を飛び廻る無数のモンシロ蝶と、それを見守る人々の表情を克明に撮影し、放映した。

翌日の各紙朝刊も、競って、この事件を記事にした。前日に、これといった事件がなかったせいもあって、第一面に写真入りでのせた新聞もあった。

一人の青年が死んだにも拘らず、記事の内容が奇妙に明るいのは、やはり、陽光のきらめく春の休日だったことや、可憐な蝶の群れのせいだろう。それは、自然を失った大都会東京が、一瞬ではあったが、自然を取り戻したかに見えたからに違いない。

だが、事件を担当した築地署では、死んだ青年の身元が割れず、苦労していた。

死体の解剖は、すでに、信濃町の慶応病院で終り、解剖所見が、警察に届けられていた。

死因は、やはり、青酸中毒死であり、体内にあった青酸カリの量は、常人の致死量の二十倍を越えているという。死亡推定時刻は、正午から一時の間と、解剖所見には書かれている。

死体の傍に転がっていたジュースのびんからは、予想した通り、青酸反応があった。そして、びんについていた指紋は、死んだ青年のものだけだった。

一応、自殺の可能性が強くなったわけだが、断定は出来なかった。犯人がいて、あらかじめジュースの中に青酸カリを混入しておき、手袋をはめた手で、相手に渡したとすれば、同じ状態が生れる筈だからである。

問題は、死んだ青年の身元の割り出しだった。どこの誰かが判明し、人間関係がわかってくれば、自然に、自殺、他殺も判断できるだろう。

着ていたジャンパーやズボン、それに靴、腕時計などは、いずれも安物で、ネームは入っておらず、身元の割り出しの役には立たなかった。

警察が期待をかけたのは、「われらは地の塩なり」と彫られたブレスレットだった。刑事たちは、東京都内や近郊の全ての教会に、片っ端から、問い合せの電話をかけた。

だが、どの教会の返事も同じだった。そんなブレスレットにも、死んだ青年にも、心当りはないというものだった。

5

亀井刑事が、警視庁捜査一課に出勤すると、さっそく、

「大変だったねえ。カメさん」

と、上司の十津川警部から声をかけられた。

「家族サービスで、いやいや出かけたんですが、死体にぶつかるとは思いませんでした」

「築地署では、どうみているんだい？　自殺説が多いのかね？」

「七分三分で自殺説ですね。抵抗した形跡もなく、無理矢理、青酸入りジュースを飲まされたとは思えません。それに、何よりも、死顔に微笑が浮んでいましたから」

「笑って死んでいたのか」

十津川が、難しい表情になった。どんなに覚悟をしての自殺でも、死顔に微笑が浮んでいることは、めったにないし、毒死ならなおさらである。

「築地署でも、その点がよくわからないと、首をかしげていました」

「ブレスレットの文字と関係があるのかな。強烈な信仰を持っていれば、死が怖くないということもある」

「しかし、どこの教会も、心当りがないといって来ているそうですし、それに、キリスト教では、自殺を禁じていますから」

「だが、地の塩というのは、聖書の中の言葉だよ」

「その通りです。しかし、仏さんが、勝手に自分のブレスレットに彫り込んだのかも知れません。聖書の中の言葉というのは、何となく、カッコいいところがありますからね」

「それもそうだな。ところで、君は、蝶が飛び廻るのを、最初から見たのかね？」

十津川は、新聞の写真に眼をやりながら、亀井にきいた。

「最初から見ました」

「蝶が歩行者天国の上を飛び始めたのは、何時頃か覚えているかい？」

「家族と昼食をとっている時、最初の一匹が、歩行者天国に入って来たんです。五歳になる娘が、見つけました。あの時が、十二時二十分頃だった筈です」

「蝶が飛び廻るのは、テレビで見たよ。なかなか、壮観だったな。まるで、白い花吹雪を見ている感じだった。現場にいた君の感想はどうだね？」

十津川は、煙草を取り出しながら、亀井にきいた。

亀井は、昨日の記憶を呼びさますように、宙に眼をやって、

「青い空に、白いモンシロ蝶が乱舞するのは確かに美しい光景でした。しかし、何か不気味でした。なぜ不気味に感じたのか、自分にも上手く説明できませんが、多分、蝶の大群が、コンクリートの街に似合わなかったからだと思います」

「あの蝶は、どうなったんだろう？」

「大部分は、何処かへ消えてしまいましたね。疲れ切って、舗道に落ちて死んだ蝶も、何十匹かいたようです。舗道に、蝶の死骸がいくつも落ちていましたから」

「銀座に住みつくと面白いんだがね」

「確かに、そうなれば面白いですが、銀座には、緑も水もありません」

「蝶は住めないか？」

「私の田舎では、春になると、モンシロ蝶が、無数に、菜の花畠の上を飛び交います。あそこには、緑があり、花の蜜があり、小川が流れています。それが、あんなに沢山のモンシロ蝶を育てていたんだと思いますね。銀座には、何もありません」

「銀座の近くで、緑と水がある所というと、まず考えられるのは皇居だが、蝶たちは、あそこに行ったのかな？」

「恐らく、そうだと思いますが、今のところ、確認されていません」

「死んだ男は、なぜ、沢山のモンシロ蝶を、日曜日の銀座に運んで来て、飛ばせたんだろう？」

「わかりません」

「自殺の可能性が強いのに、遺書はなしか」

「その通りです」

「その上、いまだに身元不明」

「築地署でも、弱っているようです。事件が新聞に出ましたので、一般からの情報提供に期待しているようですが」

「とにかく、妙な事件だな」

亀井にというより、自分に向って呟やくようにいってから、十津川は、椅子から立ち上り、窓のところへ歩いて行った。

今日も、青空が広がっていて、春の陽光が眩しく降り注いでいる。

十津川は、その姓から、奈良県十津川の出身に思われることが多いが、実際は、東京で生れ、東京で育っている。従って、亀井刑事のように、菜の花畠の上を乱舞するモンシロ蝶の大群も見たことはなかった。

今の東京に、果して、モンシロ蝶が安心して棲める場所があるだろうか？

死んだ青年が、何のためにあんなことをしたかも大きな謎だが、ダンボール三つに詰め込むほどのモンシロ蝶を、いったい、何処で捕えて来たのだろう？

「蝶は、モンシロ蝶ばかりだったかね？」

窓の外に眼をやったまま、十津川は、亀井にきいた。

「そうですね。何匹か、他の蝶も混じっていたようですが、大部分は、モンシロ蝶でした」

「他の蝶が混っていたというのは、確かなのかい？」

「この眼で見ましたから確かです」

「すると、モンシロ蝶に意味があるわけじゃないんだな」

「は？」

「死んだ男の目的さ。彼は、歩行者天国で、蝶を飛ばした。蝶なら、どんな種類でもいいのか、それとも、モンシロ蝶でなければいけなかったのかということだよ」

「蝶なら、どんなものでもよかったんだと思いますね。今もいったように、他の蝶も混じっていましたから。大部分がモンシロ蝶だったのは、今頃、一番よく見られる蝶で、捕えやすかったからでしょう」

「東京の近くで、モンシロ蝶が群棲している所というと、何処だろうか？」

「そうですな。南房総あたりじゃないでしょうか。気候は温暖ですし、お花畠も多いそうですから、モンシロ蝶が棲むに適していると思います」

「千葉県か」

「まさか行かれるわけじゃないでしょうね？」

亀井は、自分より五歳年下の警部の顔をのぞき込んだ。

十津川は、横顔を見せたまま苦笑して、

「行きはしないが、お花畠の上を、モンシロ蝶の群れが飛び交っているところを見たいと思うね」

と、いったとき、事件の発生が伝えられた。

国鉄市ヶ谷駅附近の路上で、若者同志が喧嘩をし、一人がナイフで刺されて死亡、犯人は逃げたという。殺人事件である。

亀井と、もう一人の刑事が、部屋を飛び出して行く。

十津川は、黒板に、「市ヶ谷駅附近で殺人事件発生。午前十時二十三分」と書き止めた。

書きながら、十津川はまだ、頭の隅で、優雅に飛び交うモンシロ蝶の姿を思い浮べていた。

6

二日、三日と過ぎるにつれて、築地署の困惑は深くなっていった。

いっこうに、死んだ男の身元が割れて来ないからである。

新聞には、男の顔の特徴や、身長、体重が、くわしく報じられたし、ブレスレットの写真のついたチラシが、東京都内や、周辺の警察署に配られた。

それでもなお、男の身元が、確認できないままに、日時だけが、いたずらに過ぎていった。

情報が全く寄せられなかったわけではない。電話による通報もあったし、何カ月も前から行方不明になっている長男ではないかと、足を運んで来た両親もいた。が、いずれも違っていた。

身元がわからないことと、自殺の可能性が強いせいもあるだろう。新聞は、死んだ男のことより、蝶たちの行方に関心を持った。

新宿御苑で、五、六匹のモンシロ蝶を見かけたが、それが、銀座の蝶だとすると、銀座から新宿まで飛ぶものかどうか、学者にコメントを求めた新聞もあった。

千鳥ヶ淵で、乱舞するモンシロ蝶を見たというアベックの話も、新聞にのった。

皇居の中庭でも、宮内庁の職員が、モンシロ蝶の群れを目撃し、写真に撮り、それが、新聞の社会面を飾ったりもした。

だが、肝心の男については、何一つわからないままに、一週間が過ぎ、次の日曜日がやって来た。

この日は、朝から、どんよりと曇っていたが、それだけに、風が、生温く感じられた。

幸い、昼近くなって、陽が射して来たので、銀座の歩行者天国には、先週と同じように、家族連れや、若いカップルが集って来た。

子供たちの中に、捕虫網を持っている子がいたり、カメラを持った大人の姿が見えたりするのは、ひょっとして、先週の日曜日のように、蝶の群れが現われたらと考えたのだろう。

正午を過ぎた。

だが、蝶は一匹も現われなかった。

7

同じ頃、銀座から約十七キロ離れた高島平マンモス団地の一角で、奇妙な事件が起きようとしていた。

最初に気がついたのは、団地内の砂場で遊んでいた子供たちだった。

砂で、トンネルを作っていた六歳の男の子は、空に向って、ふわふわと昇っていく真っ赤なゴム風船を見つけた。

「あッ、ゴム風船だ！」

と、その子が叫ぶと、一緒に砂場で遊んでいた子供たちも、一斉に空を見あげた。

真っ赤なゴム風船は、次第に小さくなっていき、やがて、消えてしまった。

子供たちが、がっかりした表情になったとき、今度は、青いゴム風船が、ゆっくりとあがり始めた。

続いて、黄色、そして、また赤。

「一つ、二つ、三つ――」

と、子供たちは、数えていたが、そのうちに、数えるのを止めてしまった。

鮮やかな色彩のゴム風船は、次から次へとあがっていき、団地の上の空は、いつの間にか、無数のゴム風船で蔽（おお）われてしまったからである。

子供たちは、数えるのを止めた代りに、ゴム風船をつかまえようと、走り出した。ゴム風船には、白い紙片がついている。

ゴム風船に気がついたのは、砂場で遊んでいた子供たちだけではなかった。他の場所で遊んでいた子供たちも、犬を散歩させていた住人も、ベランダで干物をしていた主婦も、一斉に空を見あげて、上昇して行くゴム風船の群れに見とれた。

砂場にいた子供たちは、途中で、落ちていたゴム風船を拾ったりしながら、団地内を斜めに駈け抜けて、古い集会場の建物に向って駈けて行った。

プレハブの小さな建物で、以前、団地の住人たちが集会場として使っていたのだが、新しい集会場が出来てから物置代りに使用していた。

ゴム風船は、その建物の裏側から、次々に空に舞いあがっていくのを、子供たちは眼ざとく見つけていたのである。

子供たちは、急に足を止め、そっと、好奇心一杯の眼で、建物の反対側をのぞき込んだ。

その時、最後のゴム風船が、頼りなげに、ふわふわと空に向って舞いあがっていった。

それを取ろうとして飛び出した三歳の女の子が、転んで泣き出した。

六歳の兄は、「バカッ」といいながらも、転んでいる妹を助け起こしたが、その時、五、六メートル先に、二十二、三歳の女が、仰向けに寝ているのに気がついた。

女の近くには、ダンボール箱が三つ転がり、ペシャンコのゴム風船が、散乱している。

六歳の兄は、なかなか泣き止まない妹をもて余し、

「おばさん。そこに落ちてるゴム風船おくれよ」

と、寝ている女に声をかけた。ペシャンコの風船でも、妹は泣き止むかも知れないと考えたのだった。

少年は、女の顔の近くに落ちているゴム風船を手につかんだ。

その時、六歳の少年を、何か得体の知れぬ恐怖が包み込んだ。

(このおばさんは、寝ているんじゃないんだ)

と、少年は、直感した。

少年は、去年死んだ叔母さんのことを思い出していた。少年は、最初、叔母が死んでいるとわからず、親戚の人々が沢山集ったことや、ご馳走が出たことで、妹と二人ではしゃぎ回り、母に叱られたのだった。母は、叔母の顔を蔽っていた白布を持ち上げ、「よくごらん。叔母さんは死んだんですよ」と、少年にいった。

その時、少年は、生れて初めて、死というものを知ったといってよかった。わけのわからない恐怖が彼を捕え、声をあげて泣いたのである。

今、少年は、その時と同じ恐怖に襲われて泣き出し、他の子供たちを置き去りにして駈け出し

ていた。

8

七、八分後に、パトカーと救急車が、現場に到着したが、救急隊員の方は、女の死を確認するために駈け付けたようなものだった。

救急隊員の一人が、女の胸に耳を押し当ててみると、心臓は、すでに鼓動を止めており、口元からは、かすかに、甘いアーモンドの香りがした。

明らかに、青酸中毒死である。

パトカーから降りた板橋署の刑事たちは、死んでいる女の口元に、何故か、微笑が浮んでいることに一様に戸惑い、その戸惑いは、当然のこととして、先週の日曜日、銀座の歩行者天国で死んだ青年のことを思い出させた。

よく似た事件だと、どの刑事もが思った。違っていることといえば、女と男、それに、ゴム風船と蝶の違いだけだ。

死体の傍には、空になったオレンジ・ジュースのびんが転がっている。これも、前の事件と同じであった。

ダンボール箱の中には、ゴム風船をふくらませるのに使ったと思われる、小型の水素ボンベが、三本入っていた。どのボンベも、空になっている。

眼鏡をかけた大杉刑事が、午後の陽差しを手でさえぎるようにしながら、死体の傍に屈み込んだ。

洗いざらしのGパンに、白いセーター。セーターの袖口のあたりがほころびている。美人ではないが、聡明な顔立ちをしていた。

大杉は、女の左手の袖口をめくってみた。予期した通り、彼女は、腕時計と一緒に、真鍮製のブレスレットをつけていた。これも、前の事件と同じなのだ。

大杉は、手袋をはめた手で、慎重に、ブレスレットを外し、裏側を見てみた。

（やはり）

と、思った。

そこに、四ツ葉のクローバーと、次の言葉が、彫り込まれていたからである。

〈われらは一粒の麦なり〉

大杉は、キリスト教といわず、およそ宗教には無関心な男だったが、それでも、この有名な文句が、聖書の中の言葉だということは知っていた。

（確か、一粒の麦死なずば、ただ一粒にてあらん――という文句だった筈だが）

と、大杉は、口の中で呟やき、女の身元を確認できるものはないかと、調べてみた。

ハンドバッグは、見当らなかった。身分証明書や、運転免許証もなかった。辛うじて、Gパンの尻ポケットから、安物のハンカチと、三千五百円入りの財布が見つかっただけである。

先週、銀座で死んだ青年の身元は、まだ、確認されていない。

(今度の仏さんも、身元確認に手古ずりそうだな)

大杉は、そんな予感を覚え、眼鏡を光らせながらゴム風船の消えて行った空を見上げた。

9

この日、東京上空には、春特有の南風が吹いていた。

平均風速は七、八メートルだったが、瞬間風速は、十五メートル近くにもなった。

二百メートル近くまで昇った百を越すゴム風船は、その南風にのって流れて行った。パンクして、荒川や、戸田競艇場(きょうていじょう)に落ちたものもあれば、荒川を越えて、埼玉県側のM大グラウンドや、日宝自動車の工場予定地に落下したものもある。

荒川の東京側の川岸で釣りを楽しんでいた老人の一人が、落ちて来た風船を拾いあげた。この老人は、朝から釣りに来ていたし、トランジスタラジオを持っていなかったから、高島平団地での出来事は知らなかった。

ただ、頭の上を、やけにゴム風船が飛んでいくなとは思っていた。どこかのスーパーマーケットかデパートが、大売出しの宣伝に、風船を飛ばしたのだろうぐらいに考えていた。

だから、落ちて来たゴム風船を拾った時も、釣りの邪魔になるから拾っただけだった。

（無駄なことをするものだ）

と、老人らしいことを考えながら、手にとって、そのゴム風船に、ハガキ大の紙片が結びつけてあるのに気がついた。

それに、広告の文句が印刷してあるのだろうと思ったが、そうではなかった。広告にしては、少しばかり異様な文句だった。

〈次の日曜日に、われらの仲間が、抗議のために、焼身自殺する〉

老人は、驚いて、そのゴム風船を、近くの派出所に届け、派出所の警官は、すぐ、板橋署に連絡した。

しかし、その頃には、すでに、同じように紙片を結びつけたゴム風船が、いくつも、板橋署に届けられていたのである。

ハガキ大の紙片に書かれた文字は、全て同じだった。

次の日曜日に、抗議のために、仲間が焼身自殺するという予告だった。

刑事たちは、風船から取り外した紙片を、机の上に並べた。謄写版ででも刷ったのだろう。筆跡は同じで、こすると、インクが滲（にじ）んだ。

ゴム風船は、あとからあとから、板橋署に届けられ、当然のこととして、自殺予告の紙片も増えていった。

もし、これがたった一枚だったら、いや、五、六枚でも、あるいは、悪ふざけだと思ったかも知れない。だが、五十枚、六十枚と集ると別だった。その数が、一つの重味となって、刑事たちを圧倒してくるのだ。

「こりゃあ、次の日曜日に、きっとやりますよ」

若い原田刑事が、蒼ざめた顔でいった。

「問題は、誰が、何処で焼身自殺するかだ。それがわからなければ、防ぎようがないじゃないか」

大杉は、眼鏡を押さえながら、怒ったような声を出した。

死んだ女の遺体解剖は、前の事件と同じ慶応病院で行われ、その日の深夜になって、その結果が、板橋署に報告されてきた。

死因は、青酸中毒死。彼女の胃の中にあった青酸カリの量は、普通人の致死量の二十倍を越えていた。

死体の傍に落ちていたオレンジ・ジュースのびんからは、青酸カリが検出され、びんについていた指紋は、彼女のものだけだった。

それに、真鍮製のブレスレットに彫られていた四ツ葉のクローバーと、聖書の中にある言葉。

全てが、似かよっており、口元に浮んでいる微笑から考えて、前の事件と同じように、覚悟の自殺である可能性が強いと考えられた。

しかし、今の段階で、自殺と断定するのは危険だった。もし、巧妙に仕組まれた殺人だとすれば、恐るべき連続殺人事件だからである。

それに、予告された第三の犠牲者を防がなければならない。

この二つの理由から、警視庁捜査一課に、合同捜査本部が置かれ、責任者に本多捜査一課長がなり、実際の指揮を、十津川警部がとることになった。

「日曜連続青酸死事件合同捜査本部」という長い看板がかけられたのは、翌月曜日の午前十一時である。

10

十津川の若い頃の綽名(あだな)は、猟犬であった。三十歳前の写真を見ると、痩(や)せて、頬骨がとがり、鋭い眼つきをしていて、確かに、猟犬を思わせるものがある。

それが、三十五歳を過ぎる頃から、急に太り出し、体型が崩れてきた。

満四十歳を迎えた今、彼を猟犬と呼ぶ者はいない。部下の刑事たちは、「十津川警部」と呼んだり、ただ単に「警部」と呼ぶし、彼に捕まった犯人たちは、「古狸(ふるだぬき)」と呼ぶ。

合同捜査本部は、七人で編成されていた。人数が少いのは、まだ、殺人事件と確定していないからである。もし、連続殺人ということになれば、人員は、たちまち、数倍にふくれあがるだろう。

第一の事件を扱った築地署から、井本、石川の二人の刑事、第二の事件の板橋署からは、大杉、原田の両刑事、そして、本庁からは、本多捜査一課長、それに十津川と亀井刑事である。

十津川は、まず、今度の事件の問題点を再確認することから始めた。

「何よりも必要なのは、二人の身元確認だ」

と、十津川は、五人の刑事に向っていい、用意した黒板に、「身元確認」と書いた。あまり上手い字ではない。というより、どちらかといえば、下手くそな字だ。若い頃は、上手くなりたいと思い、ひそかに練習したこともあったが、今は、下手な方が風格があっていいと、開き直っている。

「銀座の歩行者天国で死んだ男の身元は、九日目の今日になっても、確認できずにいる。何故だろう？　あれほど新聞、テレビが事件を大きく扱ったのにだ。井本刑事は、どう思うね？」

「私も、正直にいって、身元はすぐ割れるだろうと思っていました」と、築地署の井本がいった。

「所持品が少いのは気になりましたが、何といっても、あの蝶の大群です。あんなことをする人間が、そう沢山いる筈がありません。それに、特徴のあるブレスレットもあり、その両方から、楽観していたのですが、今になると、不明を恥じるより仕方がありません。市民からの通報が、昨日までに二十一件ありましたが、全て別人でした」

「この男にも、友人、知人はいる筈だ。あれだけの蝶を集めて来て、歩行者天国で放つような真似をする男なら、まわりの人間も、印象に残っているだろう。それなのに、何故、通報して来ないのだろうか？」

「二つ考えられます。一つは、あの男が憎まれているか、他の理由で疎外されているかして、かかわり合いになるのを恐れて、友人、知人が、警察に通報して来ないのではないかということです」

「指紋の照合はしたんだろう？」

「前科者カードにはありませんでした。従って、あの男が前科者のため、通報がないのではありません」

「もう一つは？」

「友人、知人の知っている彼と、あんな真似をした彼が、一致しないということが考えられます。それで半信半疑になり、通報をためらっているということです」

「うん、うん」

と、十津川は、満足そうに肯いた。井本刑事の話は、彼の考えに一致していたからである。

「四ツ葉のクローバーと、聖書の言葉が彫ってあったブレスレットですが、東京都内及び近郊の教会に問い合せてみましたが、同じ種類のブレスレットを使っている教会はありません。また、デパートや、装身具店に当ってみましたが、四ツ葉のクローバーなり、聖書の言葉なりを彫り込んだブレスレットは、どこでも売っていませんでした。それで、あの男が、個人的に自分で彫って腕にはめているのではないか、もしそうなら、あまり、身元確認の手掛りにはならないなと考えたのです。他人は、ブレスレットの内側までは見ませんから」

「ところが、次の死者も、同じブレスレットをしていた」

「そうです。それで、あるグループが、何かの印として腕にはめているのではないかと考えるようになりました」

「君は、どんなグループだと思うね？」

「わかりません。常識的にいえば、教会に属さずに、聖書の言葉を信じているグループということになりますが、そうだとすると、自殺する理由がわかりません」

「マンモス団地で死んだ女の方はどうだね？」

十津川は、視線を、板橋署の大杉刑事に向けた。

11

大杉は、それが癖で、度の強い眼鏡を指先で押さえるようにしながら、

「第一の事件と同様、指紋は前科者カードにありませんでした。市民からの通報は数件ありましたがいずれも別人です」

「ゴム風船をふくらませるのに使ったと思われる水素ボンベだが、あれを購入するには、消防署の許可が必要だろう？」

「その通りです。それで、都内と近郊の消防署に問い合せていますが、目下のところ、心当りがあるという返事はなしです」

「すると、遠く離れた場所で買ったか、盗んだかだな」

十津川は、自分に向って答えるようにいってから、

「最初にもいったように、今度の事件で、何よりもまずやらなければならないのは、二人の男女の身元を明らかにすることだ。どこの誰で、どんなグループに属しているかがわからなければ、予告された第三の事件を防ぐことが出来ないからだよ。井本君と石川君は、銀座での聞き込みに当って欲しい。男は、大きなダンボールを三つも、和光ビルの裏まで運んでいる。車で運んだのか、かついで運んだのか、仲間が手伝ったかどうかもわからないが、目撃者がいるんじゃないかな」

「わかりました。目撃者が見つからない場合は、どうしましょう？」

「蝶の方から調べてみてくれ。ほとんどがモンシロ蝶だったようだが、あれだけの数を集めるのは、大変だったに違いない。多分、南房総あたりで採集したんだろうが、地元では、話題になっていることが、十分に考えられる。そのことから、何かわかるかも知れん」

「わかりました」

「次は、大杉君と原田君だが、君たちには、まず、高島平団地周辺の聞き込みに当って貰いたい。女の場合は、水素ボンベ三本が入ったダンボールだから、銀座の場合より重かった筈だ。車で運んだ可能性が強い。その車の目撃者がいるかも知れんよ。それに、水素ボンベの線も引き続いて洗ってみてくれ。ゴム風船もだ。あれだけの数のゴム風船を、どこから手に入れたかだ」

「わかりました」

築地署と板橋署の四人の刑事が、勢よく飛び出して行ったあと、今まで黙っていた亀井刑事が、

「私は、何をしたらよろしいですか？」

と、十津川を見た。

「カメさんには、僕と一緒に考えて貰いたいんだ」

「は？」

亀井が、怪訝そうな顔をする。十津川は、黒板に、「蝶・ゴム風船」と書きつけた。

「今度の事件で、わからないことがいくつかあるが、その一つが、これだ。死んだ二人は、何のために、銀座の歩行者天国で数百匹の蝶を飛ばせたり、マンモス団地で、ゴム風船を飛ばしたりしたんだろう？」

「何かのデモンストレーションじゃないでしょうか？」

亀井が、考えながらいった。

「何のだい？」

「蝶の方は見当がつきませんが、ゴム風船の方は、次の日曜日の焼身自殺を予告するためのデモンストレーションだったと思うのですが」

「ゴム風船そのものには、別に意味はないということかね？」

「そうです。自殺予告の方が目的で、ゴム風船は、たまたま、その手段に使われたんだと思います」

「果して、そうだろうか？」

十津川は、難しい顔になった。死んだ男女は、蝶やゴム風船そのものに、意味をこめて空に向って飛ばしたのではあるまいか。

ゴム風船に結びつけられていた紙片には、

「次の日曜日に、われらの仲間が、抗議のために、焼身自殺する」と、書いてあった。

すると、二人の男女が、蝶とゴム風船を飛ばしたのも、何かの抗議ではなかったのだろうか？

（だが、いったい、何に対する抗議だろうか？）

12

高島平団地周辺の聞き込みに当った大杉と原田の二人の刑事は、現場近くに、白いライトバンがとまっていたのを見たという目撃者を見つけ出した。

この団地に住む四十二歳のサラリーマンだった。

木下というこのサラリーマンは、現場近くに、白いライトバンがとまり、若い女が、ダンボール箱をおろしているのを見たといった。その時刻は、ゴム風船が飛び始める三十分ほど前である。

「丁度、散歩に出ていた時で、どこかの店が、配達に来たんだろうと思い、注意しては見ませんでした。白い中古のライトバンだったのは覚えていますが、ナンバーは見ませんでした」

と、木下は、緊張した顔で、二人の刑事にいった。

「女の他には、誰もいませんでしたか？　その車の近くに」

大杉が、きいた。

「運転席に男が座っていましたね」

「どんな男ですか？」

「さあ。若い男だったような気がしますが、今もいったように、ちらりとしか見ていませんから」

「車は、国産車でしたか？」

「ええ。あまり大きな車じゃありませんでしたね。カローラぐらいかな。私は、あまり車のことは詳しくないので、車種はわかりません」

「女が一人で、ダンボール箱を下していたんですね？」

「ええ」

「他に、何か覚えていることはありませんか？」

「ありません。申しわけないんですが――」

木下は、いかにも、小心な下級サラリーマンという感じで、ペコリと頭を下げた。

大きな収穫ではなかったが、収穫は収穫であった。少くとも、死んだ男女には、もう一人、若い男の仲間がいたのだ。その男は、白い中古のライトバンを運転している。次の日曜日に焼身自殺しようとしているのは、この男かも知れなかった。

力を得た大杉と原田は、次に、ゴム風船の入手先を洗うことにした。

ゴム風船は、いろいろな所で売っている。一番身近な所といえば、駄菓子屋だろう。一つの店で、百を越えるゴム風船を買うことは不可能だが、東京都内の駄菓子屋を廻って歩けば、揃（そろ）えられる。

ゴム風船は、露店でも売っている。最近、復古調というのか、各地で露店が出るようになった。露店が出る日は、だいたい決っているから、これも、根気よく廻り歩けば、大量のゴム風船を揃えられないことはない。

しかし、駄菓子屋と露店の線は、捜査していく中に、無理があることがわかった。どちらで売っているゴム風船も安物で、大杉たちが、水素ガスを入れて飛ばしたところ、二十メートルほど昇ったところで、破裂してしまったからである。高島平団地で飛ばされたゴム風船は、いずれも、二百メートル近い高さまで昇っているから、もっと、上質のものなのだ。

二人の刑事は、問題のゴム風船を持って、大量に取引きしている問屋を聞いて廻った。

最初の四軒では、収穫がなかったが、五軒目に訪れた、浅草橋の問屋で、大きな手応えがあった。

ゴム風船の他に、パーティの飾りや、クラッカーなどを扱っている問屋だった。この店の田中という四十八歳の主人は、三月末に、白いライトバンに乗った若い男が、ゴム風船を買いに来たといった。

「二十五、六歳の背の高い男でしたね。なんでも、商店街の売出しで配るのだといっていましたよ」

と、田中は、クラッカーを箱に詰めながら、大杉たちに、その時のことを話してくれた。

「その男は、一人で来たんですか？」

「そうです」

WESTCHESTER PUBLIC LIBRARY
CHESTERTON IN

「ゴム風船を、いくつ買っていきました？」

「二百個です。二つのダンボール箱に詰めて運んで行きましたよ」

「それと同じダンボール箱が、ここにありますか？」

「いや。お客さんが持って来たんです。だから用意のいい客だなと思いましたね」

「領収書の写しはありませんか？」

「いや。お客さんが要らないというので、出しませんでした」

「その男の詳しい人相を話してくれませんか」

「そうねえ。今いったように、一八〇センチくらいある背の高い男でしてね。細面で、鼻が高く、まあ、いい男でしょうね」

(銀座で死んだ男とは違うな)

と、大杉は思った。死んだ男は、確か、身長は一七〇センチぐらいだった筈である。とすると、高島平団地に、白いライトバンを運転して来た男かも知れない。

「男の乗って来た車のことを覚えていますか？」

「あれは、カローラバンでしたよ。ナンバーは見ていません。そうだ。ドアのところに何かグリーンで書いてありましたね。あれは、確か、四ツ葉のクローバーでした」

13

銀座周辺の聞き込みに当った井本と石川の二人の刑事は、何の収穫もないままに、二日間を過ごしてしまった。

三日目の四月十八日の水曜日に、二人は、突破口を求めて、南房総に向った。

十津川は、南房総あたりで蝶を集めたのではないかといったが、その推理が当っている保証はどこにもない。もし、神奈川南部や、伊豆あたりで採集したものだったら、二人の南房総行きは、無駄になってしまう。

しかし、可能性がある以上、行って、調べてみなければならなかった。

井本たちは、まず、電話で千葉県警に協力を依頼してから、内房線の特急で、千葉県の南端にある館山（たてやま）に向った。

午前十時二十五分に館山駅に着くと、ジープに乗った千葉県警の青山刑事が、迎えに来てくれていた。

背のひょろりと高い、若い青山刑事は、いくらか訛（なま）りのある声で、

「どんなことでも協力するようにいわれて、お迎えにあがりました」

「ありがとう」

井本は、礼をいい、石川とリアシートに並んで腰を下した。

「モンシロ蝶を探されていると聞きましたが？」

青山が、エンジンをかけながら、井本にきいた。

「正確にいえば、最近、モンシロ蝶を大量に採集して行った人間を探しているんだ。県警本部に

は、県下の警察署や派出所に連絡して、そんな人間がいなかったか、調べて貰うように頼んでおいたんだが」

「そのことなら聞いています。何かわかったら、無線で知らせてくるそうです」

「じゃあ、われわれも、この近くから調べてみようじゃないか。モンシロ蝶が沢山いる所へ案内してくれないか」

「わかりました」

青山は、ぎこちない手つきでギアを入れ、ジープをスタートさせた。

南房総は、東京に比べると、陽差しが明るい感じがする。風もなく、眠くなるような暖かさだった。

二十分も走ると、眼の前一杯に、お花畠が広がる場所に来た。

一面のチューリップ畠だ。冬の間は、温室栽培していて、暖かくなったので、ビニールを外したらしい。

隣りのまだ、野菜のタネ蒔(ま)きをしていない畠には、じゅうたんのように、レンゲが咲き誇っている。

そして、花の上を乱舞している無数のモンシロ蝶。

青山が、車を止め、井本たちは、チューリップの採取をしている農家の人たちに、声をかけた。

「モンシロ蝶を採りに来た人間だって?」

陽焼けした中年の農夫は、傍(そば)にいる妻君らしい中年の女と、顔を見合せた。

「そんな人間は見てねえがな」

「わたしも気がつかなかったね」

と、陽よけの帽子をかぶった女も、首を横に振った。

「この近くで、モンシロ蝶を数百匹も採って行った人間はいませんでしたかね？　そんな噂（うわさ）を聞いたことはありませんか？」

井本は、飛び廻るモンシロ蝶に眼をやりながら、きいた。

「聞いたことがないね」

相手は、ぶっきらぼうにいった。

井本は、ハンカチで汗を拭きながら、ジープに戻った。

「次へ行こう」

と、青山にいった。

平地が多く、温暖な南房総では、到るところで、観賞用の花を栽培していた。米や野菜を作るよりも金になるのだろう。

従って、モンシロ蝶も、到るところにいた。

東京という鉄とコンクリートの中で生活している井本と石川にとって、久しぶりに接する自然の景色であり、自然の香りだった。最初は、気持が解放されるような感じだったが、次第に疲れて来た。なかなか、肝心の人間が見つからないせいばかりとはいえなかった。

都会の生活に、身体（からだ）が順応してしまっているために、自然が、かえって、疲れを誘うのだ。都会の中の聞き込みより、はるかに疲れる。

　夕方近くなっても、井本たちは、空しくジープを走らせていた。

14

　同じ頃、十津川は、亀井を連れて、半蔵門近くにあるプロテスタントの教会を訪ねていた。

　十津川自身は、あまり宗教に関心のある方ではない。せいぜい、自分の家は、昔、武士の家系で、そのせいで、禅宗だと知っている程度である。

「カメさんのところは、何だい？」

「息子は一時日曜学校へ通っていましたが、うちは、確か、真言宗だったと思います」

「神の存在を信じるかね？」

「さあ」と、亀井は、当惑した顔になった。

「警部はいかがですか？」

「時には、信じたくなる時もあるがね」

「死んだ若者二人は、神を信じていたんでしょうか？」

「ブレスレットに彫った言葉を信じていたとすれば、神の存在も信じていたろうね」

　教会には、幸い、日本人の若い牧師がいてくれた。

　十津川は、教会の前庭で、その牧師から話を聞いた。

「日曜日に、銀座の歩行者天国で起きた事件を、ご存知ですか？」

と、まず、十津川がきいた。

三十歳前後に見える童顔の牧師は、眼鏡の奥の小さな眼を、十津川に向けて、

「知っています」

「どう思われました？」

「どうといわれると？」

「今のところ、青酸カリによる自殺と考えられているんですが、腕につけていたブレスレットに、『われらは地の塩なり』という聖書の言葉が彫ってありました。キリスト教の信者の可能性が強いのです」

「聖書の言葉が、ブレスレットに彫ってあったからといって、その人が、キリスト教徒とは限りませんよ。聖書の言葉を、神の言葉として読まず、ただ、文学的だからと愛誦（あいしょう）している人も多いですからね」

「では、死んだ男は、キリスト教の信者だとは、思われないわけですか？」

「はっきり申しあげれば、そうですね」

「次の日曜日に、高島平団地で死んだ女もですか？」

「はい」

「彼女も、ブレスレットに、『われらは一粒の麦なり』と彫っていましたが、それでもですか？」

「はい」

「何故(なぜ)です？　自殺したからですか？」

「最大の理由は、そのことです」

「素朴な質問をしますが、キリスト教では、何故、自殺が禁じられているのですか？」

「私たちの心も肉体も、神から与えられたものです。従って、神に召される前に、勝手に傷つけたり、命を絶つことは許されないのです」

「しかし、イエスという人は、自分から捕まりに行って、十字架にかけられたわけでしょう？　これは、一種の自殺行為じゃありませんか？」

「確かに、イエスは、危険を承知で、エルサレムに行き処刑されました。しかし、イエスは、神の啓示に従って、エルサレムに行かれたのです。それに、イエスが神の子であることを疑う人が多かったのです。マルコによる福音書によると、当時の律法学者たちは、イエスが、自分を救い主であるというのは、神を冒瀆(ぼうとく)するものだと非難したと書いてあります。そこで、イエスは、自分が、救い主であることを証明するために、十字架にかかって死に、そして、復活されたのです。それによって、人々は、イエスが、キリスト即ち、救い主であることを知ったのです」

「キリストというのは、救い主という意味ですか。私は、イエスが姓で、キリストが名前だと思っていましたよ」

亀井が、頭をかきながらいった。

若い牧師は、おだやかに笑って、

「時々、そういう方がいらっしゃいます」

「牧師さん」と、十津川が、相手の顔を、まっすぐに見つめていった。

「死んだ二人の男女が、イエスのように、神の啓示を受けていたとは考えられませんか？」

「そんなことは、考えられません」

牧師は、即座に断定した。

「何故です？」

「神の声を聞けるのは、主イエスただ一人だけだからです」

「では、われわれは、神の声は聞けないわけですか？」

「イエスが、それを私たちに伝えて下さいます」

「どうやってです」

「聖書によってです。ですから、聖書をお読みなさい。そこに、全てが述べられています」

「しかし、聖書が書かれたのは、ずいぶん昔でしょう」と、亀井がいった。

「その頃と、神さまだって、考え方が違って来ているということは考えられませんか？」

亀井の質問は、牧師には、ひどい愚問に思えたのかも知れない。彼は、優しく微笑しただけだった。

「さっきの話ですが」と、十津川が、いった。

「錯覚かも知れないが、死んだ二人が、自分は、神の啓示を受けたと信じた場合は、考えられるんじゃありませんか？」

「もし、聞いたと錯覚したのなら、それは、神の声ではなく、悪魔（サタン）の囁（ささ）やきに違いありません」

「しかし、われわれ凡人は、どうして、神の啓示と、悪魔の囁やきを区別できるんです？」

「聖書を繰り返し読むことです。そうすれば、自然に、何が正しく、何が正しくないか、わかって来ます」

「――――」

十津川は、黙って、死んだ男女の顔に浮んでいた奇妙な微笑を思い出していた。自殺にしろ、他殺にしろ、何故、彼等は、微笑しながら、死を迎え入れたのだろうか？　イエス・キリストでさえ、十字架上で、悲しげな顔をしているのに。

15

四月二十一日の土曜日になっても、井本と石川の二人の刑事は、まだ、蝶を追って、南房総にいた。

すでに、三日間、二人は、千葉県警の青山が運転するジープにゆられて、モンシロ蝶の群棲地を走り廻った。県下の警察署からの情報もないではなかった。

モンシロ蝶を、盛んに採っていた人間を見たという情報が、二件、もたらされたが、一件は、日付が、銀座で事件の起きた四月八日の日曜日より後だったし、もう一件は、その場所に急行して聞いて廻ったところ、蝶を採っていたのは、東京の中学生の一団とわかった。念のために、その中学校に問い合せた結果、少年たちは、その蝶を、誰にも渡してはいなかった。

土曜日は、朝から雨だった。そのことが、二人の刑事の気持を、一層、重苦しいものにさせた。

明日になれば、東京の何処かで、誰かが焼身自殺するのだ。このままでは、それを防ぐのが難しい。

朝食をすませたあと、ジープに幌を付けて、二人は、青山刑事と一緒に乗り込んだ。雨足は強いが、気温は高かった。

「こんな雨の時にも、蝶は飛んでいるんだろうか？」

石川が、雨空を見上げるようにして、地元の青山にきいた。

「調べたことはありませんが、多分、木陰か何かで、雨宿りをしていると思います」

「そうだろうね。蝶の羽根は、雨に弱そうだからね」

と、井本が、肯いた。

「出かけますか？」

青山が、エンジンをかけた時、車に取りつけてある無線電話が鳴った。

受話器を取った青山が、二言、三言話してから、

「富津の近くの農家から、情報が入ったそうです。四月七日の土曜日に、子供たちが、夢中になって、蝶を採集していたというのです」

と、振り返って、井本たちにいった。

「事件のあった前日というのが引っかかるな」

井本は、眼を光らせたが、石川の方は、肯きながらも、

「しかし、子供なんだろう？　採っていたのは？」

と、青山を見た。

「はい。子供たちだそうです」

「そこが弱いな」

「ともかく、行ってみようじゃないか」

と、井本がいった。

三人を乗せたジープは、雨の中を、富津に向った。

富津の海岸は遠浅で、東京湾がきれいだった頃は、海水浴客で賑わったところである。

今でも、海水浴場があり、観光客用の地引網などが行われている。

国道十六号線から、奥へ五、六分走らせてから、青山は、車を止めた。

「この辺りだそうですが」

「野菜畠ばかりで、お花畠はないね」

井本がいうと、青山は、笑って、

「モンシロ蝶は、大根や、アブラ菜の花が好きですから」

そういえば、眼の前に広がる畠には、今、大根の白い花が一面に咲いていた。

三人は、ジープをおり、近くの農家に飛び込んだ。

軒下で、小型トラクターの整備をしていた若者に、青山が、警察手帖を見せてから、

「先々週の土曜日に、この辺りで、子供たちが蝶を盛んに採っていたそうだね？」

と、きいた。白いツナギを着た若者は、手を休めずに、

「ああ、弟の清二なんかも、夢中になって、網を振り廻したらしいよ」

「君の弟は、そんなに蝶が好きなのかね？」

「蝶なんかより、野球に夢中だよ」

「じゃあ、その日は、何故、蝶を採っていたんだろう？」

「それは、当人にきいてみてよ。おい。清二！」

若者が大声で呼ぶと、奥から、野球帽をかぶった十二、三の少年が現われた。

三人の刑事を見て、びっくりした顔の少年に、今度は、井本が声をかけた。

「四月七日の土曜日に、蝶を採ったんだって？」

「うん」

「その蝶は、どうしたの？」

「売ったよ」

と、少年はいった。

16

「くわしく話してくれないか。誰に売ったんだね？」

「白い車に乗ったおじさんさ。あの日、学校から帰って来て、友だちと野球をやっていたんだ。

そしたら、白いライトバンに乗ったおじさんがやって来て、蝶を採ってくれたらお金をあげるっていうのさ。一匹百円くれるっていうし、網も貸してくれたんで、みんな夢中になって採ったんだ。ヤスオくんなんか五十匹も採って、五千円儲けたよ」

「そのおじさんというのは、この男じゃないかな」

井本は、銀座の歩行者天国で死んだ男の写真を、少年に見せた。死んだ人間の顔は、別人のように見えることがあるので不安だったが、少年は、すぐ、

「この人だよ」

と、いった。井本は、石川と顔を見合せた。やっと、ここに来て、一歩前進したのだ。

「この男だがね。何処から来たかいっていなかったかね？」

「東京から来たといっていたよ」

「東京のどことはいっていなかったかね？」

「東京だけ」

少年の返事は、そっけない。

「集めた蝶を、どうするっていっていたね？」

と、石川が、代ってきいた。

「東京の子供は、蝶を見たことがないから、持って行って、見せてやるんだって」

「その他に、何かいってなかったかな？」

「台湾へ行くと、きれいな蝶が沢山いるっていってたよ」

(台湾か)

蝶の話ばかりしていたとすると、単に蝶の好きな若者だったのだろうか。

「車のことだが、ナンバーは覚えていないかね？」

「ええと、下二ケタは、18だよ」

「なぜ、それを覚えているんだね？」

「ボクは、巨人の堀内のファンなんだ。彼の背番号は、18だろう。同じ番号だったから覚えてるのさ」

少年は、ちょっと得意げに、鼻の頭をこすった。

「君が、堀内選手のファンでよかったよ」

と、石川は、微笑した。

しかし、白いカローラのライトバンで、下二ケタが18だけで、この車が、簡単に見つかるだろうか？

少年が覚えていたのは、これだけだった。

その時一緒に蝶を採ったという他の子供たちにも当ってみたが、結果は同じであった。子供たちは、お金になるモンシロ蝶を採るのに夢中で、男のことや、車のことは、さして気に止めていなかったのだ。

ただ、子供たちは、一人も、男が煙草を吸うのを見ていなかった。遺体のポケットにも、煙草が入っていなかったから、死んだ男は、煙草を吸わないと見ていいかも知れない。

井本たちは、ジープに乗り込み、富津市内に入ると、そこから、捜査本部に電話を入れた。

これまでにわかったことを、十津川に報告したのだが、電話を終った時、井本は、憂鬱そうな顔つきをしていた。

台湾へ行ったことがあるらしい男。煙草を吸わず、年齢は二十五、六歳。身長一七〇センチ。体重六二キロ。こんな若者は、いくらでもいる。

車も同じだ。下二ケタがわかっただけでは、その持主を見つけ出すのは骨だ。少くとも、今日中には無理だろう。

17

高島平の女の調査も、壁にぶつかってしまっていた。

ゴム風船を買った店まではわかったが、そこから先へ進めないのだ。水素ボンベの方は、製造元はわかったが、購入先は摑(つか)めなかった。従って、東京から遠く離れた場所で購入したか、盗んだものと断定せざるを得なかった。

市民からの通報も、一日に一件ぐらいの割合であったが、どれも、違っていた。

二十一日土曜日にも、上野近くの料理店の主人から、問題の女が、前に店で働いていた女によく似ているという通報があり、大杉と原田の二人は、雨の中を、確認のために出かけて行った。

記者会見を終って、部屋に戻って来た十津川は、亀井のいれてくれたお茶を口に運びながら、雨空を、暗い眼で見上げた。幸い、雨だけはあがりそうだ。

「記者会見の様子はどうでした？」

と、亀井がきいた。

「新聞記者さんの質問は、ただ一つさ。明日、われわれが、焼身自殺を防げるかどうかということだよ。まるで、賭けでもしているみたいに、楽しそうに質問していたよ」

「それで、どう答えられたんです？」

「全力を尽くすという以外に、どんな答え方が出来るというんだい？」と、十津川は、いった。

「どこの誰が自殺しようとしているのかもわからないんだ。場所もさ。どうやって防げるんだね」

「予告どおり実行されると思いますか？」

「やるだろうね。その点だけは、私と、記者さんたちの意見は一致したよ。陸運局の方はどんな具合だね？」

「下二ケタだけでは、持主を割り出すのは、すぐには難しいようです」

「だろうなあ」

「東京都内のトヨタの販売店にも協力を求めていますが、まだ、何の電話もありません」

「抗議か――」

「は？」

「抗議さ。ゴム風船についていた紙には、『抗議のために』と書いてあった。いったい、何を抗議する気なんだ？」

それがわかれば、捜査はしやすくなるのだが。

亀井は、ちらりと、壁にかかっているカレンダーに眼をやってから、

「明日やるという焼身自殺が、何かの抗議だとすると、前の二人の死も、同じように、抗議ということになりますね？」

「そうなるね」

「それなら、何故、抗議文を残さないんでしょう？　まさか、ブレスレットに彫られた聖書の文句が、抗議文の代りということもないと思いますが」

「それはないだろうね。とすると、残るのは、歩行者天国で、無数の蝶を飛ばせたり、高島平のマンモス団地で、大量のゴム風船を飛ばせたりする行為自体が、何かの抗議を意味しているのではないかということだな」

「つまり、それが、抗議文の代りというわけですか？」

「かも知れん」

「しかし、蝶とゴム風船じゃあ、何のことか、さっぱりわかりませんね」

「ひょっとすると、聖書の中に、似たような状態を示す言葉はないかと思ってね。昨日は、眠いのを我慢して、聖書を読み直してみたよ」

十津川は、ちょっと照れたような顔になっていった。自分が、聖書を読む人間には見えないことを、彼自身一番よく知っていたからである。宗教も、宗教の書も苦手なのだ。

「それで、似たようなことを書いた箇所が見つかりましたか?」

「残念ながら、これはという文句は見つからなかったな。まあ、こじつければ、ヨハネ黙示録の中の言葉ぐらいかね」

「黙示録は、比喩(ひゆ)が多くて、わかりにくいでしょう。私も、息子が日曜学校に行っていた頃、読んだことがありましたが、黙示録が一番わからなかったですね。イエス・キリストの予言が書いてあるということだけは、わかりましたが」

「あの中に、イエスの弟子たちが、十字架にかけられて死んだイエスの復活を目撃するところが、繰り返し書かれている。そこに、天より声が聞こえたとあるんだ。つまり、強引にこじつければ、二人の男女が、現代を終末の時代と考えて、蝶を空に飛ばしたり、ゴム風船を空にあげたりして、われわれに、天の声を聞けといっているのではないかとも考えられるんだがね」

「なるほど」

「しかし、これは違うね」

十津川は、自分でいったことを、自分で否定して見せた。

「なぜ、違うとわかります?」

「それなら、ゴム風船に、『神の声を聞け』と書くだろう。死ぬ必要もない。これは、自殺としてだがね」

「私には、蝶とゴム風船が、だんだん何かの意志表示に思えて来ましたが――」

「当然だよ。遊びでやったのなら、死人は出ない筈だ」

「振り出しに戻ってしまいますが、とにかく、誰に対しての、何の意志表示かが問題ですね」

「一つだけわかっていることがあるよ」

「何です？」

「もし、あれが殺人なら犯人が、自殺なら抗議される相手が、何の意志表示か知っているに違いないということさ」

と、十津川はいった。

18

夕方になって、雨があがったが、捜査本部を支配している空気が重苦しいことに変りはなかった。

上野の料理店に確認に出かけていた大杉と原田の両刑事は、空しく引きあげてきた。やはり、別人だったのだ。

東京陸運局や、トヨタの販売店から、問題の車の持主がわかったという電話は、入って来なかった。

この日の夕刊の一つに、著名な神父の呼びかけがあった。自殺は罪悪であり、もし、明日に予告している自殺志願者が、キリスト教の信者であるなら、神を冒瀆する行為は止めなさいという呼びかけだった。

若者に人気のある作家の呼びかけをのせた新聞もあった。

現在の社会に不満を持つのはわかるが、焼身自殺しても、何の解決にならない。自殺するくらいなら、社会運動に入るなり、思い切って、外国へ飛び出してみたまえという、至極、まともな談話であった。

十津川は、そうした記事を読むと、警察の無力さを指摘されているようで辛かった。

テレビでも、自殺予告者への呼びかけが行われた。十津川にも、出演の話が、二つのテレビ局からあったが、彼は断った。呼びかけは、マスコミや、専門の人に委せておけばいい。その時間があったら、十津川は、少しでも、捜査を続けたかった。

井本と石川の二人も、南房総から戻って来た。

十津川は、明日に備えて、部下たちに寝るようにいい、自分も、捜査本部の長椅子に横になった。

明日、焼身自殺が行われるのは、前の二件から考えて東京都内だろうが、それにしても、東京は広過ぎる。

考えれば考えるほど眠れなくなって、十津川が、うとうとしたのは、午前二時を過ぎてからである。

目覚めた時、予告された四月二十二日の日曜日の朝になっていた。

春の陽光が射し込んでいた。

炎の十字架

1

この日は、全国的に好天気で、各地の観光地、盛り場で、多くの人出が予想された。

警視庁内の一室に設けられた合同捜査本部では、十津川警部たちが、壁に貼られた大きな東京の地図を前にして、眼を血走らせていた。

彼等にとって、東京は、あまりにも広過ぎた。わずか数人の人数が、東京都内を走り廻ったところで、時間も場所もわからない焼身自殺を食い止められるという保証は、どこにもない。都内の警察署、消防署には、異変があり次第、すぐ通報してくれるように頼んである。今のところ、その方に期待するより仕方がなかった。

十津川が、同じようないらだちと、無力さを感じたのは、三年前に起きた連続爆破魔事件の時だった。

不敵にも、この犯人は、次の爆破日を予告して、警察に挑戦してきた。広い東京の何処に爆弾が仕掛けられるかは、犯人側の気まぐれに委され、十津川たちは、文字通り振り廻された。

今、その時と同じ状態に置かれている。救いといえば、今度の場合、焼身自殺を防げなかったとしても、爆破魔事件の時のように、市民を巻き添えにする危険は少いだろうということだけだった。

すでに、壁の電気時計は、午前八時を回っている。

「そろそろ、盛り場に、人の姿が見え始める時間ですね」

と、亀井が、呟(つぶ)やいた。

「人が集る所で、焼身自殺が行われると思われますか?」

井本が、意見を求めるように、十津川を見た。

「第一、第二の事件も、宣伝効果を狙って、銀座の歩行者天国や、マンモス団地が舞台に使われた形跡があるからね。今度も、同じ状況での焼身が行われる可能性が強い。もちろん、雑沓(ざっとう)の真ん中で、いきなり、身体(からだ)にガソリンをかけたりすれば、すぐ止められてしまうから、雑沓の近くでやるだろうがね。雑沓のすぐ近くで、死角になっているような場所だ」

「そんな場所は、都内にいくらでもありますよ。遊園地の中のトイレだって、死角ですし——」

「君のいう通りだよ。相手が、焼身自殺するのに選べる場所は、何カ所も、何十カ所もある。われわれ六人では、とうてい、カバーできるものじゃない」

「それはわかるんですが——」

井本は、どうしても、落着けないといって、捜査本部を飛び出して行った。他の三人も、街を走り廻っていた方が落着けるといい、それぞれ、パトカーに便乗して、都内の遊園地、盛り場、団地などに出かけて行った。

四人の刑事たちが、焼身自殺を食い止められる可能性は少かった。

相手が、どこの誰ともわからないからである。唯一の手掛りといえば、下二ケタが、18のナンバープレートをつけた白いカローラバンだが、今度の焼身自殺にも、その車が使われるかどうかわからなかった。

捜査本部には、十津川と亀井の二人が残った。十津川自身も、ここで、じっと報告を待つよりも、都内を走り廻っていた方が気が楽だった。亀井とて同じだが、捜査本部を、からっぽには出来ない。

十津川は、また、腕時計を見た。

午前八時二十一分。

自殺者というのは、一日の中で、何時頃に死ぬのが一番多いのだろうか？　夜ならば、まだ、時間は十分にあるが、朝だったら、都内の何処かで、もうすでに、ガソリンをかぶって死んでしまっているかも知れない。

「焼身自殺するという男のことですが」

亀井が、部屋の中を歩き廻りながら、十津川に話しかけた。

十津川は、何本目かの煙草に火をつけてから、

「男とは限らないよ。カメさん。焼身自殺しようとしているのは、女かも知れん」

「そうですね。女かも知れません。場所は、やはり、歩行者天国か、マンモス団地でしょうか？

それとも、全く違う所でしょうか？」

「わからないが、多分、今度は、歩行者天国や、マンモス団地は使わないだろうね。向うも、前の二件のことがあるから、警察が、歩行者天国や、マンモス団地を警戒していると考えるだろうからね」

「歩行者天国や、マンモス団地でないとすると、どんな場所でしょうか？」

「わかるのは、邪魔されずに焼身自殺が出来て、しかも、マスコミが喜びそうな派手な場所だろうということだけだよ」

「さっき、井本刑事がいった、遊園地のトイレのような――ですか？」

「ちょっと違うかも知れないな。ただの焼身自殺ではなく、相手は、抗議のための焼身自殺だといっているんだから」

「すると、超高層ビルの屋上のような所でしょうか？」

「大いにあり得るね。舞台としたら絶好だ。他にも、国立競技場でもいいし、川に浮べたボートの中でも、宣伝効果はある」

「高速道路に車を止めて、その中で焼身自殺ということも考えられるんじゃありませんか？」

亀井が、相変らず、部屋の中を歩き廻りながらいった時、十津川の前に置かれた電話が、けたたましい音を立てて鳴った。

十津川は、一瞬、亀井と顔を見合せてから、太い腕を伸ばして、受話器をつかんだ。

「こちらは、四谷警察署ですが」と、若い男の声がいった。

「今、若い男が、焼身自殺をしました。そちらに報告するようにいわれたので――」

「場所は何処だ！」

十津川が、噛みつくような声を出した。

「神宮です」

「神宮の何処だ！」

「野球をやる神宮球場です。神宮球場のグラウンドで――」

「神宮球場だって？」

十津川は、受話器を耳に当てたまま、腕時計を見た。午前八時半を回ったところだった。

2

神宮球場は、今、六大学野球のシーズンである。

前日の土曜日に、早東、法立の各一回戦が行われる筈だったが、雨のために順延され、今日、日曜日の午後一時から、一回戦が行われることになっていた。

球場課長の安西は、午前八時少し前に出勤すると、すぐ、グラウンドの状態を見に、部屋を出た。

昨日、雨が止んだあと、今日に備え、整備員を総動員して、グラウンドを整備した。職人気質の強い安西は、徹底的にやる方だったから、昨日の整備で、もう完全なのだが、やはり、当日になると気になってくる。

五十歳を過ぎた安西の願いは、常に、最良の状態のグラウンドで、選手に活躍して貰うことだった。それは、プロ、アマの別はない。

観客席に、まだ、人影はなかった。

ホームベースの横からグラウンドに出た安西は、眩しい春の陽射しに、眼を細めて、ピッチャーズマウンドの方を眺めた。

「あッ」

と、叫び声をあげたのは、その時だった。

ピッチャーズマウンドのところで、猛烈な炎が吹きあげ、黒煙が、もくもくと立ち昇っていたからである。

最初、安西は、浮浪者が焚火をしているのかと思った。前に一度、二人の浮浪者が、外野の芝生の上で、焚火をしていたことがあったからである。

しかし、今日は、焚火をするにしては暖か過ぎたし、火勢が強過ぎた。

（まるで、ガソリンでも燃やしているようだな）

と、考えた時、彼は、新聞やテレビを賑わせている予告焼身自殺のことを思い出し、また、

「あッ」と、声をあげた。

安西は、じっと、炎に向って眼を凝らした。真っ赤に燃えあがる炎の向うに、黒い人影みたいなものが見えた。その黒い影は、人形のように動かない。

安西は、急に、がくがくと膝頭がふるえ出し、その場に屈み込んでしまった。

とっさに、どうしたらいいのかわからなかった。

球場整備員は、八時半頃にならなければ出て来ない。昨日、三時間近くかけて、グラウンドの整備をして、疲れ切った整備員たちに、定時に出てくればいいと、安西がいってあったからである。

ひとりで、マウンドの所に駈けつけても、あの炎の中から、中の人間を助け出せそうもない。

(そうだ、消火器だ)

と、気がつくと、安西は、立ち上って、球場課の部屋に引き返した。廊下に、消火器があった筈である。

廊下で、出勤して来た球場職員にぶつかった。

「一一〇番してくれ!」

と、安西は、壁に取りつけてある消火器を外しながら、その若い職員に向って怒鳴った。

「は?」

何のことかわからずに、きき返す相手に向って、

「一一〇番だよ。グラウンドで、誰かが、焼身自殺しようとしているんだ」

その言葉で、相手は、弾かれたように、電話のところへ、すっ飛んで行った。

安西は、大きな消火器を抱きかかえるようにして、もう一度、グラウンドへ引き返し、ピッチャーズマウンドの方へ走って行った。

近づくにつれて、猛烈な熱気が、安西の身体を押し包んだ。真っ赤な炎の中で、焼けている人間の姿も、はっきりと見えた。

五、六メートルまで近づいたところで、安西は立ち止まった。熱くて、それ以上、近づけないのだ。

消火器を下し、筒先を炎に向けたが、あわてているのか、なかなか、消火剤が飛び出さない。動転していて、レバーを引くのを忘れているのだ。舌打ちして、レバーを引くと、白い消火剤が、泡のように噴出した。

消火剤が、炎を包み込んだ。三秒、四秒、たちまち、赤く燃えあがっていた炎が、小さく、弱弱しくなっていき、数分後には、黒煙が、くすぶるだけになった。

安西は、消火器を転がしてから、ゆっくりピッチャーズマウンドに近づいた。

風が、黒煙を吹き払った。

そのあとに、黒焦げになった男の死体が現われ、その死体は、音を立てて横倒しになった。

3

十二分後に、二人の警官が、パトカーで駈けつけた。

球場の外で車を降り、警官が、中に駈け込んだ時、安西は、疲れ切った顔でホームプレートのうしろに屈み込んでいた。

「焼身自殺した人間というのはあれですか？」

と、警官が、急込んだ調子できくのへ、安西は、うなずいてから、

「あそこですが、もう死んでいますよ。黒焦げになってね」

「確かですか？」

「ええ。あんな死体を見たのは初めてです。顔なんか、わからないぐらいに焼けてしまっています」

安西は、口を押さえた。また、吐き気がしてきたのだ。さっき、黒焦げの死体を眼の前にして、思わず、その場に吐いてしまった。

二人の警官は、確認のために、グラウンドに入ろうとして、急に、足を止めた。

グラウンドが、きれいに整備され、ピッチャーズマウンドに向って、はっきりと足跡がついているのに気がついたからである。

さすがに、警官で、現場保存という言葉が頭に閃いて、一人だけが、自分の足跡を見ながら、ピッチャーズマウンドまで歩いて行った。

雪のように、消火剤が積っている場所に、安西がいった通り、黒焦げの死体が横たわっていた。肉の焼けた、むかつく匂いが、立ちこめている。死体は、辛うじて、男とわかるぐらい、焼けてしまっていた。

警官は、グラウンドの外にいる同僚に向って、両手でメガフォンを作り、

「死んでるのは男だ！」

と、怒鳴った。

更に十五分後、十津川や、亀井たちが、駈けつけた。

球場職員も、顔を見せ始め、それに、連盟関係者や、早大、東大の選手たちも、グラウンドに現われて、騒ぎが大きくなった。

誰が知らせたのか、新聞社の車も、社旗をはためかせて、集って来た。

十津川は、グラウンドへの立ち入りを禁止し、ロープを張らせてから、亀井と、ピッチャーズマウンドまで歩いて行った。

ガソリンのむせかえるような匂い、肉や皮膚の焼ける匂い、それに、消火剤の匂いまで混じり合って、ピッチャーズマウンドの周囲には、異様な臭気が立ちこめている。

「ひどいな」

と、呟やきながら、十津川は、死体を見下した。

文字通り、黒焦げの死体である。焼死した死体というのは、たいてい、手足をエビのように曲げているものだが、この死体も、手足を縮めるようにして死んでいた。

第一と第二の死体は、奇妙な微笑を口元に浮べていて、十津川たちを当惑させたのだが、今度の死体に微笑はない。いや、正確にいえば、顔の造作がわからないくらい焼け焦げてしまっているということである。身につけている衣服も、もちろん完全に焼けていて、手を触れると、ばらばらと崩れ落ちていく。

十津川は、手袋をはめた手で、死体の左手をさぐった。

やはりあった。

真っ黒に煤けているが、手首についているのは、第一、第二の事件の男女がつけていたと同じ型のブレスレットだった。

十津川は、慎重に死体から外し、ハンカチで、何度もこすった。内側に彫られた文字が、少しずつ現われてきた。


〈われらは地を継ぐ者なり〉


そう読めた。

亀井が、十津川の手元をのぞき込んで、

「また、聖書の言葉ですか？」

「そうだ。これは、確か、マタイ伝の有名な山上の垂訓の中にある言葉だよ。正確には、『幸福なるかな、柔和なる者、その人は地を継がん』だったと思う。それからとったのだろう」

「しかし、なぜ、三人とも、聖書なんでしょうか？」

「三人とも、聖書が好きなんだろう。聖書の中の言葉がね。私だって嫌いじゃない。いい言葉が、いくらでもあるからね。しかし、その言葉を彫ったブレスレットを腕にはめて、青酸カリを飲んだり、ガソリンを身体にかけて火をつけたりしたいとは思わんね」

「同感です」

「だが、現実に、三人の男女が、そうして死んでいる。自殺なら、正に狂気の行動だ。しかし、もし、他殺だったら――」

十津川は、険しい眼で、どこの誰ともわからぬ男の焼死体を眺めた。

果して、他殺の可能性はあるのだろうか？

4

「殺人の可能性はないと思いますね」

と、亀井がいった。

「なぜだい？」

「発見者の球場課長や、四谷署の警官の証言ですが、この仏さんが炎に包まれているのを見た時、ピッチャーズマウンドに向って、一つの足跡しかついていなかったというのです。明らかに、これは、仏さんが、ホームプレートの方から、ここに向って歩いて来た足跡です」

亀井は、一つの足跡を指さした。

整備されたグラウンドに、現在、五つの足跡がついていた。

安西球場課長と、パトカーで駈け付けた警官の足跡は、ホームプレートからピッチャーズマウンドの間を往復している。

十津川と亀井の足跡は、まだ、片道だけである。

そして、焼身した男の足跡。亀井がいうように、この足跡は、ホームプレートからピッチャーズマウンドまでで終っている。

この他に、足跡はない。

「警部さーん」

と、ホームプレートの傍から、安西球場課長が、大声で、十津川を呼んだ。

亀井をその場に残して、十津川は、安西の傍に引き返した。

「何ですか？」

「時間がありません」

と、安西は、当惑した顔で、十津川にいった。

「早東一回戦は、午後一時からでしょう？」

「それはそうですが、両校の選手たちに練習させてやらなければならないんです。遺体が運び出されたら、すぐ、グラウンドを整備する必要がありますし――」

安西は、ダッグアウトの中から、死体や、刑事の動きを見つめている早大、東大の選手たちに眼をやった。

「引き伸ばせませんか？　時間を」

十津川がきくと、安西は、首を横に振って、

「早東戦のあとに、法立戦が控えていますからね。あと三十分以内に、ピッチャーズマウンドの死体を運び出して頂きたいですね。自殺なんだから、死体を動かしても、問題はないんじゃあり

ませんか。私としては、何よりも選手たちに、一番いい状態で試合をやって貰いたいんです」

「あと三十分ですか」

十津川は、迷った。

これが殺人事件なら、強引に試合開始時間をおくらせてでも、現場検証を続けるだろう。

だが、今度の焼身事件は、どこから見ても、自殺としか考えられない。試合開始時間をおくらせることは無理のようだ。

「いいでしょう」と、十津川は、安西にいった。

「三十分したら、死体を運び出しましょう」

十津川は、鑑識の連中に、その間に、なるべく沢山の現場写真を撮ってくれるように頼んだ。

「十津川さんよ」

と、今度は、新聞記者たちに呼ばれた。

「いつになったら、ロープの中に入れてくれるんだい？　ロープの外からじゃあ、いい写真は撮れないぜ」

「もうちょっと待ってくれないか」

と、十津川は、手で制するようにしてから、もう一度、安西の方へ眼を向けた。

安西の傍には、ユニホーム姿のグラウンド整備員（キーパー）が集って来ていた。

いずれも、中年の六人の男たちだった。

「これで、全員ですか？」

と、十津川は、安西にきいた。

「そうです。この球場のグラウンド整備員(キーパー)は、六人だけです。忙しい時には、臨時に、二、三人大学生をアルバイトで傭(やと)うこともありますが、グラウンドの整備の仕事は、あくまでも、この六人がやることになっています」

「経験は、どのくらいですか？」

「一番古い人で二十年、一番新しい人でも、二年の経験がありますね」

「グラウンドの整備というのは、簡単なように見えて、意外に難しいんでしょうね？」

「さあ、それは、専門家に聞いてみて下さい。この中で、一番古いのは、武井君だから」

と、安西は、五十歳ぐらいに見える小柄な男を紹介してくれた。

二十年間、この仕事一筋に生きて来たという武井は、陽焼けした浅黒い顔を、十津川に向けて、

「たいして難しくはないが、自分で納得できるように整備するには、やっぱり、二、三年はかかるねえ」

「私に、ちょっとやらせて貰えないかな」

「ええ。どうぞ」

武井は、通称トンボと呼ばれる熊手に似た道具を、十津川に渡してよこした。

十津川は、トンボを持って、グラウンドの中に入り、地ならしをしてみた。

カメラマンの一人が、面白がって、十津川に向けて、シャッターを切った。十津川は、やめてくれというように、手を振ってから、なおも、何度か、トンボを動かした。

武井がいったように、簡単なようで難しい仕事だった。均一に地面をならすのが難しい。

「武井さん」

と、十津川は、相手を傍に呼んでから、

「昨日、グラウンドの整備をしたそうだね？」

「雨が止んだあと、三時間かけて、全員でやったよ。グラウンドが荒れたあとを、いつも使える状態にしておくのが、われわれの仕事だからね」

「今、グラウンドを見て、その時の状態のままになっているかどうか、教えて貰いたいんだがね」

「あんたのいう意味が、よくわからないんだが」

「誰かが、グラウンドの一部を整備し直していないか見て欲しいんだ」

「誰がそんな馬鹿なことをするのかね？」

「わからないから、ベテランのあなたに見て貰いたいんだがね」

「そうだねえ」

武井は、小柄な身体で、背伸びするように、グラウンドを見廻した。

「ずいぶん足跡をつけちまったが、その他は、まあ、きちんと整備されてるね」

「昨日、あなたたちが整備した時と、全く同じかな？」

「わしがひとりでやったわけじゃないから、断定はできないが、あの時のままのような気がするね。少くとも、素人がいじったりはしてないようだね」

「それは確かだろうね？」

「ああ。確かだよ。アルバイトの学生が整備したところは、すぐわかるからね。ところで、まだ、グラウンドを直しちゃいけないのかね？」

「もう少し待ってくれ」

十津川は、写真を撮りまくっている鑑識の方を見た。

鑑識課員の一人が、すみましたというように、十津川に向って手をあげた。

十津川が、ロープの外で、じりじりしながら待っている新聞記者たちに、O・Kの合図をすると、記者たちは、グラウンドの土を蹴散らすようにして、ピッチャーズマウンドに向って走っていった。

5

死体は、解剖のために、担架にのせられてグラウンドから運び出され、球場の外で待機している車で、慶応大学病院に運ばれて行った。

あとには、ガソリンが入っていたと思われるポリ容器と、ベンジンのガラスびん、それに、十津川が死体の手首から取り外した真鍮製のブレスレットが残った。

ポリ容器は、家庭でよく使われている十八リットル入りのものだし、ベンジンだって、薬局で簡単に買うことが出来る。

「また、仏さんの身元の割り出しに苦労しそうですね」

と、亀井が、高熱のために変形してしまったポリ容器を、拳で軽く叩きながら、憂鬱そうにいった。

「そうだな。あれだけ焼けてしまうと、指紋も消えてしまっているからね。前の時と同じように、このブレスレットも、手掛りにはならんだろう」

「なぜ、こうも、若者が続いて死にたがるんでしょうか？」

亀井は、うんざりしたようにいい、死体の運び出されたグラウンドに眼をやった。

武井たち整備員によって整備されたピッチャーズマウンドでは、早大のバッティング投手が、すでに投球を始めていた。鳥かごの中では、打撃練習も開始されている。

新聞記者やカメラマンたちは、球場から姿を消してしまっていた。

今、球場を支配しているのは、選手たちの陽気な掛声と、乾いた球音だけである。ついさっきまでグラウンドに、焼け焦げた死体が転がっていたことなど、まるで、夢としか思えなかった。

じっとしていると、汗が出て来そうな暖かさだった。

「われわれも、引き揚げようじゃないか」

と、十津川は、亀井を促して、出口に向って歩き出した。

その足元に、打撃練習中のボールが転がってきた。

亀井が、素早く拾って、投げ返してから、

「いったい、どこが違うんでしょうか？」

と、十津川にきいた。

「何がだね？」

「野球をやってる若者たちと、死んでいった三人の若者たちのことです。年齢は同じくらいです。それなのに、なぜ、三人が死に、眼の前の若者たちは、野球に熱中しているんでしょう？」

「同じ若者さ」

「しかし――」

「ただ、片方が、野球に生き甲斐を見つけ、あの三人は、死ぬことに生き甲斐を見つけただけのことだよ」

「死ぬことに生き甲斐を見つけるなんて、私には理解できませんね」

「同感だね。私にだって理解できないよ。だが、彼等三人は、喜んで死んでいったように見えるね。もちろん、自殺としての話だが」

二人は、球場の外に出た。

ここにも、春の陽光が、明るく降り注ぎ、キャッチボールをしている若者や、バドミントンに興じている女性の姿が見られた。いつの間にか、時間は昼を過ぎてしまっていた。

二人は、待たせてあったパトカーに乗り込んだ。

「これで最後だと助かるがね」

十津川が、呟やくと、亀井は、びっくりした顔で、

「警部は、四人目が出るとお考えなんですか？」

「彼等は、三人で終りだとはいっていないよ。ゴム風船につけられた紙片には、われらの仲間が、次の日曜日に抗議のために焼身自殺するとしか書いてない。その通り実行されたが、抗議の実があがらないと思えば、また、次の日曜日に、四人目の若者が、焼身自殺するかも知れんよ」

「警部。脅かさんで下さいよ」

と、亀井は、笑った。が、その笑いは、すぐ消えてしまった。亀井も、十津川のいう可能性を考えたからだった。

確かに、相手は、三人で中止するとはいっていないのだ。

6

この日が日曜日で、夕刊のなかったことに、十津川は、感謝した。夕刊が出ていれば、間違いなく、予告された焼身自殺を防げなかったことで、警察の無力さが批判されたに違いないからである。

もちろん、テレビのニュースは、一斉に、神宮球場での焼身を伝えた。が、テレビは、新聞に比べると感覚的だ。警察に対する批判よりも、事件をセンセーショナルに伝えることに重点を置いてくれた。

ベトナム戦争時代に、焼身自殺したベトナムの僧侶（そうりょ）の写真や、南米ガイアナでの集団自殺の写真を映して、今度の事件を、それに比べようとしたテレビもあった。ショッキングな点や、不気味さでよく似ていたからだろう。だが、そのニュースでも、原稿を読むアナウンサーは、正確な類似点や、相違点を指摘することは出来なかった。今度の事件が、いったい何を目的としたものか、見当がつかないからであろう。

見当がつかない点では、警察も同じだった。

焼死した男の解剖結果が出るまでの間、十津川は、本多捜査一課長に呼ばれて、それを質問された。

「三人の若者の死は、現代の社会そのものに対して抗議しているのだという人もいるんだがね」

と、本多は、いった。

「キリスト教では、現代文明は亡びゆくもので、そのあとに、神の国が到来するんじゃないかね。そうだとすれば、現代は、もっとも腐敗した時代で、過激なキリスト信者が、抗議のために、次次と自殺していっても、おかしくはないんじゃないかね？　キリスト教では、自殺は罪とされているというが、ガイアナで集団自殺した人たちもキリスト教徒だったし、殉教も一種の自殺だからね」

「課長も、キリスト教の研究をされたようですね」

と、十津川がいうと、本多は、苦笑して、

「今度の事件のおかげで、あわてて、本を買って来て読んだよ」

「私も同様です。久しぶりに、学生時代の一夜漬けの試験勉強を思い出しました」

と、十津川も微笑した。

「ところで、君の考えはどうなんだ？　彼等は、いったい何に抗議しようとしているんだと思うね？」

「正直いってわかりません。しかし、時代に対する抗議といったものではないと考えています」

「理由は？」

「キリスト教のある宗派では、今は亡びの時代で、最後の時が来たとき、真のキリスト教徒になっていなければ救われないといっています」

「その人たちなら、私のところにも、入信のすすめに来たよ。私は、宗教というやつが性に合わないので断ったがね。それがどうかしたかね？」

「つまり、死んだ三人と、その仲間が、時代に抗議するということなら、『無知な』われわれに対して、まず警告し、われわれを救おうとするのではないかと思うのです」

「彼等の警告は、すでに行われていて、われわれが、気がつかなかっただけかも知れんよ」

「その可能性も調べてみました」

「それで？」

「過去一年間の新聞記事を調べ、都内のどこかに、奇妙な落書きがなかったかを調べ、妙なビラが配布されたことがなかったかを調べました。しかし、今度の事件を予見させるようなものは、見つかりませんでした」

「すると、君は、特定の何かに対する抗議と考えているのだね？」

「そうですが、それが何なのか、まだ、見当もつきません。早く見つけ出さないと、次の日曜日に、四人目の抗議者が、また死ぬかも知れません」

「他にも、心配なことがある」

本多は、重い口調でいった。

「何ですか?」

「マスコミがこれだけ騒ぐと、真似する人間が出てくるのではないかということだよ。日本は、若者の自殺の多い国だからね。今度の事件に触発されて、服毒や、焼身して自殺する若者が増えなければいいがと思っているんだが」

この本多捜査一課長の危惧は、不幸にも適中し、二日後の二十四日の夕刻、一人の少年が、衝動的に灯油を浴びて焼身自殺してしまった。

7

十六歳で、高校一年生のその少年は、内向的で、友人が少かった。

彼は、日記に、自殺を匂わせるような言葉を、何回か書きつけていた。従って、少年は、今度の事件がなくても、自殺したかも知れない。最近の年少者の異常な自殺増加を考えれば、その可能性が強い。

だが、それは、十津川たちにとって、何の慰めにもならなかった。少年は、自分の住むマンションの屋上で、灯油を全身に浴びて焼身自殺したのであり、明らかに、四月二十二日の神宮球場の事件の真似だったからである。

母親が発見した時、まだ、少年の身体は、炎に包まれていた。日頃は大人しい母親だったが、とっさに両手を広げて、燃えている息子の上に蔽いかぶさっていった。もし、その時、他の部屋の人々が上って来なかったら、母子ともに、焼死していただろうと思われる。

他の人々が、あわてて、消火器を持って来たり、敷布を濡らしてかぶせたりして、やっと、火を消し止めたが、少年はすでに死亡しており、母親も、二カ月の大火傷で、近くの病院に入院した。

当然のこととして、翌日の各紙朝刊は、この少年の焼身自殺を、大きく、派手に取りあげた。一連の事件とは、つながりがないことがわかっているだけに、直接、警察を批判する記事はなかったが、類似の事件が起きたこと自体が、警察に対する批判であった。

「やはり、真似する者が現われましたね」

と、亀井が、暗い眼で、十津川を見た。亀井刑事には、小学五年生の息子がいた筈である。それだけに、一層、少年の焼身自殺が、こたえるのだろう。

十津川は、がらんとした、捜査本部に当てられた室内を見廻した。

井本刑事や大杉刑事たちは、連日、聞き込みに駈けずり廻っているのだが、いぜんとして、死んだ三人の身元は、割れなかった。

「さっき廊下に出たら、記者さんに、少年の焼身自殺について、感想をきかれたよ」

十津川は、ぶぜんとした顔でいった。

「それで、どう答えられたんですか？」

「どう答えられるというんだね？」

「申しわけありません」

「別に、君が謝ることはない。ただ、残念だとだけ答えておいたよ」

「まだ、真似する者が出てくるとお考えですか？」

「高島平団地の屋上から、すでに五十人を越す人間が飛び降り自殺している。屋上に金網を張っても、その金網を破って飛び降りるらしい。下手をすると、その二の舞いになるかも知れん。そうなる前に、死んだ三人の身元を割り出して、何故死んだのか、その理由を知りたいね。もし、あれが他殺なら、犯人をあげたいと思っている」

「まだ、他殺の可能性があるとお考えなんですか？」

亀井は、びっくりした顔できいた。

「三人目の焼身自殺者の解剖報告は、君も読んだろう」と、十津川は、強い眼で、亀井を見た。

「死因は、焼死でなく、青酸中毒死だ。青酸カリを飲んで死んでいるんだ」

「私も、最初は、ちょっとびっくりしました。しかし、こういうことじゃないでしょうか。あの男は、焼身自殺を予告しました。覚悟の自殺です。しかし、焼身自殺は辛いものです。すぐには死にませんからね。炎の中で、自分の身体が、じりじり焼けていくのを、じっと耐えていなければなりません。彼は、途中で、自分が逃げ出すのが怖かったんじゃないでしょうか？　そんなことをすれば、予告した手前、恥しい。それで、醜態をさらさぬために、火をつけてから、すぐ、青酸カリを飲んだのではないかと、私は考えたんですが」

「そうかも知れない。だが、青酸カリで殺しておいて、神宮球場のピッチャーズマウンドまで運び、焼身自殺に見せかけて、焼いてしまったのかも知れん」

「しかし――」

「わかっているよ。足跡から見て、あのグラウンド内は一種の密室状態だったというんだろう？」

「その通りです。ピッチャーズマウンドへ向って歩いて行った足跡はついていましたが、戻って来た足跡はありませんでした」

「だが、犯人にグラウンド整備員の経験があれば、戻った自分の足跡を、消すことが出来るんだ。素人には無理だがね」

「それで、井本刑事に、グラウンド整備員のことを調べるようにいわれたんですか？」

「そうだ」

「他のことで、どうもわからないことがあるんですが」

「何だい？」

「なぜ、こうも、身元が割れないんでしょうか？　三人目の焼身した男は、顔も焼けてしまっているし、指紋も消えてしまっていましたから、無理もないと思いますが、前の二人の男女については、なぜ、彼等の家族や、友人が、名乗り出て来ないのか、不思議でならんのです。新聞にのった顔写真は、死顔なので、生きている時と多少は違っているでしょうが、他に、身体的特徴も出たし、あれだけニュースになった事件ですからね」

「それは多分、彼等が、非常に閉鎖的な集団(グループ)に所属していたということだろうね。家族や友人とも切り離された集団だ」

「そんな集団があるんでしょうか?」

「あるんだ。だからこそ、三人の身元が、なかなか割れないんだ」

十津川は、引出しから、三本の真鍮製のブレスレットを取り出して、机の上に並べた。

いずれも、死んだ人間の手首にはめてあったブレスレットである。

裏側に、四ツ葉のクローバーと、聖書の中の言葉が彫り込んである。

十津川は、椅子に深く身体を沈め、一つの集団を頭に思い描いてみた。

若者の集団である。服装は貧しいが、眼は、きらきら光っている。そんな若者のグループだ。眼が光っているのは、信仰のためかも知れないし、狂気のためかも知れない。彼等は、家族も、友人も捨てて集っている。彼等の信仰なり、目的なりが、家族や友人より大事なのだ。

十津川は、そんな集団の指導者(リーダー)の姿を想像してみた。

彼等と同じように若いのだろうか? それとも、白髪の老人だろうか。若いようにも思えるし、智識の豊富な老人のようにも思える。

そのいずれにしろ、その人間は、教祖的な魅力と力を持っているに違いない。自分を、キリストの再来と信じ、また、グループの人たちに信じさせているのかも知れない。

(だが、彼等の目的は、いったい何なのだろうか?)

と、十津川が考えた時、神宮球場に行っていた井本と石川の二人の刑事が帰って来た。

8

二人とも、連日、聞き込みに歩き廻っているせいで、顔が、真っ黒に陽焼けしていた。

彼等と入れ違いに、亀井が、聞き込みに出かけて行った。

「現在、あの球場で働いている六人のグラウンド整備員(キーパー)のことを、まず調べてみました」

と、井本が、十津川に報告した。

「それで？」

「六人とも、アリバイがあります。焼死した男の死亡推定時刻は、二十二日の午前八時前後ということですが、その時刻に、この六人は、神宮球場に向う電車の中か、家で、おそい朝食をとっていたことが確認されました」

「そうか」

「警部は、やはり、他殺とお考えですか？」

「五分五分だと思っている。だから、君たちに調べて貰ったんだ。最近辞めたグラウンド整備員(キーパー)はわかったかね？」

「ここ三年の間に、辞めたのは、二人だけです」

「たった二人か？」

「よほど居心地のいい職場なんだろうと思います。他に、学生アルバイトが五人。名前と住所を聞いて来ましたので、石川君と、これから調べてみます」

「ひと休みしてから、その七人に当ってみてくれ。運が良ければ、その中に、死んだ仏さんの知り合いがいるかも知れない」

十津川がいった時、電話が鳴った。井本が取ろうとするのを、いいよというように手で制して、十津川が、受話器を取った。

「十津川か？」

と、男の声がいった。

「そうだが、君は？」

「おれだよ。東西新聞の田名部だよ」

「君か」

と、十津川は、肯いた。大学時代の友人で、今は、東西新聞の社会部で、デスクをしている男だった。

「ぜひ、君に見せたいものがある」

と、田名部がいった。

「何だい？」

「それは、会ってからのお楽しみさ。とにかく、君が担当している例の連続自殺事件に関係したものだ」

「本当か？」

「ああ。うちの社の五階に喫茶店がある。そこに来ないか」

「いいとも」

と、十津川はいった。

有楽町にある東西新聞社まで、十津川は、タクシーを飛ばした。

田名部は、先に、「るふらん」という喫茶店に来て待っていた。顔色が悪い。十津川が、それをいうと、田名部は、酒の飲み過ぎで、肝臓をやられてねと笑ってから、

「君に見せたかったのは、これだよ」

と、ポケットから、一通の封書を取り出して、十津川の前に置いた。

どこにでも売っていそうな白い封筒だった。表には、「東西新聞社会部御中」と書いてあるが、差出人の名前はない。

「拝見するよ」

と、十津川は、断ってから、中身の便箋を取り出した。それを広げたとたんに、彼の顔が、こわばった。


黙示の時代の証しとして、次の日曜日、われらの仲間が、再び、焼身自殺する

「二時間前に、うちの社会部に届いたんだ」

と、田名部がいった。

十津川は、黙って、便箋に書かれた文字を、二度、三度と、読み返していた。筆跡は、ゴム風船につけられていた自殺予告の文字によく似ている。これは、挑戦なのだろうか？

「今何ていったんだ？」

十津川が、思い出したようにきくと、田名部は、笑って、

「二時間前に届いたといったんだ。当然、夕刊にのせるつもりだが、その前に、君に見せたくてね」

「ありがとう。同じものが、他の新聞社にも届いているんだろうか？」

「きいてみてはいないが、恐らく、各社に届いているんじゃないかな。これを書いた人間は、どうやら、前の時と同じように、大々的に予告しておいてから、自殺する気らしいからね」

「これ、借りて行って構わないか？」

「いいとも。ちゃんと写真に撮ったからね」と、田名部はいった。

「ところで、君にききたいんだが」

「何だい？」

「警察は、四人目の焼身自殺を防ぐ自信があるのかい？　別に記事にしないから、正直なところをいってくれないか」

「防ぎたいと思っているし、防ぐために全力をつくすよ。今いえるのは、それだけさ」

「優等生的な発言だな」

「他に返事のしようがないからね」

「何のために、若者が次々に死んでいくんだと思うね？」

「何かへの抗議のためだといっている。ゴム風船についていた紙には、そう書いてあったよ。そして、今度は、黙示の時代の証しだそうだ」

9

捜査本部に戻った十津川は、机の上に、持って来た便箋を広げてから、おもむろに、引出しの中の聖書を取り出した。

旧約と新約が一緒になっている部厚い本である。

今度の事件が起きるまで、十津川は、自分にとって、もっとも似つかわしくない本は、聖書だろうと思っていた。それが、今は、引出しに入れておき、時々、眼を通すようになってしまった。もっとも、十津川は、宗教関係の本が嫌いで、今までに読んだのは、「歎異鈔（たんにしょう）」だけだったが。

黙示録は、正確にはヨハネ黙示録で、聖書の最後になっている。

黙示とは、簡単にいえば、予言ということだろう。

十津川は、何度か読み返して、聖書全体が予言の書だと思った。旧約聖書は、キリストの誕生を予言し、新約聖書は、十字架にかけられたキリストの復活を予言している。最後につけられたヨハネ黙示録は、その綜括（そうかつ）といっていいだろう。

十津川は、ヨハネ黙示録の頁を開いた。第一章は、次のような言葉で始まっている。

これイエス・キリストの黙示なり。即ち、かならず速かに起るべきことを、その僕どもに顕させんとて、神の彼に与えしものなるを、彼その使を僕ヨハネに遣わして示し給えるなり。ヨハネは神の言とイエス・キリストの証とにつきて、その見しところを悉とく証せり。この預言の言を読む者とこれを聞きてその中に録されることを守る者どもとは幸福なり。時近ければなり。

このあとには、さまざまなことが書かれている。全て、最後の審判に備えよという警告の言葉と受け取ってよさそうである。例えば、偽せの予言者が現われるから注意せよという言葉もあったりするが、その多くは、喩え話の形で語られているので、異教徒の十津川には、よくわからなかった。

そして、黙示録の最後には、大いなる都バビロンが、予言の如く亡び去り、神の国が現出すること、この予言は、神の言葉であるから信ぜよと書かれている。

問題は、ヨハネ黙示録を、どう解釈するかだろう。

栄華の都バビロンが亡び去ったのは歴史的事実だから、全てを、一つの歴史として見るのも一つの解釈だろう。

第二の解釈は、人類全体に対する警告と受け取る方法である。物質文明に毒された人類は、いつか最後の審判の日を迎えるだろう。その時に備えよという警告である。

第三は、一人一人の魂の書としての受け取り方である。それなら、人類が生きている限り、ここに示された黙示は、永遠の予言になるだろう。

どの解釈が、正しいかは、もちろん、十津川にはわからないし、今の彼には、興味のないことだった。

十津川が関心を持つのは、東西新聞に、「黙示の時代の証しとして、次の日曜日、われらの仲間が、再び、焼身自殺する」と書き送って来た「彼等」が、この黙示録を、どう解釈しているかということである。

十津川は、聖書を閉じ、もう一度、彼等の手紙に眼をやった。

(黙示の時代の証しとして——だって)

十津川は、舌打ちした。

(気違いじみた焼身自殺で、彼等は、いったい何を証明してみせようというんだ?)

疑問は、やはり、いつも、そこに来てしまうのである。

10

午後三時近くになって、聞き込みから戻って来た亀井が、駅で買った夕刊の束を、十津川に差し出した。

「また、焼身自殺の予告です。今度は、各新聞社に投書があったようです」

「実物の手紙は、ここにあるよ。東西新聞で貰って来たんだ」

十津川は、田名部が貸してくれた手紙を、亀井に見せて、

「どうやら、他の新聞社にも、同じ投書があったようだね」

「全紙にのっています。筆跡は、ゴム風船のものによく似ていますね」

「多分、同じ人間が書いたものだろう」

「これでは、まるで、われわれ警察に対する挑戦じゃないですか。焼身自殺を防げるものなら防いでみろという――」

亀井の顔が、赧くなっている。東北の出身で、朴訥で正義感の強い亀井には、予告して焼身自殺するなどという行為が、我慢できないのだろう。

「そう怒りなさんな」

と、十津川は、笑った。

「しかし、死をもてあそぶようなやり方は、我慢できませんね。その上、今度は、黙示の時代の証しときている。何のつもりなんでしょうか？」

「君は、ヨハネ黙示録を読んだことがあるかね？」

「前に申し上げたように、息子が日曜学校に行っていたことがあるので、一応、眼を通したことはあります。しかし、黙示録の部分は、一番わかりにくいですね。どうにでも解釈できるような気がして」

「私も、さっき、読んでみたんだが、その中に、面白い言葉を見つけたよ。黙示そのものには、

あまり関係がない言葉だがね」

十津川は、机の上に置いた聖書を開き、ヨハネ黙示録の第二章の中ほどを指さした。そこには、次の言葉が見えた。


目は焔(ほのお)のごとく、足は輝やける真鍮の如くなる神の子、かく言う――


「例の真鍮のブレスレットのことさ」と、十津川はいった。

「金は高価なので、真鍮にしたのかと考えていたが、案外、彼等は、真鍮の方が、いいと思っているのかも知れない」

「聖書の中の言葉ということで、ブレスレットに彫ってあった四ツ葉のクローバーのことを思い出したんですが、聖書の中に、四ツ葉のクローバーが出てくるんでしょうか？ 私は、記憶にないんですが」

「私も、思い出せないな。もっとも、そんなにくわしく読んだわけじゃないが」

「一般に、聖書と草花というと、まず思い出すのは、野の百合(ゆり)じゃないでしょうか？」

「そうだな。他に、記憶に残っているものというと、オリーブや、葡萄ぐらいだね」

「それなら、彼等は、何故、ブレスレットに、野の百合か、オリーブの葉か、葡萄を彫らなかったんでしょうか？ あんなに、聖書の中の言葉に執着している連中が」

「君のいう通りだよ。四ツ葉のクローバーのような、どちらかといえば、俗っぽいシンボルと、聖書の中の重い言葉を並べて彫ってあること自体が奇妙なんだ」

「次の日曜日というと、二十九日ですね。天皇誕生日です」

「あと四日しかない」

「今度は、何処(どこ)で焼身自殺する気でしょうか？　神宮球場のピッチャーズマウンドは、もう使わないと思いますが」

「新聞社に、予告の手紙を送りつけたところを見ると、何処かわからないが、派手な場所を選ぶだろうね。それだけは確かだ」

「今度こそ、食い止めたいものですが」

亀井が、堅い表情でいった。

十津川も、黙って肯いた。

だが、今の状態で、果して、第四の犠牲者を出さずにすむだろうか？

11

陽が落ちて、井本と石川の二人の刑事が、疲れ切った顔で帰って来た。

「神宮球場を辞めた二人のグラウンド整備員(キーパー)に当ってみましたが、二十二日の焼身自殺とは、無関係でした」

と、井本が、まず、報告した。

「学生アルバイトの方は、どうなんだい？」

十津川が、きくと、今度は、石川が、

「五人に当ってみましたが、全員にアリバイがありました」

「そうか」

と、十津川が、落胆した顔になると、石川が、続けて、

「それで、今は社会人になっているが、学生時代、アルバイトで、神宮球場のグラウンドキーパーをやっていた人たちにも当ってみました」

「それはいい。何か収穫があったかね？」

「これはという人間は浮んで来ませんでしたが、一人だけ、妙なことがありました」

「どんなことかね？」

「川上弘文といって、十三年前にN大を卒業した男ですが、神宮球場の名簿によると、大学時代の三年間、アルバイトで、グラウンドキーパーをやっていたことになっているのです」

「それで？」

「この男は、五年前に病死しています」

「それなら、今度の事件には無関係だろう？」

「そうなんですが、念のために、家族にきいたところ、大学時代に、そんなアルバイトをやっていた筈はないというんです」

「ほう」

「川上弘文は、両親にいわせると、学生時代から身体が弱く、グラウンドキーパーのようなアルバイトが出来る筈がないというんです」

「しかし、神宮球場側には、その川上弘文の名前が、記載されているんだろう？」

「その通りです。恐らく、川上弘文の友人が、彼の名前を使って、アルバイトしていたんだと思います」

「何故、そんなことをしたんだろう？」

「わかりませんが、多分、非常に自尊心の強い、見栄っぱりの学生が、アルバイトにグラウンドキーパーの仕事をやっていると知られたくなくて、友人の名前を使ったんじゃないかと思います」

「その友人の名前が知りたいね」

「私も、そう思いましたが、なにしろ、十何年も前のことですから、簡単には、わからないと思います」

と、石川は、肩をすくめた。

「まあ、ひと休みしてくれ」

と、十津川は、石川と井本にいった。

「大杉刑事たちからは、まだ、報告はありませんか？」

石川が、亀井のいれたお茶を口に運びながら、十津川にきいた。

「まだ、連絡は入っていないよ」

と、十津川が答えた時、それを待っていたように、電話が鳴った。

十津川が、腕を伸ばして、受話器をつかんだ。

「大杉です」

という興奮した声が、十津川の耳に飛び込んできた。

「とうとう見つけました」

「何を見つけたんだ？」

「車です。例の白いカローラバンを見つけたんです」

「本当か」

十津川の声も、自然に大きくなった。亀井たち三人の刑事も、傍に寄って来て、耳をすませた。

「間違いありません」と、電話の向うで、大杉が、いった。

「ナンバーの末尾二ケタが18で、車体の横に、四ツ葉のクローバーが書いてあります」

「今、何処にいるんだ？」

「上野広小路の近くです。原田君が、今、見張っています」

「車には、誰も乗っていないのかね？」

「乗っていません。喫茶店の前に駐めてあるので、運転手は、中に入っているのかも知れません」

「よく見つかったな」

「それが、幸運なんです。彼等が、ゴム風船を買った浅草橋の問屋で、もう一度、その時のことを聞いてみようと、タクシーでここまで来て、駐車している問題の車を見つけたというわけです。ええと、ナンバーをいいますから、そちらで、持主を調べてみて下さい」

「いいとも」

十津川は、ボール・ペンを手に取った。

「ええと。ナンバーは、品川５８―む×―１８です」

大杉のいったナンバーを、再確認してから電話を切ると、十津川は、メモを、亀井に渡した。

「東京陸運局に問い合せてみてくれ。五時を過ぎているが、誰かいるだろう」

「誰も電話に出なかったら、私が、車を飛ばして行って来ます」

亀井も、張り切っていった。

12

大杉は、受話器を置くと、眼鏡をずり上げるようにして、空を見上げた。

今日は、朝からどんより曇っていたが、とうとう、ぽつり、ぽつりと落ちて来た。

大杉は、原田の所へ戻った。そこから数メートル先に、問題の白いライトバンが、こちらに尻を向けて駐まっている。

「まだ、運転手は戻って来ません」

と、若い原田が、緊張した声で、大杉にささやいた。原田は二十五歳。刑事になったばかりである。いわば、今度の事件が、臨戦第一課なのだから、緊張しているのも無理はなかった。

「足がふるえているじゃないか」

と、大杉は、笑いかけてから、

「小便をしたくなったんじゃないのか？」

「実はそうなんです。緊張したせいか、急にトイレに行きたくなって」

「いいさ。あの喫茶店へ入って、コーヒーでも注文して、トイレを借りて来い」

「しかし、その間に、運転手が車に戻って来たら？」

「おれが、押さえるよ。それより、運転手が、あの喫茶店にいるかも知れないから、さりげなく店内を見て来い。いいか、じろじろは見るなよ。それから、コーヒーは必ず注文するんだ。トイレだけ借りるようなことはするなよ」

「わかりました」

「そんな緊張した顔で行くな。ひと目で怪しまれる」

「はい」

原田は、無理に笑って、店の方へ歩いて行った。まだ、歩き方が、ぎこちない。

大杉は、苦笑してから、煙草をくわえた。

原田は、五、六分で、店から出て来た。

「コーヒーは、頼んだんだろうね？」

大杉がきくと、原田は、

「注文しました。半分ほど残してしまいましたが」

「まあいい。それで、客は何人いたね？」

「若いカップルが一組と、あとは、男が四人です。こちらは、ばらばらに、新聞を読んだり、煙草を吸ったりしています」

「若い男たちかね？」

「二人は二十代ですが、あとの二人は、中年の感じでした」

「その中に、車の運転手がいてくれると助かるんだがね」

大杉がいった時、店のドアが開いて、若い男が出て来た。

二人の刑事の顔が、さッと緊張する。

だが、その若者は、雨空を見上げて「ちぇっ」と舌打ちしてから、通りの向う側に向って、駈け去ってしまった。

若い原田が、ふうっと、吐息をついた。

大杉は、二本目の煙草に火をつけた。原田も、つられたように、煙草を取り出して口にくわえたが、火をつけずに、また、元に戻してしまった。

「落着けよ」

と、大杉が、小声でいった。

雨足が少し強くなって、ライトバンの屋根が、きらきら光ってきた。

ふいに、通りの反対側から駈けて来た背の高い若者が、運転席のドアを開けて、車にもぐり込んだ。

喫茶店から出てくるだろうという先入観を持っていた大杉は、一瞬、虚を突かれた恰好になったが、すぐ、煙草を投げ捨てて、車に向って、突進した。

13

大杉が、車の前に廻り込んだ時、運転席に腰を下した若者が、ライトのスイッチを入れた。

その光芒に、大杉は、一瞬、眼が眩むのを覚えながら、両手を広げ、警察手帖を、相手に突きつけるようにした。

「警察だ！　車からおりろ！」

大杉が、怒鳴るのに合せて、原田が、運転席のドアを引き開けた。

「おりろ！」

と、原田も、怒鳴った。

若者は、黙って、アクセルを強く踏んだ。

エンジンの唸り声が大きくなった。

大杉は、轢き殺す気なのかと、さすがに、蒼ざめた顔になったが、若者は、急に、エンジンを切って、ひょいと、車から飛びおりて来た。

一八〇センチは、楽にある背の高さで、Gパンにセーター、足には、皮のサンダルを引っかけている。

「いったい、何ですか?」

と、その若者は、いくらか蒼ざめた顔で、大杉を見、原田を見た。

「君の車か?」

大杉は、眼鏡を指先でおさえるようにして、若者にきいた。

若者は、ちらりと雨空に眼をやり、濡れた髪を手でこするようにしてから、

「そうだけど、ここは、駐車禁止だったかな」

「両手を見せたまえ」

「え?」

「両方の手首だ」

大杉は、強引に、相手の両手首をつかみ、セーターの袖口をまくりあげた。

左手首に、前の三つと同じ形の真鍮製のブレスレットが、はめられていた。

大杉が、「やっぱりな」と呟(つぶ)やいた。

「警察まで来て貰おうか」

「何のためにです?」

若者は、意外に丁寧な言葉遣いをしたが、その眼は、挑戦するように、大杉を見つめている。

「そうだな。自殺幇助(ほうじょ)容疑といったところだな」

「証拠はあるんですか?」

「四月八日に、若い男が銀座の歩行者天国で自殺し、次の日曜日の十五日には、高島平団地で、若い女が同じように青酸カリを飲んで自殺した。高島平で目撃された白いライトバンが、銀座でも目撃されていたことがわかったんだ。この車だよ。それだけじゃない。死んだ若者は、君と同じ真鍮製のブレスレットをしていたんだ」

「逮捕令状は持っているんですか？」

「いや。どうしてもというのなら、これからすぐ貰ってくる。ただし、その時は、手錠をかけて引きずって行くぞ。今なら、参考人として、同道して貰うだけだが」

　大杉は、脅かすようにいった。

　若者は、急にクスクス笑い出した。大杉は、むっとした顔になって、

「何がおかしいんだ？」

「あなたが、やたらに興奮しているからですよ。そんなに力まなくても、一緒に行きますよ。しかし、何も喋りませんよ。警察に話すことは、何もありませんからね」

　若者は、ひどく落着き払っていた。その態度に、大杉は、いらだつのを感じながら、

「じゃあ、車に乗れ」

と、命じた。

　若者が運転席に乗り、原田は、リアシートに腰を下した。

　大杉は、助手席に乗り込むと、手を伸ばして、サンバイザーの裏側から、車検証を引っ張り出した。

「名前は、小林昌彦か」

と、大杉は、同意を求めるように、若者を見たが、彼は、返事をせずに、ワイパーのスイッチを入れた。

音を立てて、ワイパーが動き出した。

「何処へ行けばいいんですか？」

「警視庁だ」

大杉がいい、若者は、アクセルを踏んだ。

三人を乗せたライトバンは、雨の中を走り出した。

若者は、黙って前方を見つめている。大杉は、この青年は、いったい何を考えているのだろうかと、その横顔を、じっと見つめた。

リアシートにいた若い原田刑事が、沈黙に我慢しきれなくなったように、顔を突き出して、

「君たちは、何故、次から次へと、自殺していくんだ？」

と、若者の背中に向って、詰問するように声をかけた。

若者は、バックミラーの中の原田の顔を、ちらりと見たが、返事をしない。

「おい！」と、原田が、若者の肩をつかんで、怒鳴った。

「返事をしろ！」

若者は、急に、車を左側に寄せて止めると、振り返って、原田を見た。

「あなた方は、何故、自殺せずに生きていられるんです？」

第四の悲劇

1

十津川は、連行されて来た若者に、すぐ会ってみた。

外見は、どこにでもいる平凡な若者に見えた。彼を連れて来た二人の刑事も、多少、皮肉屋みたいなところがあるが、言葉遣いも丁寧だといっている。

だが、この若者が、続けて死んでいった三人の男女の仲間なら、平然として死を受け入れる何かがある筈である。それを知ることが出来れば、四人目の死を防ぐことが出来るかも知れない。

「君のことは、一応、調べさせて貰ったよ」

と、十津川はいった。

「そうですか」

若者は、どうでもいいというように、微笑しただけだった。

「所轄署の調査によると、君の名前は小林昌彦。年齢二十五歳。大森駅近くのアパートに、ひとりで住んでいる。が、アパートには殆ど帰らない。白いカローラバンは、約一年前に、中古車販売店から四十万円で買い、アパート近くの駐車場を、一月一万二千円で借りて置いている。君自身は、自分の車を使い、運送会社で、臨時傭い(やとい)の形で働いている。どこか違っているかね？」

「意味のないことですよ」

「何がだね？」

「今、あなたがいったことですよ。小林昌彦という名前だって、単に、他の人間と区別するためのマークでしかないでしょう」

若者、小林昌彦は、落着いた声でいった。相変らず、その口元には、微笑が浮んでいる。十津川は、第一、第二の死者の顔に浮んでいた微笑のことを思い出した。この微笑の意味するものは、いったい何なのだろうか？

「君のいう意味は、こういうことかな。小林昌彦という名前より、真鍮(しんちゅう)製のブレスレットに彫られた言葉の方が、深い意味を持っているということかね？」

十津川は、青年がはめていたブレスレットの裏側に眼をやった。

そこには、前の三つと同じように、四ツ葉のクローバーと、次の言葉が彫られていた。


〈われらは光の子なり〉

「この言葉は、確か、ヨハネ伝の中にあるんじゃなかったかね。『光の子とならんために光のある間に光を信ぜよ』から、とったんじゃないのかね？」

「刑事さんでも、聖書を読むことがあるんですか？」

小林は、意外そうな顔をした。

今度は、十津川が、微笑する番だった。微笑というよりも、苦笑といった方がいいだろう。

「今度の事件が起きたんで、あわてて眼を通したといった方がいいだろうね。素晴らしい言葉がいくつもあるのに感心しているところだ。君たちが、聖書の中の言葉をブレスレットに彫った気持も、わかるような気がするよ」

「感心するだけでは、読まないのと同じことですよ」

「君たちは、聖書の教えを実行しているということかね？」

「それは、警察とは関係のないことでしょう。僕たちの問題です」

小林の顔から微笑が消えた。急に、鎧を着て、身構えたような感じがした。

「確かに、君たち自身の問題かも知れない。自殺を罰する法律はないから、君の友人が自殺したところで、君を罰することは出来ないかも知れない」

「それなら、なぜ、僕を逮捕したりしたんですか？」

「逮捕ではなく、参考人として来て貰っただけだよ。来て貰った理由は二つある。第一は、君たちの仲間は、三人がすでに死亡し、四人目の焼身自殺を予告していることだ。マスコミが取りあげ、これだけ社会問題化すれば、警察としては、見逃すことは出来ない。第二は、一連の事件の中に、自殺ではなく、殺人も含まれているかも知れないからだよ」

「警察は、やはり、そんな見方しか出来ないんですか」

小林は、肩をすくめて、吐き捨てるようにいい、それなり、急に、黙り込んでしまった。

十津川が口にした、殺人という言葉が、相手を硬化させてしまったようだった。一連の死は、この若者たちにとって、崇高な行為であり、その行為を、冒瀆されたと感じたのだろうか。

十津川が、何を話しかけても、全く返事をしなくなってしまった。この沈黙は、十津川にも、歯が立たない感じだった。虚勢を張っての沈黙や、一時的な反抗なら、それを打ち破るのは簡単だった。だが、この沈黙には、明らかに、十津川たち警察官に対する軽蔑がある。たとえそれが、誤解から生じたものであれ、軽蔑の壁を破るのは難しいものだ。

「とにかく、このブレスレットは、君のものだから返して置くよ」

と、十津川は、最後にいった。

2

小林昌彦を自殺幇助容疑で勾留できる時間は、四十八時間が限度だった。

その上に自殺幇助といっても、はっきりした証拠があるわけではない。第一、第二の事件で、蝶や、ゴム風船を入れたダンボールを、小林が、車で現場に運んだことが確かだとしても、その行為自体が、直接、自殺幇助になるかどうか難しいところだからである。

「とにかく、小林昌彦という男のことを、徹底的に調べあげるんだ」と、十津川は、五人の刑事たちにいった。

「特に、彼の交友関係だ。その中に四ツ葉のクローバーと、聖書の中の言葉を彫りつけたブレスレットをした仲間がいる筈だからね」

「ひょっとして、次の日曜日に、焼身自殺するのは、彼なんじゃないでしょうか？」

亀井が、心配そうにきいた。

「その可能性もある。だが、自殺するかも知れないという推測だけでは、次の日曜日まで拘束は出来ないよ」

「私には、わかりませんね」

と、首をかしげたのは、小林を連行して来た板橋署の大杉刑事だった。

「何がわからないんだね？」

十津川がきくと、大杉は、眼鏡の奥の眼を、ぱちぱちさせてから、

「なぜ、あの男が、あんなに落着いていられるかです。連れてくる途中でも、不思議だったんですが、自分の仲間が、三人も続けて死んでいるのに、平然としていられる神経が、私には、わからないんですよ。次に焼身自殺するのが彼だとしたら、余計に、わかりませんね」

「彼や、彼の仲間の間では、死が美化されているのかも知れない。或は、死ななければならないという強い義務感があるのかも知れない」

「それで、三人も死に、四人目が死のうとしているわけですか？」

「ひとりより、仲間がいた方が、死にやすいものさ」

「ガイアナで起きた集団自殺のようにですか？」

「いや。アメリカの例を持ち出すまでもないんだ。戦争中の日本のことを考えればいい。サイパンやテニアンで、日本の兵隊が集団自決したし、民間人までが、米軍の降伏勧告を拒否して、次次に海に飛び込んで自殺した。カミカゼ特攻隊だって、一種の集団自殺だろう。当時のアメリカ側の従軍記者の言葉に、こんなのがあったのを覚えているよ。『われわれは、生きるために戦っているのに、日本側は死ぬために戦っている』とね」

「しかし、警部。今は、戦争という異常事態じゃありませんよ」

「その通りだが、あの若者や仲間にとっては、現代は異常な時代に見えているのかも知れないよ。次の日曜日の自殺予告に、黙示の時代と書いているくらいだからね」

「彼等は、死ぬことが怖くないんでしょうか？」

「そうは思えないね。衝動的な自殺なら別だが、予告しての死が怖くない筈がないよ。ただ、彼等には、死の恐怖を打ち負かすだけの何かがあるということじゃないかね」

「信仰心ですか？」

「かも知れないし、使命感かも知れない。或は、死の恐怖以上の何か別の恐怖があるのかも知れない。もし、そうならそれが何なのか知りたいと思うね。戦争中の日本人にとって、それは、生きて捕虜になるより死ねという掟だった。掟にそむくことは、当時の日本人にとって、死ぬより恐しいことだったんだ。小林昌彦の仲間にも、同じように、強い掟があり、その掟が彼等を支配しているのかも知れないな」

3

井本と石川の両刑事が、改めて、小林の借りている大森のアパートを訪ねた。

「晴風荘」という木造モルタル塗りの二階建のアパートだった。周囲には、小さな町工場や、一杯飲み屋が、雑然と集っている。

小林は、二階隅の六畳を借りていた。

井本と石川は、管理人に会った。小柄で、ジャンパー姿の六十歳ぐらいに見える管理人は、井本の見せた警察手帖に、びっくりした顔で、

「また、小林さんのことですか？　何かしたんですか？」

「いや、何かをするかも知れないので、調べているのですよ」と、井本がいった。

「彼は、どんな男ですか？」

「物静かで、優しい人ですよ」

「逆にいえば、無口で、近所づき合いはないということじゃありませんか？」

「そうですねえ。確かに、近所づき合いのない人とはいえますが、それは、小林さんに限らず、他の部屋の人でも同様ですよ。近くの神社のお祭りがあっても、ここの人たちは、誰も出ませんしね」

確かに、そんなものかも知れないと、井本は、思いながら、

「友だちが訪ねて来たことはありませんか？」

「さてと。見たことがありませんねえ。いつも、ひとりで住んでいる感じですよ。もちろん、アパートの外のことは知りませんがね。だいたい、小林さんは、あまり部屋にいませんよ」

「これから、彼の部屋を見たいんですが、立ち合って下さい。令状は持って来ていますよ」

井本がいい、石川が、用意してきた家宅捜索令状を管理人に見せた。

管理人は、鼠のような眼を、ぱちぱちさせてから、スペアキーの束を持って、二階に案内してくれた。

すでに、午後十時近いのに、廊下を子供たちがはね廻ったり、ライスカレーの匂いが漂ってきたりしていた。

管理人が開けてくれた部屋に入って、井本たちは、一様に、「おやっ」という眼になった。

独身貴族という言葉があるように、今の時代、一番豊かで、優雅な生活を送っているのは、若い独身サラリーマンだといわれている。

小林も、自分の車を持って、運送会社で働いているということで、彼の部屋は、テレビやステレオで埋っているだろうという先入観があったのだが、実際に見た六畳は、全く何もないといってよかった。

テレビも、ステレオも、電気冷蔵庫もない部屋だった。わずかに、机と、古びた衣裳(いしょう)ダンスがあるだけである。

「ひどく、がらんとした部屋だねえ」

井本は、部屋の真ん中に立って、呆(あき)れたように、周囲を見廻した。

部屋には、半間の勝手がついていて、水道とガスがある。だが、洗面器と手拭は見えたが、炊事道具はなかった。食事は、外でしていたらしい。

井本は、衣裳ダンスを開けてみた。驚いたことに、その中には、よれよれのコートが一着ぶら下っているだけだった。

机を調べていた石川が、大声で、

「おい。これを見てくれよ」

と、二つの引出しを抜いて、畳の上に放り出した。どちらの引出しにも、何も入っていないのだ。鉛筆一本入っていなかった。

「いったい、どうなってるんだい？」

石川が、当惑した顔で、井本を見た。

「よほど、ケチで、何も買わない奴なのかも知れないな」

「いくらケチだって、ボール・ペンの一本ぐらいは持ってるぜ。書くものも、便箋もないんじゃあ、手紙一つ書けないいじゃないか」

「きっと、手紙を書くのが嫌いな男なんだろう」

井本は、笑いながらいい、今度は、押入れを開けてみた。

布団が一組入っていた。敷布団の方は、長く使っているとみえて、固く、潰(つぶ)れてしまっている。

洗いざらしの下着を詰め込んだダンボールの箱も見つかった。

「どうやら、ここで寝起きすることもあるようだね」

「金はどうなっちまってるんだろうね？」と、石川がいった。

「自分の車を持って運送会社で働いているんだから、月に二、三十万にはなる筈だ。その金は、どこへ消えちまったのかね？」

「普通、二十五歳の独身の男の金の使い道といえば、女かバクチか酒かだろうが」

「そのどれでもないと、おれは思うね。あいつは、女遊びはしないで、真面目に恋愛するタイプだし、この部屋に、酒の空びんが一本もないところをみると、酒飲みとも思えない。また、バクチで身を持ち崩す種類の人間でもなさそうだしね」

「といって、貯金通帖も印鑑もないところをみると、貯めてるわけでもないようだ」

「慈善事業に寄附でもしてるのかな」

石川は、冗談のつもりで、笑いながらいったのだが、同僚の井本は、その言葉を、意外に、真面目に受け止めて、

「奴は、キリスト教の信者らしいから、或は、君のいうように、慈善団体か、教会に寄附しているのかも知れないね」

「だが、どこの教会でも、あんなブレスレットをはめ、日曜日に自殺するような連中は知らないといってるんじゃなかったかい？」

「ああ、その通りだ。十津川警部も、聖書の言葉を信じている秘密結社みたいな連中じゃないかといっていたよ。或は、自分たちの組織に、稼いだ金を献金しているのかも知れないね」

「しかし、手紙やパンフレットが、一枚もないというのは、どういうのかねえ」

石川は、空っぽの引出しを、指で叩いて見せた。

井本は、入口のところに立っている管理人に眼をやった。

「もう一度確認しますが、同じ年代の若者たちが、ここにやって来たり、泊っていったりしたことはありませんでしたか？」

「わたしが知ってる限りじゃあ、ありませんよ。いつも、ひっそりとしていましたからねえ。友だちなんか、一人もいないんじゃありませんか？」

（いや。仲間がいることだけは、確かなのだ。聖書の中の言葉を彫りつけたブレスレットで結ばれた仲間が）

井本が、そう自分にいい聞かせた。

「本が一冊もないが、何も読まないのかね？」

「それですがねえ」

「何だい？」

「最初、ここへ来た時は、沢山、本を持っていましたよ。それが、ある日、全部捨ててしまったんですよ。よくわかりませんが、読む意味がなくなったとかいってねえ」

「読む意味がねえ――」

その時、石川が、

「それにしても、妙だな」

と首をかしげた。

「何がだ？」

「聖書だよ。小林昌彦も、彼の仲間も、聖書の言葉を信じていると思われている。それなのに、この部屋のどこにも、聖書は一冊もないじゃないか。彼が乗っていた車の中にも、聖書はなかった。おれには、よくわからないが、キリスト教の信者にとって、聖書は、何よりも大事なものだろう。それが、一冊もないというのは、どういうことなんだ？　あいつは、本当に、信者なのかねえ？」

4

翌日、大杉と原田の二人が、小林昌彦の働いていた運送店を訪ねた。

大森駅近くに、かなり大きな倉庫を持った店で、「八木沢運送店」の看板がかかっていた。

倉庫の前に、二台の小型トラックがとまっていて、忙しげに、荷物の積み下しをやっている。

大杉は、サングラスをかけ、帳簿を片手に、あれこれ指図をしている三十五、六歳の男に、声をかけた。

「ここで、小林昌彦という青年が働いている筈なんですが」

大杉が、眼鏡の奥から相手を見ると、男は、

「ええ。でも今日は休みですよ」

と、答え、店の責任者の八木沢正だと、名乗り、社長の肩書きのついた名刺もくれた。皮ジャンパー姿で、サングラス姿の八木沢は、社長というより、現場監督の感じだった。

「どんな男ですか?」

「性格ですか?」

「そうです」

「口数の少い、大人しい青年ですよ。運転手には珍しく大学を出ていたようだし、仕事は、きちんとやるから、うちとしては、使いやすい従業員ですね」

「ここで働くようになってから、どのくらいです?」

「丸一年といったところですかね」

「その間に、トラブルを起こしたことはありませんか? 自動車事故や、酒に酔って、喧嘩をしたとか」

「酒は飲まないんじゃなかったかな。スピード違反で、一回捕ったことがありましたが、その他には、事故は起こしていない筈ですよ」

「給料は、いくら払っておられるんですか?」

「彼は、車ごとですからね。ガソリンはうちが持つという条件で、月に三十万払っています。まあ、普通だと思っていますよ。彼も、別に不満は持っていないようですが」

「友だちが、ここへ訪ねて来たことはありませんか?」

「さあ。気がつきませんでしたねえ。私は、従業員のプライバシイには、あまり立ち入らないようにしていますから。それが、若い従業員を定着させる一つのコツですからね」

八木沢は、得意気に、鼻をうごめかせた。

「小林は、自分の車の脇腹に、四ツ葉のクローバーを書き込んでいますが、ご存知ですか？」

「ええ。知っていますよ」

「何の意味か、彼にきかれたことがありますか？」

「一度、きいたことがありましたねえ」

八木沢は、サングラスを外し、眼をぱちぱちさせた。サングラスがないと、眼と眼の間隔が広くて、間のびして見える顔だった。

大杉は、じっと、相手を見すえるようにして、

「小林は、何と答えました？」

「難しいことをいってましたよ。地球に何とかを呼び戻すんだとか――」

「地球に緑を――ですか？」

「ええ。そんなことですよ。私は、緑よりも金が欲しいですねえ。この不景気は、何とかなりませんか？」

「私にいわれてもね」

と、大杉は、苦笑してから、

「四ツ葉のクローバーについては、それだけですか？」

「ええ。こっちも、別に興味がないし、車にあのマークがついていても、別に仕事に支障はない

んで、それ以上は、ききませんでした。彼が、何か事件を起こしたんですか？」

「いや。別に起こしてはいません」

「そうでしょうねえ。あんな大人しい青年が、警察沙汰を起こすとは、思えませんからね」

「他に、小林昌彦のことで、気がついたことはありませんか？」

「優しい青年ですよ。私には、五歳になる娘がいるんですが、前に、お人形を買って来てくれたことがありますよ。娘が病気になった時にね」

5

大杉が、八木沢から話を聞いている間、若い原田刑事は、店の従業員に当っていた。

だが、これといった収穫は得られなかった。

小林は、他の従業員と、ほとんどつき合いがなかったからである。一緒に酒を飲んだり、麻雀卓を囲むということは、一度もなかったらしい。

つき合いの悪い男だという声は聞かれたが、嫌な男だという者はいなかった。

大杉と原田の二人が、捜査本部に帰ってすぐ、小林昌彦の出た大学を調べていた亀井刑事も、戻って来た。

「小林は、法律をやっていたようですが、三年で中退しています」と、亀井は、十津川に報告した。

「彼を教えた白根という助教授に会って来ましたが、白根助教授の知っている小林は、とにかく、勉強家だったそうです。一、二年は、トップの成績だったといいます。それが、三年になって、急に学校をやめてしまったそうで、運送店で働いているといったら、びっくりしていましたね」

「大学を中退した理由は、わからずかね？」

「ええ。いろいろきいてみたんですが、わかりません。突然、来なくなってしまったということです」

「学生としての小林は、勉強家ということ以外、どんなだったのかね？」

「口数が少く、友だちづき合いのあまりない、目立たない生徒だったそうです」

「どこでも同じ答えだねえ」

「白根助教授のゼミのあとで、一緒に撮った写真がありましたので、借りて来ました」

亀井は、丸めてポケットに入れてきた写真を、机の上に広げた。
十四、五人の学生と、助教授が写っている。小林昌彦の顔もあったが、第一、第二の事件の男女の顔はなかった。
「キリスト教のことは、きいてみたかね？」

十津川がきくと、亀井は、

「きいてみましたが、白根助教授は、彼がキリスト教に興味を持っているのは知らなかったといっていました。法律の機能に大変興味を持っている学生だったが、宗教には、関心がないと思っていたというのです」

「なるほどね」

十津川は、肯いた。が、小林は、どこかで、キリスト教と接触したのだとも、考えていた。その接触の仕方が、問題なのだが。

結局、小林が関係していると思われるグループのことは、何もわからないのと同じだった。小林自身は、いぜんとして、黙秘を続け、何も喋ろうとしない。

「白根助教授を呼んで来て、彼にきいてみて貰ったら、どうでしょうか？」

と、亀井が提案したが、十津川は、賛成しなかった。

「多分、その助教授が教えていた頃の小林とは、人が変ってしまっているだろうからね」

と、十津川は、いった。

小林は、大学三年で、突然、学校をやめたという。その理由がわからなければ、白根助教授を呼んで来ても、役に立つまい。

「小林を、釈放しよう」

と、十津川は、決断した。

勾留期限の四十八時間には、まだ、二十時間以上あったが、これ以上、勾留しておいても、何も聞き出せないと判断したからだった。

それなら、釈放して、尾行した方がと、考えたからでもある。

尾行には、十津川自身が、亀井と一緒に当ることにした。上手くいけば、小林自身が、仲間のところへ案内してくれるかも知れない。

6

午後五時に、小林は、釈放された。

小林は、ほとんど無表情に、捜査本部を出ると、警視庁の中庭に置いてあった自分の車に乗り込んだ。

小林のライトバンが走り出すと、待機していた覆面パトカーが、その後をつけた。亀井が運転し、十津川は、助手席にやや太り気味の身体を乗せていた。

時間が時間なので、都内の道路は、渋滞が始まっている。

小林の車は、浜松町近くで、大きな渋滞に巻き込まれ、大井町まで来た時には、夕暮が迫っていた。

亀井はライトを点けた。

「このまま、大森のアパートに帰るつもりでしょうか？」

と、亀井がいった時、小林の車が、道路沿いにある食堂の前でとまった。車からおりた小林は、その食堂に入って行く。

「アパートに帰る前に、腹ごしらえをするらしいな」

十津川が、微笑した。

運転手仲間がよく利用する食堂らしく、タクシーや、トラックが、近くに、ずらりととめてある。

十津川たちは、中に入るわけにいかないので、近くのパン屋で菓子パンと牛乳を買い求め、車の中で食べることにした。

小林は、なかなか、食堂から出て来なかった。

その中に、食堂横の空地で、何か始まったらしく、怒声が聞こえ丸い人垣が出来た。

「喧嘩らしいですね」

と、亀井がいう。

尾行中でなければ、止めに入るところだが、今は、それが出来なかった。

警邏(けいら)の警官でも来てくれて、止めてくれればいいのにと、十津川が考えているうちに、食堂から、小林が出て来た。

小林は、自分の車に戻りかけてから、人垣に気がついて、一瞬、迷うような表情をしてから、人垣の方へ歩いて行った。

「奴は、喧嘩に興味があるんでしょうか?」

亀井が、不審そうにきいたのは、痩(や)せて長身の小林が、喧嘩には縁のない青年に見えたからである。彼の身辺を調査した結果も、あまり他人のことには、かかわり合いを持ちたがらない性格に見えた。

小林は、背伸びするように、人垣のうしろから、中をのぞき込んでいる。

「行ってみよう」

と、急に、十津川が、車のドアを開けた。

「え？」

亀井が、首をかしげるのへ、

「小林が、どんな顔で、喧嘩を見ているのか知りたいんだ」

と、いい、十津川は、車をおりた。

二人は、反対側から、人垣に近づいた。

喧嘩がどうして始まったのかわからないが、皮ジャンパー姿で、一見してチンピラとわかる若者が二人、サラリーマン風の小柄な中年男を、小突き廻しているところだった。

中年男は、二、三発殴られたらしく、眼鏡が吹っ飛び、鼻血を出している。五十歳近いだろう。片方の若者に、襟首（えりくび）をつかまれて、地面を引きずられながら、

「助けて下さい。勘弁して下さい」

と、哀願している。

可哀そうというより、ひどく惨めな感じで、周囲で見守っている人々の間から、失笑が洩れたくらいだった。

二人のチンピラは、明らかに、中年男を痛めつけることに、快感を覚えている様子だった。

「おっさん。しっかりしろよ」

と、男を立たせておいてから、いきなり、足払いをかけて倒したり、ボクシングの構えをして、中年男の腹や、顔を殴りつける。その度に、男は、だらしなく悲鳴をあげた。

「止めましょう」

と、亀井がいった。十津川も、一歩、前へ出ようとしてから、

「ちょっと待て」

と、亀井を制止した。

「どうしたんです？」

「小林を見ろ」

と、十津川が、小声でいった。

二人から見て、反対側に立っている小林の様子が、奇妙だった。真っ青な顔で、じっと、見すえているのだ。身体が小きざみにふるえている感じさえあった。

何かと戦うように、急に、足元に視線を落としたり、両手でこぶしを作ったりしていたが、ふらふらと、泳ぐように前へ出てくると、

「止めたまえ！」

と、甲高い声をあげた。

7

颯爽とした感じは、全くなかった。今の声も、悲鳴に近かった。

十津川は、亀井の手を押さえたまま、じっと、小林を見すえていた。

二人のチンピラは、いたぶっていた中年男から、小林に眼を移した。窺うように、小林の全身を、じろじろ眺め廻していたが、二人は、顔を見合せて、ニヤッと笑った。相手が、さほど腕力も無さそうで、新しく痛めつけるには、恰好の相手と見たらしい。

「なんだ。てめえは？」

一人が、怒気を含んだ声でいうと、もう一人は、逆に、ニヤニヤ笑いながら、

「おい。見ろよ。足がガタガタふるえてるじゃねえか」

からかっているのではなく、本当に、小林の膝頭のあたりが、小刻みにふるえている。顔色も、相変らず、蒼ざめている。勝負は、はじめからわかっている感じだった。

中年男は、その隙にこそこそと逃げ出した。が、二人のチンピラは、突然現われた新しい相手に気を取られて、中年男の方は、見向きもしなかった。彼等にとって、こちらの方が、なぶり甲斐のある相手に思えたからだろう。

「いい恰好すんなよ」

「何かいったらどうだい？　え？」

二人は、小林に向って、言葉を投げつけておいて、いきなり、一人が、こめかみのあたりを殴った。よろめくところを、もう一人が、蹴りあげる。

あとは、もう、めちゃめちゃだった。小林は、無抵抗に殴られ、蹴飛ばされ、たちまち、顔が血だらけになった。下腹を蹴られて、地面に転がったまま、エビのように、身体を丸めて動かなくなってしまった。

「警部！」

と、亀井にいわれて、十津川は、はっと我に返った感じで、

「止めろ！」

と、彼等の間に飛び出して行った。

二人のチンピラは、逮捕され、小林は、救急車で、近くの病院に運ばれた。歯が二本折れ、全治二週間の打撲傷と診断された。

その夜、おそく、十津川は、本多捜査一課長に呼ばれた。

「君の報告書を読んだよ」

本多は、当惑した顔で、十津川を見た。

「申しわけありません」

と、十津川は、頭を下げた。

「どうも、君らしくないじゃないか。ベテランの亀井刑事も一緒で、なぜ、早く喧嘩を止めなかったのかね？」

「亀井君にミスはありません。彼が、注意してくれたので、あわてて制止したんです。もし、彼が注意してくれなかったら、小林は、もっと重傷を負っていたかも知れません」

「なぜ、小林昌彦が殴られるのを、見ていたのかね？」

「わかりません」

「それでは困るよ。実は、あの喧嘩を中央新聞の記者が見ていたんだ。君たちが、すぐ制止しな

かったもっともらしい理由がないと、警察の無能を叩かれる恐れがある。何か理由がある筈だがねえ。君が、何もないのに、ぼんやり見守っていたとは思えんのだが」

「強いて申しあげれば、小林の様子が変なので、それに注意を奪われていたのかも知れません」

「どう変だったのかね？」

「小林が、飛び出したのは、明らかに、正義感からではありません」

8

「正義感からじゃない？」

「そうです」

「しかし、若者というのは、たいてい正義感にあふれているものだろう？　シラケ世代などといっても、やはり、それぞれに若者らしい正義感は持っているんじゃないかね。小林昌彦が、かなわないのを承知しながら、中年サラリーマンを助けに飛び出したのは、正義感以外には考えられんがね」

「理屈ではそうですが、彼の場合は、違いました。私は、この眼で見ていましたから間違いはありません」

十津川は、熱をこめていった。

「どうも、君のいうことが、よくわからないんだが」

「小林が、制止しに入って行ったとき、私は、彼の眼を見ていました。彼の眼は、悲し気でした」

「自分に腕力がないのが、悲しかったんじゃないのかね？　君の報告書にも、小林の脚が、ガタガタふるえていたと書いてある。そんな弱い自分が情けなかったんだろう？　だから、悲しげな眼をしているように見えたんじゃないかね？」

「それなら、なぜ、小林は、危険を承知で、飛び出したんでしょうか？　あの時、二、三十人の人間が、チンピラに中年サラリーマンが痛めつけられるのを見守っていました。二十代の若者も、何人かいましたし、その多くは、小林より腕力が強そうに見えました。しかし、彼等は、全く、中年サラリーマンを助けようとしませんでした」

「誰だって、自分が傷つくのは怖いからねえ。私は、別に、人情が薄くなったとは思わんよ。今も昔も、それが普通だろう」

「同感です」と、十津川は、肯いた。

「小林も、怖かったに違いありません。終始、ふるえていましたからね。それにも拘らず、彼は、二人のチンピラに向って、止めるようにいい、出て行ったのです」

「君は、それが、正義感からではないというんだね？」

「そうです」

「どうもわからんなあ」

本多捜査一課長は、苦笑して、小さく首を振った。

「私にも、わかりません」

と、十津川は、正直にいった。

「君のいうように、正義感からの行動でないとしてだね。それが、何か意味があることなのかね？」

「小林は、ほとんど無抵抗で、二人のチンピラから痛めつけられました。あっという間でした。だから、助けるのがおくれたといっているわけではありません。救急車を呼び、倒れている小林が、担架にのせられる時のことです。驚いたことに、あの男は、満足そうに笑っていたんです。最初、私は、一方的にやられはしたが、自分の正義感が満足させられたので、小林が微笑しているのだと思いました」

「そうじゃないのかね？」

「何回も申しあげるように、彼が、止めに入って行ったのは、どう見ても、正義感からとは思えないのです。普通の正義感なら、チンピラにやられるという恐怖感の前に、萎縮（いしゅく）してしまうでしょう。あの時、他の見物人が、誰一人助けようとしなかったのは、正義感がなかったからではなく、恐怖感の方が大きかったからに違いありません。しかし、小林は、ガタガタふるえながら、出て行きました。普通の正義感なら、恐怖感に打ちかてるとは思えないのです」

「なるほどね」

「担架にのせるとき、小林の顔に浮んでいた、満足そうな微笑を見たとき、私は、第一、第二の事件で死んだ若者のことを思い出しました。あの二人の男女の顔に浮んでいた微笑が、私にとって、どうしても解けない謎でしたが、今日、小林の顔に浮んでいた微笑が、それによく似ているのではないかという気がしたのです。全く同じものだと断定はしませんが、共通したものを感じたことだけは事実です」

「それは面白いね。だが、小林を動かした感情がわからないのでは、事件の謎を解くヒントには、ならないんじゃないのかね？」

「その通りです」

「本当に、わからないのかね？」

本多が、念を押すと、十津川は、眼を細くして、

「ひょっとすると、――」

「ひょっとすると、何だね？」

「強い義務感だったのかも知れません」

9

「義務感ねえ」

本多は、その言葉を、口の中で呟やいたが、一層、わけがわからなくなったという顔で、

「義務感というのは、何かに対するものだろう？　小林の場合、何に対する義務感だったのだろう？」

「それがわかればと思っているのですが」

「君と亀井君が、すぐ、小林昌彦を助けようとしなかったのは、彼の態度が、連続自殺事件の謎を解く鍵(かぎ)になるような気がしたからだということにしておこう。これなら、記者さんも、了解してくれるだろう」

これに決めたというように、本多は、ニコリと笑った。

「ありがとうございます」

「礼はいいさ。それにしても、小林が、全治二週間で入院してしまったのは、或は、怪我の功名ということになるかも知れんな。彼の入院は、明日の朝刊にのるだろうから、問題の仲間が、見舞いに現われる可能性があるだろう?」

「私も、それを期待しているのですが」

「今日は、何日だったかな」

本多は、確認するように、壁にかかっているカレンダーに眼をやった。

十津川には、見なくてもわかっていた。

「日曜日まで、あと三日です。正確にいえば、丸二日しかありません」

「小林が鍵になって、四人目の犠牲者を出さずにすむといいがねえ。君は、もう一度、小林に会って来るんだろう?」

「もちろん、会って来ます」

と、十津川はいった。

翌日、十津川は、朝刊と花束を持って、小林の入院している大森の病院を訪ねた。

二人部屋だが、もう一つのベッドは、空いている。

小林は、眼をさましていて、入って来た十津川を、無感動に見つめた。

十津川は、枕元の牛乳びんに、買って来た花束をさしてから、

「身体の具合はどうだね？」

と、きいた。

「医者は、すぐ退院できるといっています」

「そりゃあ、よかった。新聞に、君のことが出ているよ」

十津川は、小林に朝刊を渡して、

「勇気ある若者と、君のことを書いている。自分のことばかり考える今の時代に、珍しい若者だともね」

「そうですか――」

「君に謝らなきゃならないことがある」

「わかっています」

「ほう」

「あなたは、僕を尾行していたんでしょう？」

「そうだ。君を尾行していた。だから、君が、中年のサラリーマンを助けに飛び出して行くのも見ていたし、殴られるのも見ていた。早く止めようと思えば止められたのにね。警官として、職

務に忠実だったとはいえない。君がもし、その点で私を告訴したければ、甘んじて、それを受ける覚悟だよ」

「僕は、あなたを告訴する気なんかありませんよ」

「ありがたいが、何故(なぜ)だい？　普通、こんな時には、競って警察を攻撃するものだがねえ」

「別に理由はありません。強いていえば、面倒くさいんですよ。そんなことをするのは」

「面倒くさいか」

十津川は、苦笑した。

小林は、自分の記事がのっている新聞に眼を通していたが、照れた顔になって、すぐ、テーブルの上に、放り投げてしまった。

「新聞には、君の行為を、勇気があると書かれてあるがねえ」

と、十津川は、小林の顔をのぞき込むようにしながらいった。

小林は、手を伸ばして、煙草をくわえた。

「僕には、勇気なんかありませんよ。僕は、弱虫です」

「そうだ。君は、明らかに、ふるえていたね」

「――――」

小林は、黙って、煙草に火をつけた。煙草をつまんだ指先が、かすかにふるえているのを、十津川は、見た。昨日のことを思い出したからだろうか？

「だが、君は、中年サラリーマンを助けるために、チンピラ二人の前に出て行った。なぜかね？」

「――」

「いや。君は、あの哀れなサラリーマンを助けるために、飛び出したんじゃないんだ。中年男なんか、どうでもよかった。君自身の問題だったんだ。もし、あそこで、何もしなかったら、自分自身が苦しむ。それを避けるために、君は、飛び出して行った。だから、君は、チンピラ二人に殴られ、蹴られて倒れながら、ほっとした表情で、微笑さえしていたんだ。君は、何かから、解放された表情だった」

「警部さんは、心理学までやるんですか？」

小林のいい方には、明らかに、揶揄の調子があった。

十津川は、怒る代りに、微笑した。今日は、四月二十七日の金曜日である。予告された二十九日の日曜日まで、あと二日しかない。この青年が唯一の手掛りとすれば、相手の挑撥にのってしまったら、おしまいなのだ。

「大学時代に、心理学を専攻しておけばよかったと思っている。君や、君の仲間の心理がわかるかも知れないからね」

「わかるとは、思えませんね」

小林は、冷たくいって、天井に向って、煙草の煙を吐き出した。

「自分たちの崇高な気持がわかってたまるかというわけかね？」

「別に、警察にわかって貰う必要はありません」

「そうはいかないんだ。われわれは、予告された自殺を、食い止める必要がある」

「なぜ、そんな必要があるんですか？　別に、他人を殺そうとしているんじゃない。自分自身の命を絶つんですよ。誰に迷惑をかけるわけでもない。犯罪じゃないのに、なぜ、警察が嘴をはさんでくるんですか？」

小林は、怒りをこめた調子でいい、吸いかけの煙草を、灰皿にこすりつけた。

看護婦が入って来て、医師の診察があるというのをしおに、十津川は、病室を出た。

（あの青年を支えているものは、いったい何なのだろうか？）

10

時間は、容赦なく過ぎていく。

十津川たちは、小林以外の手掛りをつかもうと必死だったが、それは、空しい努力に終ってしまった。

小林自身も、また、沈黙の堅い殻の中に閉じ籠ってしまった。予告された四月二十九日が近づくにつれて、彼の口は、一層かたくなった。

警察に、つまらない言質を与えて、四月二十九日をだめにしたくないと、心に誓っているように見える態度だった。

小林の交友関係や、家族関係も、引き続き調査されたが、これはという線は出て来ない。小林の郷里は、新潟だが、両親は、すでに死亡していた。

土曜日になると、新聞は、改めて、自殺予告の宣言を載せて、「警察は、果して、第四の自殺を防げるだろうか？」

と、書きたてた。

十津川は、その新聞を、小林に見せた。彼の反応を見たかったからである。

小林は、ベッドに横になったまま、記事に眼を通したが、最初の反応は、口元に浮んだ微笑だった。

「その新聞だけじゃない」と、十津川は、いった。

「他の新聞も、テレビも、明日の日曜日に、果して、予告どおりの焼身自殺が行われるかどうか、まるで、賭けごとでもするかのように書き立てている。しかも、ここ一週間の自殺者は、東京だけでも十五人に達している。自殺の多い時代とはいえ、明らかに、君たちの予告自殺の影響が現われているんだ。自殺する人間の中には、十代の若者も多い。そういうことで、責任を感じないかね？」

「僕の答えは、いつかいった筈です」

小林は、ぶっきらぼうに答えた。

「そうだったね。君は、あなた方こそ、なぜ自殺せずにいられるのかわからないといった。君たちにとって、現在の世の中は、そんなに腐り切って住みにくく見えるかね？」

「腐っているといったら、どうするんです？」

小林は、また、挑戦的な眼になった。

十津川が、一瞬、返事に窮して、黙っていると、小林は、憐むような眼になって、

「結局、あなた方は、何もしないんだ。そんな人たちに、自殺を非難する資格もないし、食い止める力がある筈がない」

と、吐き捨てるようにいった。

会話は、それで途切れてしまった。

小林から、何も聞き出せぬままに、四月二十九日の日曜日が、やって来た。

ゴールデンウィークの最初の日だけに、曇り空だったが、東京を脱出する車が、各インターチェンジに殺到した。

だが、捜査本部の刑事たちは、逃げ出すわけにはいかなかった。

全力をつくして、第四の焼身死を防がなければならない。と、いっても、いぜんとして、東京の何処で、何時に、誰が、焼身しようとしているのかわからなかった。

刑事たちは、ただ、直感に頼って、これはと思う場所に張り込むより仕方がなかった。

先週の日曜日に、神宮球場で焼身が行われたので、今度は、後楽園球場ではないかと、大杉と原田の二人は、早朝から、後楽園へ出かけて行った。

井本と石川の両刑事は、パトカーで、都内を走り廻るという。亀井は、超高層ビルを見て廻るために、捜査本部を出て行った。

十津川は、病院に、もう一度、小林昌彦を訪ねた。

「とうとう、日曜日になったね」

と、十津川は、腕時計を見ながら、小林に話しかけた。

小林は、さすがに、日曜日になったということで、緊張した、蒼白い顔になっている。

「間もなく君の仲間が、ガソリンを全身に浴びて死んでいくんだと考えても、君は、平気なのかね？」

十津川が、相手の感情に訴えるようにいうと、小林は、じっと、天井を見つめたまま、

「僕も、いつか、彼等のあとを追う」

と、呟やいた。

「君も死ぬつもりでいるのか？」

「あなた方には、止めることも出来ないし、止める権利もない」

激しい口調だった。

興奮し、小林の顔は、紅潮している。その顔を、十津川は、じっと、見つめた。何が、この青年を、これほど興奮させ、死に駆り立てているのだろうかと思う。それを、小林自身の口から聞けたらと思うのだが、十津川が質問すると、彼は、貝のように押し黙ってしまった。

気まずい空気が、病室に流れたまま、午後一時近くなった時、ドアが開いて、花束を持った中年の男が入って来た。

その瞬間、小林の顔が、ぱッと輝やき、ベッドに起きあがると、

「父よ！」

と、叫んだ。

11

十津川は、「父よ（ファザー）」と呼ばれた男を見た。その呼び名から、痩せて、背の高い牧師風の人間を想像したのだったが、痩せて、背の高い点だけは、当っていた。

薄茶のサングラスをかけた、頬骨のとがった顔には、牧師や神父の柔和さはなく、代りに、戦いにのぞむ兵士のような厳しさを感じさせた。

年齢は、三十五、六歳ぐらいだろう。

ライトブルーの背広を着ているが、ネクタイはしめていなかった。白いワイシャツの襟（えり）のあたりが、汚れている。

男は、病室にいる十津川を完全に無視して、ベッドに近づくと、

「大丈夫かね？」

と、上半身を起こして、自分を迎えた小林昌彦に声をかけ、

「寝ていなければ、駄目だよ」

と、肩をおさえるようにして、ベッドに寝かしつけ、毛布を、そっとかけた。

「申しわけありません」

小林は、眼を閉じて、かすれた声でいった。その閉じた眼から、涙があふれ出ているのを、十津川は、不思議なものでも見るような眼で、眺めていた。

「わびることはない。君は、人間として当然のことをしただけだ。しかも無抵抗の姿勢を貫いたのは立派だ。今の世の中で、もっとも欠けているのは、その姿勢だからね」

「ありがとうございます」

「みんな、君のことを心配していたよ」

「父よ(ファザー)」

小林は、眼を開けて、男を見つめた。

「何だね？」

男は、優しく微笑し、子供でもあやすように軽く、首をかしげた。

「私たちの王国は、本当に完成するでしょうか？」

「私が、嘘をついたことがあったかね？」

「いいえ」

「それに、若者たちが、強い信念のもとに、自己犠牲の行為を続けている。これで、私たちの王国が完成しない道理がない。そうだろう？」

「その通りでした。少しでも危惧(きぐ)の念を抱いたことを、お詫(わ)び致します」

「わかってくれればいい」

男は、また、優しく微笑した。

小林は、安心したように、眼を閉じた。

「失礼だが」

と、十津川が、男に声をかけた。

男は、はじめて、十津川の存在に気付いたように、視線を向けてきた。口元に浮んでいた微笑が消え、厳しい表情で、

「あなたは？」

と、十津川にきいた。

「警視庁捜査一課の十津川というものです」

十津川は、警察手帖(てちょう)を、相手に見せた。

男は、軽く眉根を寄せてから、

「あなたも、お見舞いに来て下さったのですか？」

と、きいた。

十津川は、一瞬、返事に迷った。どう答えてよいかがわからなかったというより、男の質問が本気なのか、それとも、とぼけているのかわからなかったのである。

「ちょっと、小林君にききたいことがありましてね」

「あなたのおっしゃることがよくわかりませんね。彼は、人助けをしようとして、自分が傷ついたのでしょう。何も悪いことをしていないのに、なぜ、警察に調べられなければならないのですか？」

「チンピラとの喧嘩のことではありません。最近、日曜日ごとに起きている自殺について、彼から事情を聞きに来ていたのですよ」

「自殺にまで、警察が介入してくるとは知りませんでしたね」と、男は、皮肉な眼をした。

「自殺は、その本人の自由意志によるものでしょう？ もっとも人間的な行為だという人もいる。人間以外の動物は、自殺をしませんからね。そうした人間の自由意志まで、警察は、取締ろうとするのですか？」

「そうはいっていませんよ」

と、十津川は、肩をすくめてから、ちらりと、ベッドの小林に眼をやって、

「ただ、今度のような事件は、社会に大きな衝撃を与えています。マスコミは、こぞって取りあげ、次の日曜日の予告された焼身自殺を果して防ぐことが出来るかどうかと、書き立てています。こうなれば、われわれ警察としても、乗り出さざるを得ないのですよ」

「それは、警察の面子（メンツ）のためですか？ マスコミに叩かれるのが怖いのですか？」

「それも、多少はあるかも知れませんな」

と、十津川は、逆らわずに、ニヤッと笑って見せた。むきにならないのは、四十代という年齢のせいだろう。若い時の十津川は、むしろ、すぐ腹を立てる方だった。

「多少は――ですか」

「そうです。しかし、大きな理由は、別にあります。第一に、社会不安を静めることが、警察の仕事だからです。第二に、連続自殺事件に、他殺の可能性もあるからです」

「他殺だって！」

と、大声をあげたのは、眼の前の男ではなく、ベッドに寝ている小林だった。彼は、起き上っ

て、鋭い眼で、十津川を睨んでいた。

「あんたは、自己犠牲という崇高な行為を侮辱するのか？」

「落着きなさい。偏見に満ちた世の中なのだ。いちいち腹を立てても仕方がないじゃないか」

男は、小林に向っていい、もう一度、ベッドに寝かしつけた。

そのあと、男は、振り向いて、

「外へ出ましょう。彼の気持を刺戟したくないですからね」

と、十津川にいった。

12

二人は、階下の待合室におりた。

今日は日曜日なので、患者の姿はない。窓口には、白いカーテンがおりていた。

十津川は、長椅子に腰を下したが、男は、立ったままだった。仕方がないので、十津川は、相手を見上げるようにして、

「まず、あなたの名前から教えてくれませんか？」

「なぜです？」

「あなたを呼ぶのに困るからですよ。小林君は、あなたのことを、父よと呼んでいたが、信仰心のない私が、そんな風に呼ぶわけにもいかんでしょう」

「野見山と呼んで下さればいい」

「野見山さんですか。何をしていらっしゃるんです?」

「そういう質問には、答えなくてもいいことになっているんじゃなかったかな」

と、野見山は、小さく笑った。

「王国がどうとかいっておられたようだけど、何のことです?」

「その質問にも、答える義務はないと思いますねえ。それが、けしからんと思われたら、遠慮なく、私を逮捕されたらいい」

「別に逮捕する気はありませんよ。ただ一つだけ、どうしても答えて頂きたいことがある。今日、誰かが、何処かで、焼身自殺すると予告している。あなたは、その人間が誰か知っている筈です。誰が、何処で、焼身死しようとしているのか、教えて下さい」

「教えられませんね」

野見山は、きっぱりといった。

「あなたは、若い人が、死んでいくのが平気なんですか?」

「平気とはいえません」と、野見山は、いった。

「だが、彼等は、信念を持って死んでいくのです。彼等の死は、決して無駄ではありません。それに——」

「それに、何です?」

「私も、彼等の後に続くつもりでいるのです」

「何ですって？」

十津川は、まじまじと、野見山を見つめた。

野見山は、笑って、

「別に、驚くことはないでしょう。イエス・キリストは、自ら十字架にかかり、信仰の何たるかを、弟子たちに示された。だから、弟子たちも、死を恐れなかったのです。信仰とは、そういうものです」

「なぜ、自殺しなければならないんです？　次々に死んでいかないと、あなた方のいう王国とやらは、出来あがらないんですか？」

「あなたは、自分で、信仰心が薄い人間だといった」

「その通りですからね」

「そんな人に、私たちの信仰や、願いや、希望の王国について話しても、理解できないでしょう。だから、話したくありませんね」

「あなたも、聖書の言葉を彫ったブレスレットをしていらっしゃるんですか？」

「もちろん、しています。これは、私たちが仲間であること、同じ強い信仰で結ばれた仲間であることの印ですからね」

「見せて頂けませんか？」

十津川が、頼むと、野見山は、意外にあっさりと、左手首にはめていた真鍮（しんちゅう）のブレスレットを外して、その裏側を見せてくれた。

これまでに見たブレスレットと、全く同じものだった。

四ツ葉のクローバーが彫られ、その横に、聖書の中の言葉が、彫刻されていた。

野見山のブレスレットに彫られてあったのは、次の文字だった。


〈I・N・R・I〉


十津川は、すぐには、その四つのアルファベットが、何を意味するのかわからなくて、

「これは、聖書のどこにある言葉でしたか?」

と、野見山にきいた。

「ヨハネ伝十九章」

と、野見山は、立ったままいった。

「意味も、教えて頂けますか?」

「ラテン語の Iesus Nazarenus, Rex Iudaeorum の頭文字です。意味は、『ナザレのイエス、ユダヤ人の王』ということです。イエスが十字架にかけられた時、その十字架に書かれた言葉ですよ。ですから、今でも、カトリックでは、十字架の頭の部分に、この四つの文字を書く習慣があります」

「なぜ、全員が、同じ言葉を彫らないんですか?」

「ひとりひとりが、聖書の中の自分の好きな言葉を彫ることにしたからです」

「あなたは、この言葉が好きなわけですか？」
「ええ。好きですね」
と、野見山は、微笑した。
十津川は、そのブレスレットを返しながら、この男は、ひょっとして、自分を現代のイエス・キリストになぞらえているのではあるまいかと思った。
今までに、三人の若い男女が死んだ。
彼等がつけていたブレスレットに彫られていた文字は、次の三つの言葉だった。
われらは地の塩なり
われらは一粒の麦なり
われらは地を継ぐ者なり
そして、小林昌彦がはめていたブレスレットには、
われらは光の子なり
と、彫ってあった。どれも、聖書の中からとった言葉だが、この四つの言葉と、野見山のブレスレットに彫られた言葉とは、次元が違うように、十津川には思えた。
前の四つの言葉は、いわば、弟子たちが、主イエス・キリストのいったことを、あがめて、自分のはめるブレスレットに彫ったものということが出来る。
だが、野見山のブレスレットの言葉は、違う。自分こそ、イエス・キリストだと、主張しているようなものではないか。

のか。

野見山と、他の若者たちの関係は、イエス・キリストと、その弟子たちの関係といったらいい

弟子たちは、いったい何人いるのだろうか。

野見山は、神の子で、他の四人は彼に仕える弟子たちということなのか。

（この男の何が、若者たちを引きつけるのだろうか？）

十津川は、改めて、眼の前に立っている野見山の顔を見上げた。

痩せて背が高いという外見だけでは、その謎は解けそうにない。

サングラスをかけているのは、他人に、表情を見られるのが嫌いなのか。

「あなたという人が、よくわからないんだが」

と、十津川は、声に出していった。

「平凡な人間ですよ」

野見山は、そういって微笑した。が、十津川は、その言葉とは裏腹な、満々たる自信のような

ものを、相手から感じた。

「あなたが、聖書の中で、一番好きな言葉は、そのブレスレットに彫った、『ナザレのイエス、

ユダヤ人の王』というヨハネ伝の中の言葉ですか？」

「これは、私が好きというより、彼等が、私に贈ってくれた言葉といった方がいいでしょう」

「なるほど、あの若者たちにとって、あなたは、イエス・キリストと同じということですか？」

「さあ、それは、私に質問するより、彼等に質問されたらいいでしょう」

「じゃあ、あなたの一番好きな言葉は、何ですか？」

「少し長いんだが――」

「構いませんよ」

「マタイ伝の第十章にある言葉です」

野見山は、視線を宙に向け、低い声で、その言葉を暗誦した。

〈われ地に平和を投ぜんために来れりと思うな。平和にあらず、かえって剣を投ぜんために来れり。それわが来れるは人をその父より、娘をその母より、嫁をその姑嫜より分たんためなり、人の仇はその家の者なるべし、われよりも父または母を愛する者は、われにふさわしからず、われよりも息子または娘を愛する者は、われにふさわしからず、又おのが十字架をとりてわれに従わぬ者は、われにふさわしからず、生命を得る者は、これを失い、わがために生命を失う者は、これを得べし〉

「普通、聖書の中で好きな言葉というと、山上の垂訓なんかをいうものじゃないのですか？　今、あなたがいった言葉は、あまり、聞いたことがありませんが」

十津川がいうと、野見山は、皮肉な笑い方をして、

「そうでしょうね。山上の垂訓は、キリスト教の甘美な面をあらわしているからです。しかし、キリスト教、というより宗教というものの本質は、苛酷なものです。二面性をもっているといっ

てもいい。私は、その苛酷な面を示す言葉の方が好きなのですよ。絶対的な信仰ということは、全てを捨てろということですからね。親鸞の歎異鈔にも同じことが書かれています。あの中の悪人はなおさら救われるというのは、甘美な部分でしょう。しかし、同時に、弟子に向って、もし、自分が人を殺せ、殺せば救われるといったら、ためらわずに人を殺せといっています。そこでためらうのは、本当に師を信じていないのだと。つまり、絶対の服従を求めているのだと。それが、宗教の本質というものです」

「あなたも、小林昌彦たちに、絶対の服従を要求しているわけですか？」

と、十津川が、きいた時、看護婦が、小走りに駈けて来て、

「十津川警部さん。お電話です」

と、告げた。

十津川は、野見山の返事を聞けなかったことに心残りを覚えながら、当直室の電話を受けた。

亀井刑事だった。

「第四の犠牲者が出ました。女の焼身自殺です」

13

新宿西口には、東京副都心計画で、超高層ビルが林立している。

遠くから見ると、それは、人間が住んだり、働いたりする建物というより、何かのモニュメン

トのように見えた。壮大で、同時に空虚な感じのするモニュメントである。

その直下に近く、小さな広場があって、各種のプレハブ住宅が展示されている。いや、展示会は、三月一杯で終って、今は、入口のところに作られた、これもプレハブの事務所で、二、三人の職員が、管理していた。

展示会には、九つのプレハブメーカーが、出品していたが、その中には、去年の暮に営業を開始した日宝プレハブのものもあった。

日宝プレハブは、日宝自動車や、日宝化学などと同じ、日宝コンツェルンの系列会社として発足した。

正確にいえば、日宝自動車の子会社で、日宝自動車が、プレハブ部門に進出したことに、街の大工の組合が腹を立て、日宝自動車の不買同盟を作ったことが、週刊誌にのったりした。

その日宝プレハブが出品したのは、宇宙時代（スペース・エイジ）の若いカップルのためにと題したもので、アルミ合金で作られた、三十八平方メートルの家だった。

アルミ合金の四角な箱といったらいいだろう。中は、1LDKで、白銀色の建物は、陽光を受けてキラキラ輝やき、宇宙時代（スペース・エイジ）の住居という感じがないでもなかった。

中の調度品は、全て、日宝の関連会社の製品が使用されていた。照明器具から、電気冷蔵庫やテレビは、日宝電気のものであり、カーテンやじゅうたんは、日宝化繊といった具合だった。

建物の脇に作られた駐車場には、日宝自動車のベストセラー・カーであるインパルス七九年型が置いてある。

そのまま、いつからでも住むことが出来るというのが、謳い文句で、展示会が開かれている間、一番人気があったのは、この建物だった。

有名な建築家白川宣次の設計で、「機能性と、美しさの調和」と、彼はいっていたが、「ただのアルミの箱じゃないか」という批判もあった。

四月二十九日。「スペース79」と名付けられたこの建物から失火した。

最初に気がついたのは、管理事務所の職員で、十二時を少し回った頃だった。

早めに昼食をとり、腹ごなしに、会場の中を歩いていて、「スペース79」の窓の内側が、赤く染っているのに気がついたのである。

アルミサッシの窓には、カーテンがおりていたが、そのカーテンを通して、炎が見えた。

あわてて、一一九番し、すぐ、消防車二台が駈けつけた。

消防隊員は、入口のドアを開けようとしたが、錠がおりているし、窓も、鍵がかかっていた。

やむなく、窓ガラスを打ちこわした。とたんに、どッと熱風が吹き出してきた。

消防隊員は、窓から、内部に向って放水した。

もう一台の消防車も、反対側の窓を打ち破って、放水を開始した。

だが、ガソリンでも燃えているのか、なかなか鎮火しないし、有毒ガスも発生した。

ようやく、鎮火したのは、放水を始めてから、二十分ぐらいしてからである。消防隊員は、ガスマスクをつけて、まだ燻ぶっている建物の内部に、窓から飛び込んだ。失火の原因を調べるためだった。

だが、中に入った二人のベテラン消防隊員は、ぎょっとして、立ちすくんでしまった。

広い居間の真ん中に、焼けただれた死体が横たわり、まだ、ぶすぶすと、音を立てていたからだった。

(焼身自殺！)

と、二人の消防隊員は、同時に思った。

14

十津川は、現場に駈けつけるとすぐ、先に到着していた亀井刑事と一緒に、水びたしになっている建物の中に入った。

異臭が、鼻をついた。

化繊が焼けて発生した有毒ガスの匂い、ガソリンの匂い、そして、人間の肉の焼けた匂い。

十津川は、頭が痛くなってくるのを我慢しながら、床に倒れている死体を見た。前の日曜日に、神宮球場で焼死した死体よりも、一層、ひどい状態になっていた。無理もなかった。アルミ合金のこの建物の中で、ガソリンを頭からかぶって火をつければ、まるで、ガスレンジの中で焼くようなものだからだ。

辛うじて、女だとわかった。

「やはり、例のブレスレットをしていますよ」

と、亀井は、軍手をはめた手で、死体の手首から、黒く煤(すす)けた真鍮のブレスレットを外した。

十津川は、受け取って、裏を見た。

四ツ葉のクローバーと、聖書の中の言葉が、これにも彫り込んであった。


〈われらは迷える一匹なり〉


有名な九十九匹の羊の話からとった言葉に違いない。確かマタイ伝の第十八章に出てくる言葉である。百匹の羊を持っていて、その中の一匹が迷ってしまったら、他の九十九匹はその場に残して、その一匹を探すだろう。そして、その一匹を見つけた時の喜びは、「誠に汝(なんじ)らに告ぐ、迷わぬ九十九匹に勝りて、この一匹を喜ばん」と、書かれている。

「これは、何だろう？」

急に、十津川が、ブレスレットを、すかすように見ながら呟やいた。

「何かおかしいですか？」

と、亀井がきく。

十津川は、ブレスレットを、亀井に渡して、

「彫った言葉の上を、何かで引っかいたような傷があるだろう？」

「そうですね。ずいぶん、ガリガリやったみたいですね」

「ちょっと待ってくれ」

十津川は、ポケットから百円硬貨を取り出すと、それを亀井に渡して、

「そのぎざぎざの部分で引っかいてみてくれないか」

「ああ、同じような傷がつきますよ」

「すると、やはり、硬貨の類で引っかいたんだな」

「しかし、なぜ、こんなことをしたんでしょうか？　ブレスレットに彫った文字を、消そうとしたんでしょうか？」

「消すくらいなら、ブレスレットを捨ててしまうんじゃないか？　安物のブレスレットだからねえ。捨てても惜しくはなかった筈だ」

十津川にも、理由はわからなかった。だが、偶然についた傷でないことだけは明らかだった。一条や二条の傷ではなかったからである。今までに見たブレスレットには、ただの一つも、こんな傷はついていなかった。

死体が、解剖のために運ばれていったあと、十津川は、改めて、1LDKの部屋を見廻した。二十畳くらいの広さを持つ居間に、寝室がついているという形だった。1LDKというより、ワン・ルーム形式といった方がいいだろう。

人間が出入り出来るところは、四つあった。

玄関のドアと、勝手口、それに、二つの窓である。

消防車が駈けつけた時、ドアにも、窓にも、鍵がかかっていたという。

十津川は、管理事務所の職員に来て貰った。

「玄関の鍵は、事務所で預かっているわけですね？」

「そうです。スペアを入れて二つ預かっています。今も、ちゃんとありますよ」

「消防車が来た時、なぜ、玄関のドアを開けなかったんですか？　キーがあるのに」

「キーで開けようとしたんです。ところが、中から、チェーン・ロックがされていたんですよ。それで、止むなく、消防の方が、窓ガラスを割って、そこから放水したわけです」

「すると、焼身自殺した女性が、中から、チェーン・ロックをかけたということになりますね？」

「そうですね」

「今、ここにあるプレハブは、展示会をやっていないわけでしょう？」

「ええ。展示会は、先月で終りました」

「建物の鍵はかけて管理しているわけでしょうね？」

「そうです。展示会の時、調度品も入れて展示しましたからね。特に、日宝プレハブのこの『スペース79』は、いつでも住めるように、ベッドから冷蔵庫まで揃っていますから管理には気を使っています。勝手口や窓は、内側から錠をおろし、玄関のドアには、鍵をかけてありました」

「しかし、死んだ女性は、中に入って、ガソリンをかぶり、チェーン・ロックまでかけてから火をつけたわけです」

「そうなりますね」

「どうやって、中に入ったかわかりませんか？」

「さあ」

「玄関のドアに鍵をかけ忘れたということは考えられませんか？」

「ない筈ですが――」

職員は、ちょっと自信のない表情になった。現実に、何者かが、建物の中に入り込み、焼身自殺を遂げてしまっていたからであろう。

「ここにあるプレハブには、電気が供給されているんですか？」

「ええ。三日に一回は、掃除機をかけて、室内をきれいにしておく必要がありますからね」

「水道も？」

「ええ」

「ここにあるプレハブは、結局、どうなるんです？」

「次の展示場に運ばれることもありますし、新聞に広告を出して、競売することもあります。競売の場合は、定価の八割以下で売られますから、土地さえ持っていれば、展示会のあとのプレハブを買うのも、住宅を手に入れる一つの方法です」

「この『スペース79』は、競売されていたんですか？」

「いや。もっとも新しいプレハブですから、六月十五日から、津田沼で開かれるプレハブ展示会に運ばれる予定でした」

「焼死した女性に心当りがありますか？」

「とんでもない。なぜ、このプレハブで焼身自殺したのか、全くわかりませんよ」

職員は、蒼ざめた顔で、大きく手を振った。

15

職員のいった通り、玄関のドアには、内側から、チェーン・ロックが施されていた。

「女は、密室状態にしておいてから、火をつけたようですね」

亀井は、焼けただれた室内を見廻しながら、十津川にいった。

激しかった火勢を物語るように、居間に置かれたテレビや、衣裳（いしょう）ダンスは、完全に焼けてしまっている。十津川が手を触れると、ぼろぼろとはがれおちた。

十津川は、顔をしかめながら、

「彼等は、なぜ、このプレハブを使ったんだろう？」

「彼等といいますと？」

「私が、病院で会った野見山という男と、その仲間のことだよ。死んだ女が、その一人だということだけは、はっきりしているよ」

「このプレハブが、もっとも現代を象徴していると考えたんじゃないでしょうか？」

「外形は、確かに、スペース時代の現代を象徴しているかも知れないがね。ただ、それだけの理由だろうか？」

十津川には、それがわからないのだ。

黙示の時代の証として、焼身自殺すると予告して、一人の女が死んだ。

このプレハブの中で焼死することが、なぜ、黙示の時代の証になるのだろうか。

急に外が騒がしくなった。

激しいシャッターの音も聞こえてきた。新聞記者たちが、押しかけてきたらしい。

「カメさん。逃げよう」

と、十津川がいった。

二人は、勝手口から外に出て、車に飛び乗り、大森の病院に向った。

小林は、ベッドに寝ていたが、野見山の姿はなかった。枕元に置かれたトランジスタラジオが、静かな音楽を流していた。最初に、この病室を訪ねた時にはなかったラジオだから、野見山が、持って来たのだろう。

「君の仲間が、新宿で焼死したよ。展示されているプレハブの中でだ」

と、十津川が告げると、小林は、顔色も変えずに、

「知っています。今、ラジオがいっていましたから」

「心が痛まないのかね？　どういう仲間か知らないが、友人であることは確かなんだろう？　友人が、次々に死んでいくのに、よく平気でいられるものだな」

十津川は、非難をこめていった。

「その返事は、前にした筈です」

「もう一度、聞きたいね。女が、黒焦げになっているのを、この眼で見て来たんだ。君たちの王

国を建設するためかどうか知らないが、死んでしまったら、どうしようもないじゃないか？　そうは考えないのかね」

「あなたには、何もわかりはしない」

小林は、眼を閉じていった。

「かも知れないがね。君たちのように前途有為な若い人たちが、次々に死んでいくのを黙って見ているわけにはいかないんだ。君が、父（ファザー）よと呼んだ野見山という男は、どこに住んでいるのか教えてくれないか？」

「どうするんです？」

「もう一度、会ってくる。あの男に、君たちを喜んで自殺させる力があるのなら、それをやめさせる力もある筈だからな」

「無駄なことは、止めた方がいいですね」

小林は、低い声でいった。

「死んだ者の肉親の悲しみを考えたことはないのかね？　彼等には、両親もいる筈だし、兄弟、姉妹もいる筈だ。その人たちが、どんなに悲しむか、想像したことはないのかね？」

四十五歳の亀井が、子供でもさとすようにいうと、小林は、亀井を見上げて、クスクス笑い出した。

亀井は、むっとした顔で、

「本気で心配しているのに、何がおかしいんだ？」

「無駄だよ。カメさん」

と、十津川は、亀井を制して、

「彼等のリーダーの男がいっていたが、宗教というのは、親と子、夫婦、或は兄弟、姉妹といった関係を絶ち切ることから始まるというのだ。肉親や友人を捨てなければ、真の信仰ではないらしい」

「そんな馬鹿な！」

「それほど、信仰というのは厳しいものだということだろうし、野見山というリーダーは、そこまで、若者たちに要求しているらしい」

「私には、ついていけませんね」

亀井は、吐き捨てるようにいった。

十津川も、彼等についていけそうもないという点では、亀井に同感だった。

ただ、十津川は、小林が、野見山に向って、「父よ（ファザー）」と呼びかけた時の、すがるような眼を思い出していた。

彼等を支配しているのは、狂気かも知れないが、一人の人間を、あれほど信じられるということは、或は、幸せなのかも知れない。特に、信じるということの稀薄（きはく）になった現代では——

そこまで考えてから、十津川は、あわてて、首を横に振った。

追跡

1

「彼等は、いったい何人死ねば気がすむんだろう」

本多捜査一課長は、十津川に向って、いまいましげに呟(つぶ)やいた。

「少くとも、あと二人は、まだ死にそうです」

十津川は、ぶぜんとした顔でいった。

「まだ、自殺志願者がいるのかね？」

「例の野見山というリーダー格の男ですが、自分も、みんなの後に続くといっていました。その言葉に嘘がなければ、彼も、自殺する筈です。それに小林昌彦です」

「なぜ、そんなに死にたがるのかね？　私には、全く理解できないが」

「彼等の王国を作るためだそうです」

「やたらに死ねば、それで、王国とやらが出来るのかね」

と、本多は、首をふった。

「だとしたら、その王国は、死体で一杯じゃないのかねえ」

「野見山のことは、調べて頂けましたか？」

「病室についていた指紋は、前科者カードのそれと照合してみたよ。しかし、見つからなかった」

「前科はなしですか」

「あまり、がっかりはしていないようだね」

「ある程度、予想していましたから。野見山というのも、本名のような気がします。あの男は、私と話しながら、自信満々でした。いくら警察に突っつかれても平気だというようにです。それで、多分、前科もあるまいと思っていたんですが」

と、十津川はいった。

彼は、喋りながら、病院で会った野見山の顔を思い浮べていた。落着いた男という印象が強い。何事にも、自信満々に見える男だ。

あの自信は、どこから来ているのだろうか？　信仰から来ているのか、それとも、全く別のところから来ているのだろうか。

電話が鳴った。

受話器を取った本多が、十津川に、ちょっと待っていてくれというように合図してから、相手の話を聞いている。

——それは、本当ですか？

と、甲高い声で念を押しているところをみると、かなり、重要な電話らしい。

ドアが細目に開いて、若い刑事が、新聞を十津川に渡した。

本多が、受話器を置いた。

「新聞をごらんになりますか？」

と、十津川が聞くと、本多は、手を振って、

「見たくないねえ。どうせ、四人目の焼身自殺を防げなかった警察の無能さを批判する記事で、埋っているに決っているからね。それより、今の電話は、大学病院の医師からだ」

「焼死した女の解剖結果が出たんですか？」

「ああ。問題は、死因だがね——」

「青酸中毒死ですか？」

「そうだ。焼死する前に、中毒死しているということだ。火をつける前に青酸カリを飲んだか、火をつけてから飲んだか、その順序はわからないが、焼死する前に、中毒死しているそうだよ」

「神宮球場で死んだ若い男と同じですね」

「そうだな。もう一つ、或は、こちらの方が興味があることかも知れないが、彼女は、ごく最近、少くともここ六カ月の間に、妊娠(にんしん)中絶の手術を受けているそうだよ。それも、手術したのは、あまり上手(うま)くない医者だということだ」

「妊娠中絶ですか」

「何か、心当りでもあるのかね？」

「いえ。ありません。ただ、野見山というリーダーに、今度会ったら、彼がそれを知っていたかどうか、きいてみたいですね。いや、小林昌彦でもいい。反応を見てみたいですね」

「病院には、誰かやってあるのか?」

「亀井刑事がいます。電話をお借りします」

十津川は、本多課長の机の上にある電話を借りて、大森の病院のダイヤルを回し、亀井刑事を呼び出した。

2

電話口に出た亀井は、十津川の話を聞いてから、

「今の話を、小林に伝えて来ます」

と、いったん、電話を切った。

亀井から、電話が入ったのは、三十分後だった。

「小林は、真っ赤になって怒りましたよ」

亀井が、いった。

「芝居じゃないかね?」

「いえ。あれは、本気で怒った顔です。何度も、そんな馬鹿なことはないと呟やいていました」

「すると、小林も知らなかったんだな。仲間の一人が、姙娠し、堕ろしていたことを」

「そうらしいですね。どうやら、私がいったことは、彼にとって、大変なショックだったようです。私に殴りかからんばかりでした」

「信仰という精神的な場所に、ひどく、生臭い話が持ち込まれたんだから、無理はないだろう」

「小林は、よほどショックだったんでしょう。死んだ女のことを、『カザミさんが、そんなことをする筈がない！』と、叫びました」

「カザミか」

「恐らく、風に見るでしょう」

「フルネームは、わからないかね？」

「きいたら、小林は、また、貝になってしまいました。あの口は、ちょっと開けられそうもありません」

「野見山というリーダーのことを、何かいってないかね？」

「全然です。これから、どうしますか？」

「井本刑事と石川刑事の二人を、そちらにやるから、君は、代って、新宿へ行ってくれ。私も、そこへ行く」

「焼けたプレハブ住宅ですね？」

「そうだ。もう一度、あれを見てみたいんだ」

十津川は、それだけいって、電話を切った。

本多は、受話器を置いた十津川に向って、

「あのプレハブ自体に、何か意味があると思うのかね？」

「それを調べてみたいのです。あの展示場には、女が焼死に使った『スペース79』以外にも、いくつかのプレハブが建っています。コンクリートの広場で、基礎工事は出来ませんから、正確にいえば、建っているというより、置いてあるということですが。あのプレハブの中には、コンクリート造りもあれば、木造もあります。アルミ合金で作られたプレハブというのは、『スペース79』一つです。国際的に有名な建築家の作品であり、もっとも新しいプレハブだというので、焼死の舞台に選んだのかも知れません」

「そうだとしたら？」

「調べても仕方がありませんね」

十津川は、あっさりといった。

「しかし、君が調べに行くということは、別の理由も考えられるからなんだろう？　何だね？それは」

「あの『スペース79』は、日宝プレハブという新しいプレハブ会社が作ったものです。そのために、女が、というより、彼等が、焼死の場所に選んだのではないかと、考えてみたのですが」

「野見山や小林たちが、日宝プレハブに、恨みを持っているということかい？」

「そうです」

「しかし、日宝プレハブというのは、小さな会社なんだろう？」

「従業員は、全部で三百人足らずです」

「それに、蝶を放したり、ゴム風船を飛ばしたり、或は、神宮球場で焼死したりするのが、プレハブ会社と関係があることとは思えないがねえ」

「おっしゃる通りです。ただ、日宝プレハブは、日宝自動車の子会社です。親会社の日宝自動車は、日宝コンツェルンの中の一つで、その系列会社には、日宝商事、日宝化学など、大会社が目白押しです」

「すると、君は――」

と、本多は、いったん、言葉を切ってから、

「彼等が、日宝コンツェルンに、死という形で抗議しているのではないかと思うのかね？」

「可能性として、考えただけですが」

「しかしねえ。それなら、なぜ、彼等は、はっきりと、いわないのかね？　日宝コンツェルンに対する抗議のために、焼身自殺すると。それなのに、彼等がやったことは、銀座に無数の蝶を乱舞させたり、高島平団地でゴム風船を飛ばしたり、黙示の時代の証しとしてなどと、わけのわからない投書をマスコミにしたりということじゃないかね」

確かに、本多のいう通りだった。第四の犠牲者が、「スペース79」の中で焼死していたのは、あの展示場の中で、もっとも目立つプレハブだったという、それだけのことかも知れない。

ただ、十津川は、それならそれで、確認したかった。

3

四十分後、十津川は、西新宿のプレハブ展示場で、亀井と落ち合っていた。

問題の「スペース79」の周囲には、ロープが張られ、制服の警官が二人、ガードしている。

十津川と亀井は、彼等に会釈をしてから、玄関のドアを開けて中に入った。

内部は、焼死体が発見された時のままになっている。

アルミサッシの窓は、消防隊員にガラスが割られ、そこから放水されたままだ。床には、ところどころに水溜り（みずたまり）があり、ガソリンの匂いは、まだ部屋に残っている。

あの時の火勢がどんなに強かったかを示すように、カーテンは焼け落ち、アルミ合金の壁も、焼けてひん曲っていた。

アルミサッシの窓には、掛金がかかっている。バネ仕掛けで、途中まで回せば、あとは自然にかかるという掛金で、「指一本で簡単に施錠できます」というのが、宣伝文句だった。

「ガソリンが燃えあがった時、この室内は、何度ぐらいの熱さになっていたんだろう？」

と、十津川が、自問するようにいった時、警官が、ドアを開けて顔をのぞかせ、「ちょっと来て下さい」といった。

十津川が出て行くと、その警官は、小声で、

「今、日宝プレハブの営業部長が来て、この『スペース79』を、一刻も早く、運んで帰りたい

といっています。焼け焦げたプレハブを展示場に置いておいては、会社のイメージ・ダウンになるといって」

「その営業部長は、どこに？」

「事務所に入って行きました」

「こっちも、会って話を聞きたいと思っていたところだ」

十津川は、亀井刑事をその場に残して、展示場の入口にある事務所へ足を運んだ。

「日宝プレハブの営業部長さんは？」

と、十津川が、声をかけると、事務員と話をしていた五十年輩の男が、

「私ですが」

と、外へ出て来た。

半白の髪の温厚な感じの男で、くれた名刺には、秋野伸介とあった。

十津川が、警視庁捜査一課の人間とわかると、ほっとした顔で、

「あのプレハブを、一刻も早く撤去させて頂けませんか」

「もう少し待って下さい」

と、十津川は、いった。

「しかし、死んだ女の方は、明らかに自殺なんでしょう？　それなら殺人事件と違って、現場保存の必要はないんじゃありませんか？」

秋野は、「スペース79」の方へ眼をやりながらいった。

「まだ、自殺と決ったわけじゃありませんよ」

「しかし、新聞には、焼身自殺だと――」

「新聞がどう書こうと、われわれは、まだ、他殺の可能性が残っていると考えています。ですから、もうしばらく、このままにして置いて頂きたいのです」

「いつまでですか？　この展示場は、今は閉鎖されているといっても、あの焼け焦げた建物は外から丸見えですからねえ。うちにとって、イメージ・ダウンです。社長からも、一刻も早く撤去せよと命令されているのですよ」

「次の日曜日まで待って下さい」

「そうしたら、撤去しても構いませんか？」

「いいですよ」

と、十津川は、肯いてから、

「ところで、秋野さんは、野見山という男に心当りはありませんか？」

「うちの職員ですか？」

「いや。違います。ひょっとすると、日宝プレハブに恨みを持っている男かも知れません」

「心当りはありませんな」

「『スペース７９』の中で焼死したのは、あなたの会社への嫌がらせだとは思いませんか？」

「うちの会社は、一年前に創立されたばかりです。『スペース７９』は、うちが開発したプレハブ第一号というわけです。ですから、利用者から苦情が出る筈はありません」

「しかし、日宝プレハブは、日宝自動車の子会社でしょう?」

「そうです」

「すると、日宝自動車へ恨みを持つ人間ということかも知れない。その点はどうです?」

「私にはわかりません」

「あなたは、日宝自動車から来られたんじゃないんですか?」

「うちの社長は、日宝自動車の人間だった人ですが、私は、Nプレハブから移ったんです」

「つまり引き抜かれた?」

「ええ」

それなら、わからないというのも無理はないなと思った。

「社長さんは、元、日宝自動車の人間だといいましたね?」

「管理部長だった千田さんです。うちの社長が、どうかしたのですか?」

「いや。何でもありませんよ」

十津川は、安心させるように微笑してから、亀井を呼んだ。

「日宝プレハブの本社へ行って、社長に会うんだ」

「焼身自殺と、日宝プレハブと、何か関係があるということですか?」

「これから、それを調べに行くのさ」

十津川は、さっさと展示場を出ると、通りかかったタクシーを止めた。亀井は、あわてて、彼の後を追い、隣りに乗り込んだ。

日宝プレハブの本社は、京橋の日宝自動車ビルの一部を使っている筈だった。

タクシーが走り出すと、亀井は、弾んだ息をととのえながら、

「あの『スペース79』というプレハブですが、どう考えても、密室状態で、カザミという女性は、焼死したと思われます」

「だから？」

十津川は、いくらか、皮肉な眼つきで、亀井の次の言葉を促した。彼が何をいいたいのか、見当がついていたからである。

「つまり」と、亀井は、いった。

「あれは、どう考えても、自殺です。今までの四人の男女の全てが自殺だとなると、結局、われわれには、どうしようもないんじゃありませんか？　たとえ日宝プレハブに、連続自殺の原因があったとわかっても、それを指摘するのはマスコミの仕事で、警察の仕事ではないと思いますから」

「だからといって、この事件を放り出すわけにはいかんだろう？」

と、十津川は、亀井に向って、笑って見せた。

4

日宝自動車の本社ビルは、八階建で、一階の大きな部分が、新車の展示ルームになっている。

最近日宝自動車が発表した小型スポーツ・カー「ペガサス―79」も、さまざまな色彩のものが、誇らしげに並んでいた。

日宝プレハブ本社は、いかにも、子会社という感じで、そのビルの五階の半分を遠慮がちに使用している。「スペース79」の成績次第では、新しいビルに移るのだろう。

十津川と亀井は、エレベーターで五階へあがり、社長の千田徳一郎に会った。

社長室には、例の「スペース79」の模型や、パネル写真が飾られていた。

瘦身（そうしん）の千田は、十津川たちに椅子をすすめてから、

「忙しいので、用件は、手短かにお願いしたい」

と、いった。

「おたくのプレハブの中で、若い女性が焼死した事件は、もちろんご存知ですね？」

十津川は、千田の顔を、まっすぐに見つめた。洗練された、いかにも育ちの良さを感じさせる男である。

その顔がゆがんで、

「知っている。うちの社にとっては、大変なイメージ・ダウンだよ。営業部長に、一刻も早く、焼けたプレハブを撤去するように命じてあるのだがね」

「それは、お聞きしましたが、次の日曜日まで、撤去は見合せて頂きたいと返事をしておきました」

「なぜだね？　うちは、今度の事件では、完全な被害者だし、自殺なんだから、現場保存の必要

もないだろう？ 第一、自殺になぜ警察が乗り出してくるのかね？」

「その必要があるからです」

と、だけしか、十津川はいわなかった。

他殺の可能性もあるといえば、その可能性について、きいてくるに違いないからだ。

「死んだ女性は、展示場にあったいくつものプレハブの中から、日宝プレハブの『スペース79』を選んで、焼死の場所にしました。しかも、抗議の死の形をとっています。それで、おききしたいのですが――」

「君のいいたいことはわかっているよ」と、千田は、十津川の言葉を途中で、さえぎった。

「うちが、誰かに恨まれているんじゃないかというんだろうが、全く心当りがないね」

「いや、日宝プレハブにではなく、親会社の日宝自動車に恨みを抱いていたのかも知れません」

「日宝自動車だって？」と、千田は、眉をひそめた。

「なぜ、そんなことをいうのかね？」

「抗議は、さまざまな形をとります。日宝自動車に抗議するのに、その子会社で作られたプレハブのモデル・ルーム内で焼身自殺するのも、一つの方法でしょう。あなたは、一年前まで、日宝自動車におられたから、何かご存知じゃありませんか？」

「誰かの恨みを買っているようなことをかね？」

「そうです」

「日宝自動車に限って、何もない。排ガス問題は、自動車業界全体の問題で、うちだけが批判されたわけじゃないし、政府の排ガス規制に合格した車を作ったのは、うちが最初なんだよ」

「おたくの車が事故を起こして、多数の人命が失われたというようなことは？」

「毎年、何件の自動車事故が起きているか知っているかね？」

「警察の人間ですから知っています。九千人前後の人間が、自動車事故で死んでいることもですよ」

「原因は、無謀運転が大部分だ。スピードの出し過ぎ、酔っ払い運転、無理な追い越しなどのね。子供の場合は、不意の飛び出しが圧倒的だよ。自動車そのものに欠陥があって、そのために事故を起こしたことはない。少くとも、日宝自動車の車にはなかった。それは断言してもいい」

「七四年製のピューマＧＴを五千台回収して、電気系統を取り代えたことがありましたね？」

「確かにあった。だが、そのために、あの車が事故を起こしたことはないね。それは、どこで調べて貰ってもいい」

千田は、自信に満ちた声でいった。十津川が、黙っていると、千田は、日本車、特に、日宝自動車の車の優秀さについて、とくとくと話し始めた。一年前まで、日宝自動車にいたせいもあるだろうし、日宝コンツェルンの一体化を示すものかも知れなかった。

そういえば、日宝重工や、日宝電気の社長も、千田姓だった筈である。とすると、千田徳一郎も、日宝コンツェルンを支配しているといわれる千田一族の一人なのだろうか。

千田の自慢話が終ったところで、十津川は、

「カザミという若い女性をご存知ですか？」

と、きいてみた。

「それは、うちのプレハブの中で焼身自殺した女のことかね？」

「そうです」

「いや、カザミなどという女は知らんね」

「じゃあ、野見山という男は、どうですか？」

「知らんな。そんな男は」

「そうですか」

と、十津川は、あっさり肯いてから、横にいる亀井に、

「では、おいとましようか」

と、いった。

5

日宝自動車ビルを出たところで、亀井は、我慢しきれなくなったように、

「おききしたいことがあるんですが」

と、十津川に声をかけた。

「何だい？　カメさん」

十津川は、楽しそうに、微笑した。

「せっかく、ここまで来ながら、簡単に引き退がられた理由がわかりません。いつもの警部らしくないじゃありませんか。あの千田社長は、連続自殺事件について、何か知っているかも知れませんよ」

「わかっているよ。カメさん」

「は？」

きょとんとする亀井に向って、十津川は、

「あの社長は、野見山を知っている。少くとも、野見山という名前に心当りはあるんだ」

「しかし、彼は知らんと否定し、警部は、あっさり肯かれた筈ですが」

「その否定の仕方が、不自然なんだよ」と、十津川は、いった。

「いいかね。千田社長は、自分のところのプレハブ内で、若い女に焼身自殺されて、会社のイメージ・ダウンになると腹を立てていた。当然、誰が、何のために、そんなことをしたのかが気になる筈だ。違うかね？」

「その通りです」

「私が、カザミという名前を出すと、千田は、焼死した女のことかと、きき返した。これは、当然の反応だよ。ところが、次に、私が野見山の名前を口にすると、彼は、何もきかずに、知らんといい切った。当然、その男は、今度の事件と、どんな関係があるのかときかなければならないのだ。ということは、彼が、野見山を知らないのではなく、逆に、良く知っているから、きき返さなかったに違いないと、私は、思ったのだ」

「なるほど。そういわれると、確かに、警部のおっしゃる通りです。しかし、千田社長の言葉が嘘とわかりながら、なぜ、あっさり引き退がられたんですか？」

「あなたは野見山を知っている筈だといっても、彼がイエスというとは思えなかったからさ。それに、君もいったように、他殺の証拠はどこにもないんだからね。参考人として、あの社長を連れて来るわけにもいかん。だから、一応、引き退がることにしたんだ」

「これから、どうします？」

亀井が、眼を光らせてきいた。

「いったん、捜査本部に引き揚げて、日宝自動車のことを、徹底的に調べることにする。何か抗議されることがある筈だからね」

十津川は、確信を持っていった。

二人が、捜査本部に戻ると、大森の病院に、小林昌彦の監視に行っていた筈の井本と石川の両刑事が、帰って来ていて、十津川の顔を見ると、

「申しわけありません」

と、揃って、頭を下げた。

「どうしたんだ？」

「小林に逃げられました」と、井本が、いった。

「看護婦が、眠ったというので安心していたところ、小林は、窓から逃走したのです。シーツを切り裂いてロープを作り、それを伝わって下へおりたのです。本当に申しわけありません。急い

で、彼のアパートに直行したのですが、帰っておりませんでした」

「そうか。窓から逃げたか」

と、十津川は、別に二人を怒りもせず、むしろ、感心したように呟やいて、

「彼も、必死だったんだろうね」

「油断したのが、間違いでした」

「いいさ。もともと、小林は、何の罪も犯していないんだ。退院したいといえば、われわれには、それをとめるわけにはいかなかったんだからね」

「しかし、行先を突き止めませんと――」

「行先はわかっているよ。リーダーの野見山に会いに行ったんだ」

「リーダーのところへ、何しに行ったのでしょうか？　彼は、リーダーの野見山から、ゆっくり養生するようにいわれていたんじゃなかったんですか？」

「焼死したカザミという女は、中絶の手術を受けていた。亀井刑事によると、そのことを知らされた小林は、ショックを受けたようだったという。多分、小林は、そのことを問いただすために、リーダーの野見山に会いに行ったんだろう。これが引金になって、彼等の間で葛藤が起きれば、どんな集団なのか、正体が明らかになるかも知れない。そう考えれば、小林が逃げたことは、案外、われわれにとって、プラスかもわからないよ」

と、十津川は、いってから、大杉と、原田の二人の刑事も、傍に集めて、

「全員で、日宝自動車のことを調べて欲しい。何か、野見山たちに、死をもって抗議されるよう

な事件を起こしているか、弱味を持っている筈だ。それを見つけ出して貰いたい」

それが、どんな弱味なのか、どんな事件なのか、十津川にも、見当がつかなかった。

千田は、日宝自動車に限って、非難されるような問題は起こしたことはないと主張した。が、十津川は、何かある筈だと信じていた。なければ、千田が、野見山を知っているわけがないのだ。

その日から、十津川たちは、日宝自動車に関する情報を集めることに全力をつくした。

6

日宝自動車は、日宝コンツェルンの中では、比較的新しい会社だった。

最初の中は、自動車の二大メーカー、NとTに圧倒されて販売が伸びず赤字経営が続いた。日宝コンツェルンの中の足手まといだといわれていた時期もあった。

しかし、昭和四十年頃から、開発する新車が、次々にヒットし、輸出も順調に伸びて、今や、日宝コンツェルンの中の花形になった。

十津川の机の上には、日宝自動車についてのあらゆる資料が、集められ、積みあげられていった。

昭和四十二年に、水戸市郊外のテストコースで、新車のテスト中事故が起き、テストドライバーが死亡した。この事故に関する日宝自動車内の報告書のコピーも、入手した。

国内だけでなく、日宝自動車の海外での動きもチェックされた。ブラジルに作られた合弁会社の評判、輸出先での車の評価などもである。

日宝自動車の工場は、乗用車部門が茨城県、トラック・バス部門が千葉県にある。いずれも、広大な工場の敷地は、国有地を払下げられたもので、購入について政治家が動いたといわれて、国会で問題にされたことがある。その時の予算委員会の議事録も集められた。

だが、十津川たちが期待するニュースは、何も見つからなかった。

死亡したテストドライバーの遺族には、十分の補償がされ、問題は起きていない。

サンパウロに三年前に出来た、ブラジルとの合弁会社「ブラジル日宝」は、現在、順調に発展していた。

自動車の輸出上の問題は、自動車業界全体の問題であって、日宝自動車だけのことではなくなっている。特に、アメリカで、日本車の輸入規制が叫ばれているが、日宝自動車は、NやTといった二大メーカーに比べて、輸出台数も少く、それだけ、輸出先とのトラブルも少い。

工場敷地の取得について、政治家が動いたのは確かだが、他の自動車メーカーも、国有地の払下げを受けており、いずれも、政治家が介在して、問題にされていて、日宝自動車だけが、批判されたわけではなかった。

日宝自動車の車が、最初に、政府の排ガス規制に合格したという千田の言葉も、事実と確認された。

厖大(ぼうだい)な資料に眼を通したことで、十津川たちの眼は、赤く充血し、その一つ一つを、電話して確認するという作業が続いたために、耳が痛くなった。歩き廻りもした。

だが、何も出て来なかった。

日宝自動車が、野見山たちのグループの標的になる理由が見つからない。

(こんな筈はないんだが――)

と、十津川は、頭を抱えて、考え込んでしまった。

千田徳一郎が、野見山を知っていることは間違いない。それも、あまり愉快ではない知り方のようだ。それなのに、なぜ、日宝自動車に、それらしい問題点が見つからないのだろうか。

「ちょっと集ってくれ」

と、十津川は、急に、亀井たち五人に声をかけた。

五人の顔が揃ったのを見てから、

「どうやら、日宝自動車の子会社という先入観に振り廻されたのが間違いだったらしい」

と、十津川は、いった。

「どういうことですか?」

大杉がきいた。眼鏡をかけたその顔も、疲れ切っていた。

「女が死んだ『スペース79』は、いったい何だろうかと、考え直してみた。あのプレハブは、日宝自動車で開発されたアルミ合金で出来ている。駐車場には、日宝自動車の車が置いてあった。だが、それだけじゃない。室内の電気冷蔵庫や、テレビ、ステレオなどは、日宝電気の製品だし、カーテンやじゅうたん、その他も、それぞれ、日宝の関連会社で作られたものだ。しかも、あのプレハブは、日宝銀行のローンが適用される。つまり、こういうことがいえるんだ。小さな建物だが、いわば、日宝コンツェルンの総力が結集されて出来ている、日宝の顔だということがだよ」

「すると、彼等が、自殺の場所に『スペース７９』を選んだのは、日宝プレハブや、日宝自動車に対する抗議というだけではなく、日宝コンツェルン全体に対する抗議だったのではないかということですか？」

「そうだ。千田徳一郎が野見山を知っているのも、日宝自動車の管理部長や、日宝プレハブの社長としてではなく、千田一族の一人としてかも知れない。疲れているだろうが、もう一度、やってみてくれ」

十津川は、いい終ってから、赤い眼でカレンダーを見た。

今日は、木曜日。五月三日の憲法記念日である。休日だが、事件を追っている十津川に、その実感はない。

あと三日で日曜日がやってくる。

（野見山たちは、五人目の犠牲者を作るつもりでいるのだろうか？）

7

日宝コンツェルンには、さまざまな系列会社がある。もっとも新しく設立された日宝プレハブまで含めると、その数は、優に七十を越えるだろう。

十津川たちは、分担して、これらの厖大な系列会社を調査した。

「過去に、もっとも大きな問題を起こしたのは、日宝化学と思われます」

と、亀井が、メモを見ながら、十津川に報告した。

「特に、十文字川の河口にある日宝化学十文字工場から排出された水銀化合物によって、いわゆる水俣病が発生しています。水俣病は、熊本県水俣湾沿岸に発生したものが、もっとも有名ですが、新潟県阿賀野川下流域にも発生しており、これが第二の水俣病と呼ばれ、十文字川下流域のものは、第三の有機水銀中毒と呼ばれています」

「思い出したよ。水俣湾のものばかりがクローズ・アップされているが、十文字川流域でも、有機水銀中毒が発生したというニュースを見た記憶がある。あれが、日宝化学だったのか」

「その通りです」

「それで、現在は、どうなっているんだ？」

「患者の発生は、水俣の場合と同じく、一九六〇年前後に集中しています。ただ、この工場では、生産規模が小さかったために、患者の数は、二百名を越えたところでとまっています。もちろん、それでも、問題が発生した頃は、東京駅八重洲口にある日宝化学本社に、連日、患者や、その家族、それに、支援団体が押しかけて来て、大変だったようです。交渉に当った会社重役の一人が、過労から、心臓発作を起こして死亡しています」

「六〇年頃というと、今から二十年近い前ということだが、事件は、どう解決しているのかね？解決せずに、今でも、係争中かね？」

「いや、七年前に、全ての患者や家族と和解が成立し、補償金が支払われています。そして、日宝化学の十文字工場は、現在、閉鎖されています」

「すると、現在は、問題は起きていないということか？」

「患者や家族にとっては、有機水銀中毒に解決ということはないでしょうが、一応の解決を見ていることは、事実です」

「その十文字川の周辺だがね。有名な蝶の生息地ということはないのかね？」

十津川がきくと、亀井も、

「私も、警部と同じことを考えて、十文字川の河口に行ってみました」

「それで？」

「河口は、漁港になっていますし、周辺は、水田が多くて、蝶の生息地ということはありません。蝶が全くいないわけではありませんが、銀座の歩行者天国で、無数の蝶を舞いあがらせて抗議するほどのものでないことだけは確かです」

「七年前に解決しているのか――」

十津川は、首を小さく振った。どうやら、日宝化学のことで、彼等は、抗議の自殺を続けているのではなさそうだと、十津川は、思った。

「次は、日宝電気です」

と、大杉刑事が、眼鏡を押さえるようにしながらいった。

8

「日宝電気は、ナショナルや、日立と同じで、あらゆる電気製品を作っています。ラジオ、テレビ、ステレオ、ビデオといったものから、電気冷蔵庫や、掃除機まで作っています」

「抗議を受けるような問題を起こしたことは?」

「九年前に、電気冷蔵庫の自動霜取装置が、うまく作動せず、冷蔵庫内が水びたしになるという事故が頻発して、消費者連盟から抗議されたことがあります」

「それは、もちろん、解決したんだろうね?」

「消費者の求めに応じて、この機械は回収し、お詫びの広告を、新聞にのせています」

大杉は、その時の新聞のコピーを、十津川に見せた。なるほど、「日宝電気の冷蔵庫『北海』の自動霜取装置の故障について」と題したお詫びの広告だった。

「この他には?」

「二年前、世田谷で、電気アイロンをつけっ放しにしていて火事になり、二階建の家が焼けたことがあります。山西という家ですが、原因は、日宝電気製のアイロンの不良にあるとして、訴えています」

「判決は、おりたのかね?」

「六カ月後におりています。原因は、原告の操作ミスにあるということで、被告の日宝電気は無罪です」

「それで、原告は、納得したのかね？　もし、不満で、家族の中に、小林や、野見山たちがいるということも、十分に考えられるだろう？」

「考えられます。それで、原田刑事と、山西という人に会って来ました。旦那の方が、中学校の教員、奥さんも小学校で教えているという中年の教員の夫婦でした。中学一年の娘が一人います。無罪の判決は不満だったし、今でも、火事の原因は、アイロンの故障だったと思っているということです」

「それは、今でも、日宝電気を恨んでいるということかね？」

「私たちも、その点を、しつこくきいてみたんですが、どうも、違うようです」

「しかし、判決には、今でも不満なんだろう？」

「そういっていますが、どうも、本音は違うようなのです。現在、同じ場所に新築した家に住んでいるんですが、全ての電気製品が、日宝電気のものなのです。これには驚きました」

「つまり、日宝電気が、無料で提供したということかね？」

「日宝電気としても、裁判には勝ったが、口うるさい相手ということで、口封じに、電気製品を一式、提供したらしいのです。これでは、何をいっても、山西夫婦の言葉には迫力がありません」

「これも、若者たちが、抗議の対象とするには、問題が小さ過ぎるし、過去の出来事になってしまっているねえ」

十津川は、小さな溜息をついた。過去の、それも解決してしまった問題について、若者たちが、死をもって抗議したところで、相手は、びくともしないだろう。金も払うまい。

「君たちの調べた日宝石油はどうだったね？」

と、最後の期待をこめて、十津川は、築地署の井本と石川の両刑事を見た。

井本が答える。

「日宝石油の工場は、岡山県の瀬戸内海沿岸にあります。石油精製工場は、どうしても、有毒ガスを出すので、その面での苦情は、附近の住民から出ていますが、これは、他の石油会社でも同じではないかと思います。それに、工場の施設も改善されているようですし、地域の住民との協定も出来ています」

「事故が起きたことはないのかね？」

「五年前に、石油タンクの一つが突然、こわれて、重油が瀬戸内海に流出したことがあります。流出した重油は、約一万五千キロリットルで、反対側の四国沿岸まで、汚染されました」

「ああ、その事故なら、新聞で読んだよ。沿岸漁民の被害が大きかったんじゃないのか？」

十津川は、当時のテレビのニュース画面を思い出しながらきいた。ブルーの海面に、どす黒い重油の帯が、不気味にのびていく姿を、はっきりと覚えている。

「被害総額は、二百億円近かったそうです」

「日宝石油は、それを支払ったのかね？」

「すでに、全額が支払い済みです。これは、確認して来ました」

「すると、これも、過去の事件ということか」

9

全てが、過去の、それも、すでに解決してしまった事件では、どうしようもない。

四人目の若い女が、日宝プレハブ「スペース79」の中で焼死したのは、ただの偶然だったのだろうか？

だが、十津川の捜査官としての勘は、「ノー」といっている。

「こう見て来ますと、公害事件も、もう、過去の問題になったような気がしますな」

と、亀井が、自分のメモに、もう一度眼を通しながらいった。

十津川が、黙っていると、亀井は、言葉を続けて、

「もちろん、水俣病の患者や家族にとって、苦しみは続いているでしょうし、水銀化合物をたれ流しにしていた会社に対する怨念は消えないでしょうが、一時の、あの激しい公害反対の叫びは聞こえて来ませんね。マスコミも、書かなくなってしまったし、支援団体も姿を見せなくなりました」

「確かにその通りだが、カメさんは、何がいいたいんだい？」

「小林昌彦や野見山たち、特に、死んでいった四人の男女のことを、それに重ね合せて考えていたんです。十年前だったら、彼等は、公害反対の先頭に立って、会社に抗議文を突きつけていた

かも知れないと思いましてね。と考えてみると、彼等は、『遅れて来た正義漢たち』じゃないでしょうか?」

「遅れて来た正義漢たち——か。なかなか面白いことをいうじゃないか」

十津川は、微笑したが、急に、笑いを消した表情になった。

小林昌彦が、喧嘩の仲裁に入って行って、二人のチンピラに、袋叩きに会った時のことを、ふっと、思い出したからだった。

あの時の小林は、いかにも惨めで、滑稽だった。

(あの惨めさや、滑稽さは、遅れて来た正義漢たちのそれではなかったのだろうか?)

「どうかされましたか?」

亀井が、十津川の顔を、のぞき込むように見た。

「君がいった言葉を考えていたのさ。ひょっとすると、『遅れて来た正義漢たち』という意味が、今度の事件を、象徴的に現わしているかも知れんよ」

「と、いいますと?」

亀井が、眼を輝やかせた。

「ここに、公害問題に関心を持つ若者たちがいるとしよう。多分、それは、若者らしい正義感からというよりも、若者なら、公害問題に関心を持たなければならないという義務感からだろう。だが、公害問題も、企業悪を摘発する声も、過去のものになってしまった。大きな問題は、一応、方がついてしまっているからだ。となると、どうしたらいいだろうかと、彼等は考えた。彼等が、本当に正義感に燃え、本当に公害問題に関心があるのなら、今こそ、声高に叫ぶのではなく、地道に、この問題と取り組む道を選ぶだろう。マスコミが取りあげなくなったといっても、公害が全くなくなったわけじゃあないんだからね。現に、車は、有毒ガスを吐き出して走り廻っているんだ」

「しかし、彼等は、そうしなかったわけですね」

「そうだ」

「なぜでしょうか？」

「だから、正義感より義務感だと思うんだ。君も、小林昌彦が、チンピラに痛めつけられるのを見ていたからわかる筈だ。あの時、小林は、哀れなサラリーマンを助けなければならないという義務感のとりこになっていた。強迫観念のとりこといってもいい。こういう人間はいるものだよ。いい代えれば、それだけ、彼は、神経が繊細なのさ。チンピラに殴られてもいい、とにかく、助けに飛び出しさえすれば、この強迫観念に近い義務感から解き放たれる。そう思って、あの男は、やみくもに飛び出した。チンピラに殴られ、からかわれ、他人目には、惨めに見えても、彼自身は、ほっとしていたんだ。だから、微笑していたのさ。小林は、あの時、一一〇番して、それですませることも出来た筈だった。何もせずに、中年サラリーマンがいたぶられるのを眺めていた者が殆どだったんだからね。だが、小林は、自分で何かしなければ、気がすまなかったんだ。多分、小林の小心さを示すんだろうと思う」

「公害問題にも、そうした性格が現われているのではないかということですか？」

「喧嘩を見て、一一〇番する人間は、恐らく、公害問題について、地道に取り組むタイプだろう。

だが、小林たちは、違うタイプだ」

「抗議し、自殺するタイプですか？」

「ではないかと思うのだがね。ただ、そうだとして、対象が、本当に、日宝コンツェルンだったのか、もしそうだとしたら、なぜ、日宝が標的にされたのか、また、彼等のリーダーである野見山の役割りも知りたい。あの男は、明らかに、小林とは違う人種だからね」

「どうやって調べたらいいでしょうか？」

五人の刑事の眼が、十津川を見つめた。

「野見山は、小林たちにとって、絶対的な存在のように見える。抗議の目標も、野見山が決めたんだろう。だから、日宝が目標だとすると、彼と日宝の間に、何等かのかかわりがあるということになる。それを調べて貰いたいんだよ」

「そのかかわり合いは、非常にシビアなものだと考えていいでしょうね？」

亀井が、きいた。

「その通りだ。だから、第三の有機水銀中毒といわれた日宝化学十文字工場のことが気になるね。二百人の犠牲者が出たそうだが、その中の一人と、野見山とが関係があるかも知れない。他に、日宝コンツェルン関係で、死人や、病人が出たということがあるかね？　日宝石油の事故の時も、海は汚染されたが、死者は出ていないんだろう？」

「出ていません」

「よし。それなら、やはり、日宝化学関係に絞っていい筈だ。二百人の犠牲者の一人一人に当って、その中に、野見山の関係者がいるか調べて欲しい。野見山自身がよくわからない男だから難しいかも知れないが、野見山というのは、本名だと思う。そのつもりでやってみてくれ」

十津川がいい、亀井たち五人の刑事は、まず、二百人の名簿を手に入れることから始めた。

名簿は、日宝化学本社で手に入った。補償金を支払った名簿があったからである。

だが、その中に、野見山姓の人物はいなかった。

五人は、茨城県の十文字川流域に出かけて行き、名簿の一人一人に、亡くなった犠牲者については、その遺族に会って話を聞くことになった。

すでに、五月五日を迎えている。

子供の日の休日だが、明日六日は、日曜日である。

五月六日にも、彼等は、自分たちの仲間の一人を、五人目の犠牲者として、焼死させようと考えているのだろうか？

新聞にも、予告はまだのっていない。

十津川は、友人である東西新聞社会部の田名部に、電話をかけてみた。

「予告の投書は、来ていないよ」

と、田名部は、あっさりといった。

「他の新聞社やテレビ局はどうだろう？」

「明日が日曜日なので、それとなく当ってみたが、どこにも、この間のような焼身予告の手紙は、来ていないようだね」

「もし来たら、新聞にのせるかね？」

「もちろんのせるさ。今のところ、他に興味のあるニュースはないからね」

田名部は、きっぱりといった。その語調の強さが、十津川を不安にした。

次の日曜日に五人目の犠牲者が出ることを、マスコミは待ち構えている。野見山たちも、その空気は、敏感に感じ取っているだろう。

そうなれば、彼等は、明日、またやる可能性が強い。

（だが、前日の今日になっても、彼等は、予告して来ないのだろうか？）

この日の夜おそくなって、待っていた亀井たちからの連絡が入った。

「やっと見つけました」

と、亀井が、電話でいった。

10

「見つけたのは、井本刑事です。今、代ります」

と、亀井がいい、井本の声に代った。

「第三の有機水銀中毒の患者数は、今のところ、二百七名ですが、その中、十九名が死亡しています。その死亡者の一人に、高橋文子という五十三歳の女性がいました」

「高橋文子だな」

十津川は、受話器を左手に、持ちかえ、右手で、手帖にその名前をメモした。

「この女性は、一九六五年に死亡していますが、メチル水銀中毒による死亡と認定され、日宝化学は、約五千万円を支払っています」

井本は、甲高い声で、報告する。

「それで、野見山との関係は？」

「この五千万円は、唯一の相続人である一人息子の高橋貢が受け取っています。この男は、年齢三十五歳で、現在は、東京にいるということでした。写真が手に入りましたので持って帰ります。十年前のものですが」

「その息子が、問題の野見山だという証拠があるかね？」

「高橋文子は、亡くなる五年前に、夫と死別しています。その後、旧姓に戻ったわけですが、亡くなった夫の姓が、野見山なのです」

「なるほどな」

「野見山勝二といい、文子より、ひと回り年上でしたが、この地方で、ひとりで地方新聞を出していた男です。一人息子の貢は、この父親を大変尊敬していたということですから、今でも、野見山姓を名乗っていることは、十分に考えられます」

「彼が有機水銀中毒患者だということは、考えられないのかね？」

「その可能性はないようです」

「なぜだ？　メチル水銀中毒で死亡した母親と、ずっと一緒に暮らしていたんだろう？」

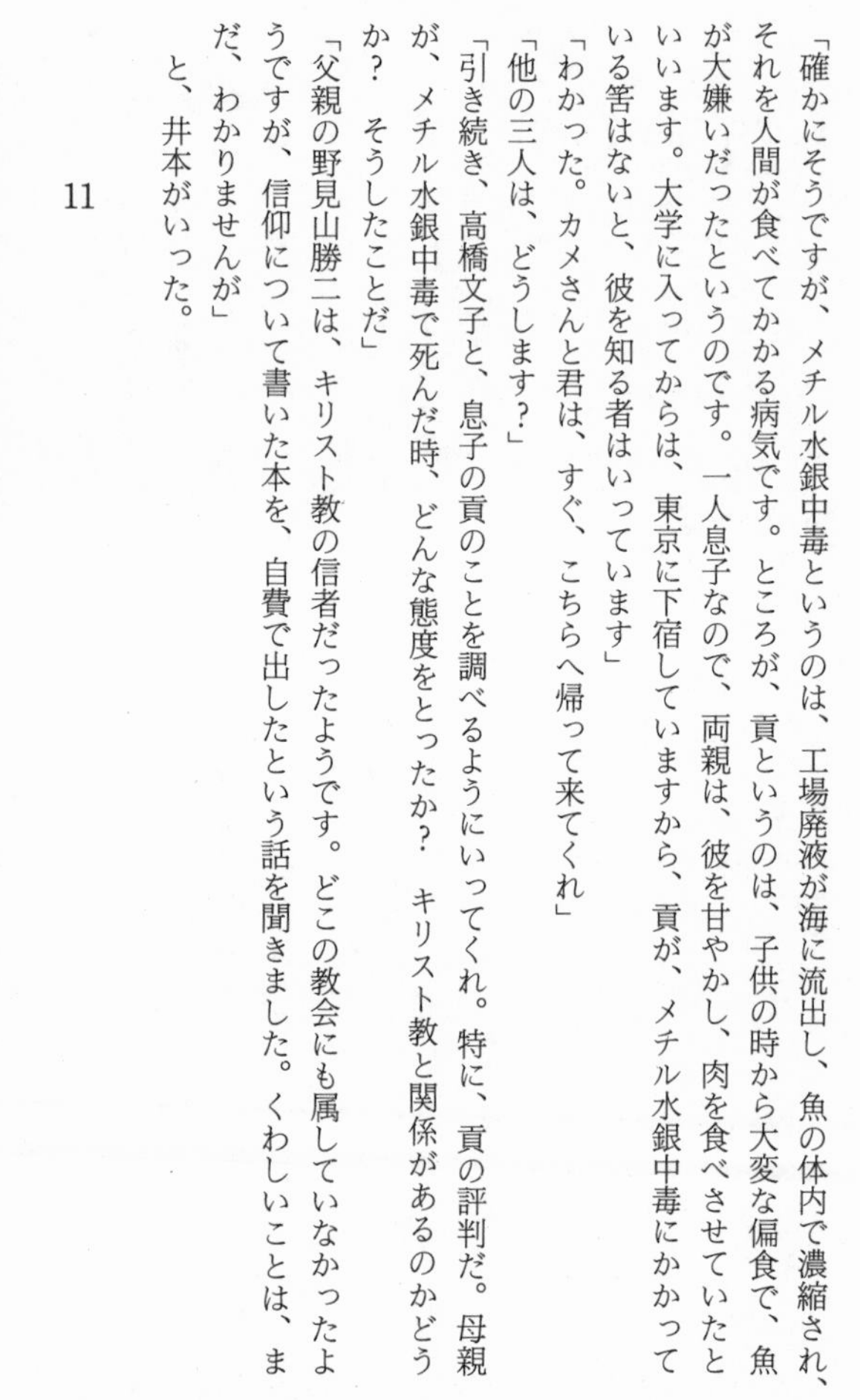

「確かにそうですが、メチル水銀中毒というのは、工場廃液が海に流出し、魚の体内で濃縮され、それを人間が食べてかかる病気です。ところが、貢というのは、子供の時から大変な偏食で、魚が大嫌いだったというのです。一人息子なので、両親は、彼を甘やかし、肉を食べさせていたといいます。大学に入ってからは、東京に下宿していますから、貢が、メチル水銀中毒にかかっている筈はないと、彼を知る者はいっています」

「わかった。カメさんと君は、すぐ、こちらへ帰って来てくれ」

「他の三人は、どうします？」

「引き続き、高橋文子と、息子の貢のことを調べるようにいってくれ。特に、貢の評判だ。母親が、メチル水銀中毒で死んだ時、どんな態度をとったか？　キリスト教と関係があるのかどうか？　そうしたことだ」

「父親の野見山勝二は、キリスト教の信者だったようです。どこの教会にも属していなかったようですが、信仰について書いた本を、自費で出したという話を聞きました。くわしいことは、まだ、わかりませんが」

と、井本がいった。

11

亀井と井本の二人は、午前三時近くになって、車で、捜査本部に帰って来た。

まず、二人が持って来た高橋貢の写真を見た。
二十七、八歳に見える若い男の写真だった。三つ揃いの背広を着て、どこかのビルの前に立っている。
「いかがですか？」と、井本が、心配そうにきいた。

「警部が会われた野見山と同じ男ですか？」

「十中八、九、同じ男だね。この男は、公害問題に間に合っていた人間だったということだな。しかも、母親を、工場廃液によるメチル水銀中毒死によって失っている。彼が、日宝コンツェルンを告発する言葉を口にすれば、小林たちには、さぞ説得力があったろうと思うね」

「しかし、この野見山貢は、日宝化学から、五千万円の補償金を受け取っています」と、亀井がいった。

「会社側は、それで問題は、一応片付いたと思っているでしょうし、二百人の患者や家族も、解決したと考えているようです。もちろん、患者にとっての完全な解決というのは、病気が治ることかも知れませんが」

「だが、野見山は、明らかに、若者たちの死によって、日宝化学をはじめとする日宝コンツェルンに抗議していると思うね。脅迫している可能性もある」

「なぜ、そんなことをしているんでしょう？」

「確か、野見山と小林は、自分たちの王国を作るのだといっていたよ」

「その王国を作るのに、金がいるということでしょうか？」

「彼等が、どんな王国を考えているのかわからないが、それが空想上の産物じゃない限り、現代では金が必要だろう」

十津川は、醒めた顔でいってから腕時計に眼をやった。

間もなく夜が明けるだろう。今日、果して、五人目の焼身自殺が起きるのだろうか。

「紳士録を持って来てくれ」

と、十津川は、亀井にいった。

「どうなさるんですか？　野見山貢の名前が紳士録にのっているとは思えませんが」

「日宝化学社長の住所を調べるんだ。今日は日曜日で、会社は休みだが、一刻も早く、日宝の関連会社が、野見山たちに脅迫されているかどうか知りたいからね。まず、日宝化学の社長に会ってくる。出来れば、日宝コンツェルンの会長にも会ってみたいよ」

と、十津川はいい、亀井の持って来た紳士録の頁を繰っていった。

日宝コンツェルンは、千田一族によって支配されているといわれているのを実証するように、日宝化学社長の名前も、千田元司となっている。

年齢五十九歳。五歳年下の妻と、十八歳の娘と十歳の息子がいる。趣味はゴルフで、ハンデは8と書いてある。住所は、田園調布になっていた。

夜が明けると、十津川は、千田元司邸に電話をかけた。

お手伝いらしい若い女の声が電話口に出て、まだ眠っているという。午前六時に電話したのだから、そうかも知れないと思いながら、十津川は、

「こちらは、警視庁捜査一課の十津川といいます。重大な用件で、至急お会いしたいとおっしゃって下さい」

と、いった。

重大な用件という言葉より、捜査一課という言葉が効果があったらしく、千田元司は、会うといった。

十津川は、井本を捜査本部に残し、亀井を連れて、田園調布に車を飛ばした。

連休中なので、都内の車の数は、驚くほど少い。連休明けの明日になれば、また、混雑が戻ってくるだろう。

三十分で、田園調布の千田邸に着いた。

高くめぐらせたコンクリートの塀は真新しいのに、門を入ると、古びた日本風の母屋があった。

十津川と亀井は、茶室風の部屋で、和服姿の千田元司に会った。

小柄で、柔和な人物に見えた。

「いつもは、五時には起きているのだが、昨夜、おそくまで会議があってね。失礼した」と、千田は、微笑しながらいった。

「それで、警察の方が、何のご用かな？　娘が交通違反でもやりましたか？　最近、免許をとって、車を乗り廻しているので、心配しているのだがね」

「いや。今日伺ったのは、野見山という男のことです」

「ノミヤマ？」

「ご存知だと思うのですが」

「いや、知らんね。その男が、どうかしたのかね？」

「日宝化学の十文字工場で、第三の有機水銀中毒が起きたことがありましたね？」

「ああ、その通りだ。別にそう隠そうとは思わんよ。明らかに、うちの会社の廃液によって、患者が出ているのだからね。会社は、誠心誠意、救済に努力した。私は、その陣頭指揮に当った。患者の皆さんの治療費は、今でも支払っているし、補償金も、会社が耐えられる限度まで支払ったつもりでいる。全て、七年前に解決した。十文字工場は、現在、閉鎖していて、問題はない筈だ」

「知っています。死亡した患者の中に、高橋文子という当時五十三歳の女性がいました」

「その人にも、きちんと、補償金が支払われた筈だが」

「五千万円が、一人息子に支払われています」

「それなら、問題はあるまい」

「この一人息子は、父方の姓を名乗っています。野見山です。彼が、若い仲間を使って、日宝化学をはじめとする日宝コンツェルンに抗議し、脅迫しているらしいという噂を耳にしたので、その真偽を伺いに参ったのです」

「抗議と脅迫――？」

千田元司は、口の中で呟やいてから、急に、声を出して笑った。

「あまりにも馬鹿げているねえ。うちの会社は、そこに書いてあるように、誰にも迷惑をかけず、仲良くやって行こうというのがモットーでね。抗議や脅迫を受けるようなことは全く考えられないよ」

千田が指さした床の間には、「和をもって貴しとなす」と書かれた掛軸がかかっていた。署名は、前の総理大臣だった。

「しかし、メチル水銀中毒の患者が出たときは、大きな抗議を受けたわけでしょう？」

12

「その件については、別に否定はしないといっているじゃないか。問題を起こした工場は閉鎖したし、補償は七年前にすませている」

「患者や家族が、ここに押しかけて来たこともあるんじゃありませんか？　真新しいコンクリートの塀は、その時に作ったのじゃありませんか？」

十津川がいうと、千田は、あわてた様子で、

「あれは、警察が警備しやすいようにというものだから作らせたものでね。今は、なくても構わんのだ」

「本当に、野見山という男を、ご存知ありませんか？」

「知らんね」

と、千田は、突き放すようにいってから、

「もし、その男が、うちの会社を脅迫しているというのなら、君たちで逮捕したらどうなのかね？」

「それが出来ません」

「なぜ？」

「彼等は、ただ、一人ずつ自殺しているだけだからです。ここ一カ月の間、日曜日ごとに、一人ずつ若者が自殺しています。抗議のために死ぬと称してです。マスコミが大きく取りあげましたから、千田さんもご存知と思いますが」

「ああ、知っているよ。命を粗末にするものだと、腹が立ったね」

「彼等のリーダーが、野見山です。彼は、一人ずつ、世間の注目を集めながら、自殺させていくことによって、何かに圧力をかけているのだと、私は考えているのです。ゲバ棒をもって押しかければ、逮捕することが出来ますが、次々に若者が自殺していくだけでは、逮捕は不可能です。しかも、ゲバ棒を振うよりも、マスコミの注目を集めることに成功しています」

「その対象になっているのが、うちの会社だというのかね？」

「そうです。最初に死んだ若者は、銀座の歩行者天国で、無数の蝶を舞いあがらせました。次の女性は、マンモス団地で、ゴム風船を放ってから青酸死をとげています。第三、第四の若者は、ガソリンをかぶって焼死しました。蝶にしろ、ゴム風船にしろ、一般の人たちには、何の意味かわかりませんが、彼等の抗議の対象になっている人々には、はっきりとわかるのではないかと思うのです。つまり、千田さんや、日宝コンツェルンの首脳部の人たちには、何のために、若者たちがそんなことをしたのか、よくわかっているのではないかと思うのですが」

「ねえ、君。うちの会社は、蝶々とは、何の関係もないよ。ゴム風船も作っておらん。他の日宝電気や日宝自動車も同様だ。焼身自殺した人はガソリンをかぶったそうだが、日宝石油のガソリンとは、新聞には書いてなかったがね」

「あれは、どこのガソリンかは、わかりません」

「じゃあ、あの連続自殺が、うちの会社と関係があるという証拠は、どこにもないじゃないか？そうだろう？　君」

「証拠はありません。ただ、もし、彼等の抗議の対象が日宝コンツェルンならば、正直におっしゃって頂きたいのです。すでに四人の若者が死に、五人目の犠牲者が出る可能性があります。われわれとしては、それを防ぎたいのです。彼等の目的がわかれば、防ぐことが出来ます」

「君たちが、妙な自殺の流行を防ぎたいという気持はよくわかるがね。うちとは、何の関係もないよ。現在、誰からも、抗議も脅迫も受けていない。日宝化学に限らず、日宝の全ての関連会社は、社会のためにを合言葉にしているから、感謝されこそすれ、非難されることはないと確信している」

「昨日、遅くまで会議があったといわれましたが、それは、何の会議だったんでしょうか？」

十津川がきくと、千田の顔が嶮しくなって、

「そんなことまで、君たちに話さなければならんのかね？」

「ひょっとして、連続自殺事件のことが、会議の議題になったのではないかと思いましてね」

「会議の議題は、省力化問題だよ。妙な自殺事件が議題になる筈がないじゃないか」

千田は、腹立たしげにいった。

十津川は、それでもなお、しつこく、

「雑談にも、連続自殺事件は、話題になりませんでしたか？」

「ならんよ。そろそろ、友人に会いに行かなければならないので、失礼したいんだがね」

「どうも、失礼しました」

十津川は、頭を下げ、亀井を促して立ち上った。

千田は、よほど立腹したとみえて、送りにも出て来なかった。

十津川たちは、千田邸を出た。

車に戻ったところで、亀井が、いまいましげに、

「彼は、明らかに嘘をついていますよ。連続自殺事件は、週刊誌までが取りあげているんです。会議では議題にならなかったかも知れませんが、会議の合い間に、話題にならなかったとは考えられませんよ。殊に、四人目の若い女性は、日宝プレハブが作った『スペース79』の中で、焼身自殺していたんですからね」

「雑談じゃなかったんだ」

「は？」

「会議の合い間に話題になったのなら、あんなにむきになって否定はしないさ」

「そうすると――」

「そうだよ。昨日の会議の議題になっていたんだと思うね。だから、むきになって否定して見せたんだろう」

「どんな風に討議されたんでしょうか？」

「それを私も知りたいよ。もし、野見山が、金を要求していたとしたら、それを拒否するかどうかが討議されたんだと思うが、どう答えを出したかを知りたいね」

だが、これは、あくまでも十津川の推理に過ぎない。

（せめて、蝶とゴム風船が、何をシンボライズしているのかだけでもわかれば、一歩前進できるのだが——）

使徒たち

1

午後に降り出した雨は、陽が落ちてから も止(や)まなかった。

連休めあての行楽客には、つれない雨だった。この日予定されていたプロ野球のナイターも、全て中止になった。

八時を少し回った頃である。

京王線千歳烏山(ちとせからすやま)駅に近く、甲州街道に出たところにあるバー「さちこ」に、二十五、六の若い男が飛び込んで来た。

傘を持っていなくて、ずぶ濡れで、髪の毛から、滴が、したたり落ちている。

寒いのか、蒼(あお)い顔をして、ポケットから取り出したハンカチで、濡れた頭を拭きながら、

「水割り」

と、ふるえた声でいった。

ママの早川幸子と、バーテンの二人だけの小さな店である。

幸子は、タオルを、その客に渡して、

「これで、お拭きなさいな」

と、いった。はじめて見る客だった。

店には、もう一人、中年の客がいた。こちらは、近くの理髪店の主人で、八時に店をしまうと、時々、この店に飲みに来る。陽気な酒で、水割りを二、三杯も飲むと、あまり上手(うま)くない歌を唄い出す。

今夜も、理髪店の主人は、好きな八代亜紀の演歌を小声でうなり出していた。

若者の方は、無言で、グラスを口に運んでいる。時々、口の中で何か呟やいている。

眉を寄せて、うまいのか、まずいのかわからない飲み方だった。

「少し、ゆっくりお飲みなさいな」

と、幸子は、見かねていった。こんな飲み方をしていたら、悪酔いするだけだと思ったからである。

理髪店の主人が、

〽身体(からだ)に毒だわ
　つづけて飲んじゃ――

と、歌い出した。

若者は、その文句が癇に障ったのか、変にすわった眼で、理髪店の主人を睨んだ。

理髪店の主人の方は、得意気に、「身体に毒だわ――」と、繰り返している。

(喧嘩にでもならなければいいけど――)

と、幸子が、はらはらしていると、若者は、急に、

「いくらですか?」

と、立ち上った。

幸子は、ほっとして、

「千三百円頂きます」

と、いった。

若者は、ジャンパーのポケットから、千円札一枚と、百円玉三枚を取り出して、カウンターに置いた。

酔ったとみえて、少しばかり、足がふらついている。

「大丈夫?」

幸子は、心配になってきいた。

「ええ」

「そこにある傘を持っていらっしゃいな。ちょっとこわれてるけど、させるわよ。返してくれなくていいから」

幸子は、親切心からいったのだが、若者は、その言葉が聞こえなかったみたいに、黙って、ド

アを押しあけて出て行った。

「女にふられでもしたのかな」

と、バーテンの田中がいった。

「そうねえ」

幸子は、肯きながらも、やはり、何となく気になって、小窓から外を見た。

店の前が甲州街道で、雨の中を、しぶきをあげながら、車が通過していく。

あの若者は、店の前に立って、じっと、車道を見つめていた。

ジャンパーの襟を立てているのだが、雨は容赦なく、若者の身体を濡らしている。

「あんなところで、何をしているのかしら？」

「タクシーでも待ってるのかな」

バーテンの田中も、幸子の傍から、小窓の外をのぞいて呟やいた。

「傘を持ってってあげたら」

と、幸子が、田中にいった時だった。

雨の中に佇んでいた若者が、ふわッと、車道に向って、身体をのり出した。

ライトをつけた大型トラックが、六十キロ近いスピードで疾走してくるその前にだ。まるで、巨大なトラックに向って、ダイビングするような恰好だった。

幸子が、甲高い悲鳴をあげた。

急ブレーキの音が聞こえ、小窓の中で、大型トラックが、雨でスリップして、ぐるぐる回転し、ジャンパー姿の若者の身体が、宙にはね飛ばされた。

2

十津川は、窓の外に走る雨足を眺めていた。

すでに午後十時を回っている。

どうやら、今日の日曜日は、焼身自殺のニュースを聞かずにすみそうな気がした。

(彼等の王国とやらの建設のめどがついたので、焼身自殺を中止したのだろうか?)

それとも、雨が降ったから、次に延期したのか?

十津川は、亀井たちを振り返った。

「明日になったら、もう一度、日宝の関連会社のことを調べ直してみてくれ。何か、蝶やゴム風船に関係のある事件を起こしている筈なのだ。そうでなければ、第一と第二の事件は、何の意味も持っていないことになってしまう。そんな馬鹿なことはないからな」

「しかし、これから、どこを調べたらいいでしょう?」と、亀井がきいた。

「日宝の関連会社は、一応、全部、調べてしまいましたが――」

「そうだな。やはり、野見山の母親が亡くなったということで、日宝化学を、重点的に調べ直して貰おうか」

「しかし警部」と、井本が、いった。

「日宝化学の十文字工場が引き起こした第三の有機水銀中毒については、すでに、一応の決着がついています。野見山の母親に対して、会社から五千万円の補償金が支払われ、野見山が受け取っているんです」

「それは知っているよ」

「更に、十文字工場は、現在、操業を停止していますし、今のところ、再開の計画はありません」

「それも聞いたよ。日宝化学は、全国に三つの工場を持っている。その中の一つが十文字工場だった。その十文字工場が閉鎖されたとすれば、当然、人員整理や、経営の縮小が行われた筈だ。ところが、そんな話は聞いていないし、日宝化学本社は、前と変らない偉容を誇っている。妙だと思うんだ。その点を調べて欲しい」

十津川が、いい終った時、電話が鳴った。

「ああ、いいよ」

と、声をかけて、十津川が、受話器を取った。

「こちらは、千歳烏山にある三田救急病院ですが――」

と、男の声がいった。

「救急病院？」

十津川の声が大きくなったのは、一瞬、焼身自殺の言葉が、脳裏をよぎったからだった。亀井たちの視線が、一斉に、十津川に集った。

「そちらは、連続自殺事件を扱っている捜査本部ですね？」

「そうです。私は警部の十津川です。何があったんですか？」

「一時間前に、トラックに轢き逃げされた若い男が、救急車で運ばれて来ました。重傷でしたので、手術を行ったんですが、左手に、真鍮製のブレスレットをしていまして。新聞に出ていた例のブレスレットです」

「その男は、死んだんですか？」

十津川の受話器を持つ手に、自然に、力が入った。焼死の代りに、今度は交通事故か。

「手術が成功したので、助かるとは思います。ただ、今のところ昏睡状態ですし、どこの誰ともわからないので、家族に連絡のとりようがなくて困っています」

「とにかく、そちらに行きます」

十津川は、電話を切ると、「カメさん」と、亀井刑事に声をかけた。

「世田谷の救急病院に、小林昌彦の仲間が運ばれたぞ」

3

雨の中に、救急病院の赤い灯が、にじんで見えた。

小ぢんまりした建売住宅が、肩を寄せ合うように密集している一角に、コンクリート三階建の三田外科病院は、あたりを圧するような大きさを示していた。

十津川と、亀井は、車からおりると、正面入口が閉まっているので、横の職員入口から中に入った。

四十歳前後の男が、二人を待っていて、さっき電話した事務局長の藤沼ですといった。

日曜日の、それも深夜に近い病院の中は、うす気味悪いほど静かだった。時折、廊下を歩く看護婦のスリッパの湿った音が聞こえてくるだけである。

「患者の具合はどうですか？」

と、まず、十津川はきいた。

「さっきも申しあげた通り、手術は成功したので、十中八、九は助かります。ただ、まだ意識不明ですが」

「いつになったら、話ができますか？」

「多分、あと、数時間は無理だと思います。手術を担当した院長が、そういっておりましたから」

「ブレスレットをはめていたそうですね」

「これです」

藤沼は、自分のポケットから、真鍮製のブレスレットを取り出した。

「同じものですね」

と、亀井が、ささやいた。

十津川は、黙って、裏側を見た。やはり、四ツ葉のクローバーと、聖書の中の言葉が、彫り込んであった。

〈われらは主をあがむる者なり〉

「この他の所持品も、見たいんですが」

「持って来ましょう」

藤沼が、奥に消え、十津川と亀井の二人は、冷たいリノリューム床の待合室に残された。

窓際の長椅子に腰を下していると、雨の音が、しきりに聞こえてくる。五月上旬にしては、うそ寒い日である。

「今度は、焼身自殺をやめて、車に飛び込んで死ぬことにしたんでしょうかね？」

亀井が、肩をすくめるようにしていった。

聞きようによっては、不謹慎に聞こえる言葉だったが、それが、妙に真実味をもって聞こえる。それだけ、今度の一連の事件が、異常だということだった。

「はねた車が、日宝自動車のものだとしたら、君がいった可能性も、無いことはないな」

と、十津川がいった時、藤沼が、大きな風呂敷包みを抱えて戻って来た。

テーブルの上で、それを広げた。

Gパン、ジャンパー、靴、下着などと一緒に、腕時計や、財布が出てきた。下着は血で汚れ、腕時計はガラスが割れて、針が吹っ飛んでいる。財布の中には、千円札が六枚、それに、ジャンパーのポケットに、小銭が三百円入っていた。身分証明書の類は、やはり、何一つ見つからない。革靴の底には、赤土がこびりついていた。

「はねた車について何か聞いていますか？」

と、十津川がきくと、

「定期便の大型トラックだそうで、今、警察が探しているそうですよ」

「というと、目撃者がいたんですか？」

「バーのママさんとバーテンが目撃しています。一一九番したのも、この二人です」

十津川は、その二人に会ってみることにした。

三田外科病院には、亀井を残して、十津川一人が、雨の中を、バー「さちこ」に足を運んだ。

ママの幸子が、店を閉めようとしているところに、丁度間に合って、十津川は、中に入れて貰った。

幸子と、バーテンの田中は、はねられた青年が、今、マスコミを賑わせている連続自殺事件の仲間らしいと聞いて、好奇の眼を光らせた。

「ここから、見ていたんですよ」

と、幸子は、ドアの傍にある小窓を指さした。

十津川は、そこに顔を押しつけるようにして、外を見つめた。

雨が降りしきる歩道や、車道が見えた。街灯が近くにあるので、店の前が明るかった。

すでに、午前零時に近いのだが、時々、大型トラックが、轟音を立てて通過していく。

「ここを出てから、しばらく、歩道に立っていたんですよ」

　幸子が、横から説明した。

「この雨の中にかね？」

「ええ。だから、傘を貸してあげようかなと思ったとき、ふらふらと、近づいて来たトラックの前に飛びだしていったんですよ。思わず、眼をつぶっちゃいましたわ」

　その瞬間を思い出したのか、幸子は、蒼い顔になって、頬に手をやった。

「君も見たんだね？」

　と、十津川は、バーテンの田中に声をかけた。

　田中は、カウンターの上の灰皿を片付けながら、

「ええ。見ましたよ。あれは、完全に自殺ですね。自分からトラックの前に飛び出して行ったんですからね」

「覚悟の自殺だったというわけかね？」

「いや、それほど強いものじゃなかったみたいだわ」と、幸子がいった。

「うちで飲んで、外へ出てから、急に死にたくなったみたいだったわ。雨に打たれて、じっと立ってるうちに、ふっと、死にたくなったんじゃないかしら」

「ここへ来た時は、どんな様子だったね？」

「ずぶ濡れで、蒼い顔をしていたわ。それに、水割りをがぶ飲みして、何か、悩んでいたみたいでしたよ」

「私は、恋人に振られでもしたのかなと思ったんですがねえ」

と、バーテンの田中がいった。

「何か話したかね？」

「いいえ、黙りこくって飲んでました」と、幸子は、いった。

「飲めないのに、無理に飲んでるって感じでしたわ。あの人、なぜ死ぬ気になんかなったんです？」

「それを知りたいと思っているんですがね。他に誰か飲んでいた人は？」

「この先の理髪店のご主人が飲んでましたよ。よく来る人なんです」

「その人と、話をしてなかったかね？」

「してなかったみたいですよ。ただ、何かぶつぶつ呟やいていたから、理髪店のご主人は、それを聞いてるかも知れませんね」

幸子がいった。

十津川は、腕時計に眼をやった。この時間では、その理髪店主に会うのは、明日にすべきだろう。

「若者をはねた車だがね。君は、よく見たのかね？」

十津川は、バーテンの田中にきいた。

「見たことは見たんですが、はねられたお客さんの方が心配になりましてね。店を飛び出して行ったら、車は、もう走り去ってしまっていたんです」

「大型トラックだったそうだね？」

「定期便のトラックでしたね。この前の甲州街道を、よく通るんでわかるんです」

「日宝自動車のトラックじゃなかったかね？」

「日宝自動車のですか？」

田中は、うーんと、声を出して考えていたが、

「さあ、どこの車でしたかねえ。乗用車のことなら、よく知っているつもりなんですが、トラックについては、あまり知識はないんで――」

「初めて来た客なのかね？」

「ええ。前にいらっしゃったことはないと思いますよ」

と、幸子がいった。

「どこから来たか、わからないかね？」

と、十津川がきいた。

4

「さあ」

と、幸子は、首をひねってしまった。

「タクシーでやって来たということは？」

「いや、それなら、あんなに濡れてる筈がありませんよ」

と、バーテンの田中が答えた。

「じゃあ、京王線でやって来たのかな？」

「それも違うんじゃないかな。千歳烏山の駅でおりて、酒が飲みたければ、駅の近くにいくらでも、バーや飲み屋がありますからね。駅からここまで歩いて来たとしても、あんなには濡れないと思いますよ」

「そんなに濡れていたのかね？」

「髪から、水がしたたり落ちていたし、ジャンパーは、ぐしょ濡れでしたからね。それほど強い雨じゃなかったから、駅からここまでで、あんなには、濡れませんよ」

「君は、名探偵になれそうだ」

十津川は、微笑した。

田中が、照れて、頭をかいた。

「駅からここまで、道路は舗装されているのかね？」

「もちろん、されてますよ。それがどうかしたんですか？」

「あの男の靴が、泥だらけだったからね」

「気がつきませんでしたけど、そういえば、あとで、床に泥がついてましたわ」

「この辺りで、歩くと泥がつくような場所を知らないかね？　赤土なんだが」

「それなら、駅とは反対側の方に」と、幸子がいった。

「向うには、まだ、畠だって少しはあるし、造成中の土地が沢山あるから、赤土だって、きっとあると思いますわ。あたしも、今、マンション暮しだから、土地つきの家が欲しくて、見に行ったことがあるんですけど、この辺では、高くて高くて、手が出ませんわ」

幸子は、溜息をついて見せた。

十津川は、ドアを開けて、外を見た。甲州街道の向う側に、確かに、造成地が広がっている。車に飛び込んで死のうとした若者は、雨の中を、あの辺りから歩いて来たのだろうか？　それとも、もっと向うからか。

「君たちに頼みたいことがあるんだがね」

振り向いて、十津川は、ママとバーテンを見た。

「何でしょう？」

「今度の事件は、しばらく内密にしておいて貰いたいんだ。誰にきかれてもね」

「なぜですの？」

「新しい犠牲者を出さないためだ。新聞記者にもだが、ひょっとすると、野見山という三十五、六の男が、聞きにくるかも知れない。その男にも、黙っていて欲しい。それに野見山が来たら、私に連絡して貰いたいんだ」

十津川は、捜査本部の電話番号を、二人に教えた。

「でも、事件があったことは、消防署も、理髪店のご主人も知ってますよ」

バーテンの田中が、いった。

「そちらにも、私が、しばらく黙っていてくれるように頼むつもりだ」

と、十津川はいった。

5

十津川は、三田外科病院に戻った。

「患者は、まだ、眼ざめないかね？」

と、亀井にきくと、彼は、首を横に振って、

「朝までは、駄目なようです」

「それじゃあ、今夜は、ここで夜明しだな」

「バーの聞き込みの方は、いかがでしたか？」

「どうやら、野見山たちが、焼身自殺をやめて、車にぶつかって行く方法に変えたんじゃないかという君の考えは、可能性がなさそうだよ。自殺という点では同じだが、理由が全く違うらしい。今までの若者たちは、リーダーの野見山を信じ、彼等の王国とやらを作るために死んでいったが、今度の若者は、リーダーや、仲間たちに絶望して、死のうとしたんじゃないかと思う」

「そうすると、十二使徒の中のユダになる可能性があるというわけですね？」

「それを期待して、彼が気がつくのを待とうじゃないか。うまくすると、何もかも喋(しゃべ)ってくれるかも知れんよ」

「しかし、もし、彼が、ユダだとしますと、野見山たちが、奪い返しに来るんじゃありませんか？」

「多分、今頃、探し廻っているだろうね。だから、事故を起こして、ここに運ばれたことは、二、三日、秘密にしておこうと思っている。消防と交通係には頼んできたよ」

「やっぱり、四番目に焼死した若い女が、妊娠中絶していたということが、彼等の間で問題になったんでしょうか？」

「彼等が、純粋であればあるほど、ちょっとしたことにも、強い衝撃を受けるだろうからね。リーダーの野見山が、それを、どう切り抜けようとしているのか、興味があるね。もし、失敗すれば、彼等は、統率力を失って、ばらばらになってしまう筈だ」

十津川たちが、待合室で眠るというと、藤沼が、看護婦に命じて、毛布を用意させてくれた。

十津川と、亀井は、雨の音を聞きながら、固い長椅子の上で眠った。

夜明けと共に、雨もあがって、初夏の強い太陽が顔をのぞかせた。

患者は、意識を回復したが、まだ、訊問に答えられる状態ではないと、院長はいう。それでも、十津川は、強引に、病室に入れて貰った。

「どうしても、新しい犠牲者が出るのを防がなければならないのです」

と、十津川は、院長にいった。

二十五、六歳に見えた。蒼い、というより白っぽい顔で、その若者は、ベッドに横たわっていた。まるで、息をしていないように見える。眼も閉じたままだった。

「胸部の損傷がひどかったのですが、奇蹟的に、頭部はやられていませんでした。多分、道路際の植込みに落ちたからでしょうね。ですから、助かったといえるでしょうね」

と、院長がいった。

「ということは、質問には、ちゃんと答えられるということですね？」

「ええ。思考力は問題ないと思いますよ。ただ、まだ身体が弱っていますからね。それに、自殺を企てたんです。そのショックから脱け切れてはいないでしょう。従って、長い質問は困りますよ」

「わかりました」

と、十津川は、肯いてから改めて、患者の顔を、じっと、のぞき込んだ。

「君に、ききたいことがあるんだが――」

十津川は、ゆっくりといった。

患者は、答えないし、眼も開けなかった。

「君は、野見山という男を知っているね？」

この質問には、反応があった。若者は、眼を開けて、十津川を見上げた。しかし、それだけだった。

「彼は、今、どこにいるんだね？」

「――」

「何を計画しているのかね？　君たちは」

「――」

「君たちは、日宝コンツェルンを脅迫しているのか？」

「――」

「君たちの王国というのは、いったい何なんだ？」

「――」

患者は、また、眼を閉じてしまい、押し黙ったままだった。

「彼女を妊娠させ、しかも、堕ろさせたのは、いったい誰なんだ？」

十津川のその質問にも、患者は答えなかった。が、激しい反応があった。唇が、小きざみにふるえ、閉じた瞼（まぶた）から、突然、涙があふれ出たからである。

「そのことで、君は絶望して、昨夜、死のうとしたのか？」

「――」

患者の顔色が変った。

「もう無理ですよ。患者を興奮させると危険です」

と、院長がいった。

「何か、患者が話すようでしたら、すぐ、われわれに連絡して下さい」

十津川は、それだけ頼んで、病室を出た。

待合室にいた亀井が、「どうでした？」と、きいた。

「何をきいても、返事をせずさ。だが、反応はあったよ。明らかに、彼等の間で、妊娠中絶が問題になり、そのことから、あの患者は、自分たちの行動や、仲間や、或は、リーダーに疑問を持ったに違いないよ」

「それなら、なぜ、警察に来て、全てを話してくれなかったんでしょうか？」

「さあね。それは、あの男に聞いてみなければわからんね」

十津川は、明るさを増してきた窓の外に眼をやって、

「君は、彼の靴についていた赤土を調べてくれ。彼が、どの辺からやって来たかわかるだろう。ここには、誰かに来て貰った方がいいな」

と、亀井にいい、彼自身は、千歳烏山駅近くにある理髪店主に会いに出かけた。

6

理髪店は、月曜日は休みだったが、十津川は、釣りに行く支度をしている主人の木村をつかまえることが出来た。

「ああ、あの男のことなら、よく覚えていますよ」

と、木村は、縁側で、川釣りの仕掛けを作りながら、十津川に肯いて見せた。

「水割りをがぶ飲みしていたそうですね？」

「ええ。あれじゃあ、悪酔いすると思って、注意しようと思ってたら、急に店を出て行って、これですからねえ。びっくりしましたよ」

木村は、飛び込む真似をして見せた。

「彼は、あなたの隣りで飲んでいたんでしたね？」

「そうですよ」

「店の人の話では、彼は、飲みながら、ぶつぶつ口の中で呟やいていたということですが、どんなことを呟やいていたか、覚えていませんか？」

「うーん」

と、木村は、竿を持ったまま、考え込んでしまった。

「どんなことでもいいんですがね」

「そうですねえ。何かいってましたねえ。シンチュウとか――」

「シンチュウ？」

ブレスレットの真鍮のことだろうか？

「金属の真鍮のことですか？」

と、十津川がきくと、木村は、

「いや、そうじゃありませんよ。そうだ。シンジュウだ。若いくせに、古風なことをいうなと思ったのを覚えていますよ」

「心中？　確かですか？」

十津川は、首をかしげて、念を押した。

「ええ。間違いありませんよ。心中するっていったんだ。だから、私はてっきり、あの男が、誰かと心中するのかと思ったんですがねえ。彼がひとりで、車に飛び込んじまった」

「他には、何か口にしていませんでしたか？」

「いろいろいってたみたいだけど、聞こえませんでしたねえ。あの男は、助かったんですか？」

「助かりました。ただ、他の事件に関係していると思われるので、しばらく、黙っていて欲しいのです。新聞記者にも」

「殺人事件にでも関係しているんですか？」

木村は、眼をむいて、きいた。

「今のところは、何も申しあげられません」

とだけ、十津川はいった。

十津川は、いったん、捜査本部に戻った。

大杉と原田の二人の刑事は、亀井に呼ばれて、三田外科病院に出かけていたが、残っていた井本刑事が、

「日宝化学のことがわかりました」

と、十津川にいった。

「十文字工場の閉鎖が嘘だったんじゃないのか？」

十津川が、眼を光らせてきいた。

「いや、あの工場が、操業を停止しているのは事実です。しかし、日宝化学は、台湾に工場を作って、操業中です」

「台湾？」

「日本国内では、批判が強いので、台湾に進出したのだと思います。名称は、『台中化学』となっていますが、間違いなく、日宝化学の資本ですし、十文字工場の設備が使用されています。十文字工場の従業員も、四、五十人が、この『台中化学』で働いているようです」

「台中化学というと、台中市にあるのかね？」

「台中市の南五、六十キロのところにあるようです」

「生産しているものは、日宝化学十文字工場と同じなのかね？」

「そうです。肥料や、塩化ビニールなどの合成樹脂、それに、化学石膏を生産しているといいます。十文字工場が、そっくり台湾に引っ越したようなものですよ」

「向うで、何か問題を起こしたというようなことはないのかね？」

「日宝化学本社では、何の問題も起きていないといっています。十文字工場の苦い教訓を生かしているから、絶対に大丈夫だそうです。これは、日宝化学本社に行った石川刑事が、さっき、電話で伝えて来たことですが」

「だが、何か問題を起こしているんだ」

と、十津川は、断定するようにいった。そうでなければ、野見山たちが、食いつく筈がない。

十津川は、しばらく考えていたが、

「よし。君に、台湾へ行って貰おう」

と、井本にいった。

「台湾へですか?」

「そうだよ。台中市へ行って、『台中化学』というのを見て来て貰いたいんだ」

「何かあるとお考えですか?」

「恐らくね。それを確めて来て欲しいんだ。台北行の便が、午後にある筈だから、それに乗り給え」

十津川は、井本の肩を軽く叩いて送り出してから、三田外科病院に電話をかけた。

電話には、大杉刑事が出た。

「患者は、今、眠っています」と、大杉はいった。

「院長は、警部の訊問で疲れたんだろうといっています」

「しばらく眠るのか?」

「四、五時間は、眠らせたいといっています」

「眼をさましたら、君が訊問してくれ」

「彼等が何を企んでいるのか、それを聞けばいいんですね」

「とにかく、彼等のグループのことを知りたい。訊問の時に、誰が心中するのかと、きいてみてくれ」

「心中——ですか?」

「そうだ。二人で死ぬ心中のことだ」

「彼等と関係があることなんですか?」

「それがわからないんだ。相手の反応を見てくれ」

と、十津川は、いった。

夕方になって、亀井刑事が、赤土の分析結果を持って、捜査本部に帰って来た。

「同じ土質の土地は、かなり広範囲ですね」

と、亀井は、東京都の大きな地図を、テーブルの上に広げていった。

その地図には、広い範囲に、赤い斜線が引いてあった。

「この斜線の部分が、同じ土質の土地ということかい？」

「そうです。京王線千歳烏山駅から北と限定してみても、北烏山一帯、それに、杉並区、三鷹(みたか)市などが入って来ます」

「しかし、この辺りのどこからか、あの男は、バーまで歩いて来たんだ。雨の中をだよ」

と、十津川がいったとき、電話が鳴った。

「こちらは、バー『さちこ』ですけど」

と、ママの幸子の声がいった。

「ついさっき、野見山という男の人が見えましたわ」

7

十津川は、亀井をつれて、甲州街道沿いのバー「さちこ」に急行した。

ママの幸子と、バーテンの田中が、興奮した顔で、二人を迎えた。

「どうにかして引き止めておこうと思ったんですけどねえ」

幸子が、残念そうにいう。

十津川は、微笑しながら、

「ご協力を感謝しますよ。野見山は、あの男のことを、ききに寄ったんだね？」

「ええ。そうですよ。写真を持って来て、この男を探しているんだが、店へ寄らなかったかって
ききましたよ」

幸子は、甲高い声でいった。

「あの男の写真だったかね？」

「ええ。間違いありません。その写真を貰っておこうと思ったんですけど、一枚しかないといっ
て、持っていってしまったんですよ。ああ、名前をいってましたよ」

「あの男の名前を？」

「アベ・ヒロシって。どんな字を書くんですかっていったら、これに書いてくれました」

幸子は、店の名前の入ったメニューを取り出し、それを裏返して見せた。そこに、達筆で「阿
部浩」と書いてあった。

「なかなか、上手い字ですね」

亀井が、横からのぞき込んだ。

「意志の強そうな字だよ」

と、十津川は、いってから、幸子に、

「野見山は、なぜ、この阿部浩を探しているか、その理由をいったかね？」

「古くからの友人なんだが、恋人が死んだショックで、姿を消してしまった。自殺の恐れがあるので心配して探しているといっていましたよ」

「自殺の恐れというのは当っていたわけだ」

「私も、あやうく、自殺しようとしましたよって、いいかけちゃって」と、幸子は、笑った。

「見かけたら、連絡するから、電話番号を教えてくださいっていったんですよ」

「野見山は、教えたかね？」

「いいえ。また、ききに来るっていいました。あの人、どういう人なんです？　あんまり悪い人には見えませんでしたけどねえ」

「彼は、自分を救世主と思っている男でね。ここへ来た時の様子はどうだったね？　落着いていたかね？　それとも、あわてているようだったかね？」

「そうですねえ。話し方は落着いているみたいでしたけど、内心は、あわてていたみたい。ボール・ペンで、阿部浩という名前を書いてくれたんですけど、キャップを閉めずに、ポケットへ入れたりして」

「いらいらもしてましたよ」と、バーテンの田中がいった。

「話しながら煙草に火をつけたんですが、二本とも途中で折っちまいましたからねえ。そこの灰皿にありますよ」

田中が、カウンターの上のガラスの灰皿を示した。なるほど、長いままに、二つに折れた煙草が捨てられている。

ポール・ペンのことといい、煙草のことといい、さすがに客商売だけあって、細かいところを見ているなと、十津川は、感心しながら、

「野見山は、ひとりで来たのかね？」

「ええ。お店へ入って来たのは、ひとりでしたよ」

「お店へというのは？　外に誰かいたということかな？」

「私が、あとをつけたんですよ」と、田中が、小鼻をぴくつかせた。

「そしたら、駅の方へ歩いて行くんです。そのうちに、そば屋から若い男が出て来て、あの男に何か耳打ちしてましたよ。次には、駅前の喫茶店の前に、若い女が待っていて、彼女も、あの男に何かいってましたね。全員で、阿部浩という男を探していたんじゃありませんかねえ」

「悪いが、そのそば屋と喫茶店に案内してくれないかな」

と、亀井が、バーテンにいい、二人で店を出て行った。残った十津川に、

「ビールでも、お注ぎしましょうか」

幸子が、気を使って、いってくれた。

「じゃあ、ジュースを貰おうか。勤務中なのでね」

と、十津川は、いってから、

「君は、自殺したいと思ったことがあるかね？」

「そりゃあ、二度か三度はね」

幸子は、オレンジ・ジュースに、氷を入れて、十津川の前に置いた。

「理由は、男かな？」

「男に裏切られて自殺しかけたことが一度、その次は、自分自身が嫌になって。でも、意気地がないから、二度とも失敗してしまいましたけど」

「何かのために死ぬことが出来ると思うかね？」

「例えば、どんなことかしら？」

「君は何かを信仰しているかね？」

「いいえ」

「じゃあ、家族のためにというのはどうかね？　君が死ねば、家族が幸福になるとしたら、君は、喜んで自殺できるかね？」

「そうですわねえ」

幸子は、すぐには答えず、水割りを作って、口に運んでから、

「私って、お調子者だから、故郷（くに）の両親や、きょうだいが、感謝するよなんていったら、カッコつけて、簡単に死んじゃうかも知れないな」

冗談とも本音ともつかぬいい方だったが、もし、今、彼女が本当に幸福だったら、冗談でも、こんなことはいいはしまいと、十津川は、思った。

（不幸な人間ほど、簡単に自己を犠牲にできるのだろうか？）

十五、六分して、亀井が、バーテンと一緒に戻って来た。
「野見山は、仲間の男女二人と、この辺りの店を、片っ端から聞いて廻ったようです。どの店でも、阿部浩の写真を見せ、寄らなかったかと、きいています」

「やはり、焦っていたんだな」と、十津川は、いった。

「入院している阿部浩に、喋られては困ることがあるんだろう」

「その本人が、早く喋ってくれるといいですがね」

8

羽田を午後二時に出発する台北行の中華航空機に乗った井本刑事は、三時間半の空の旅をおえて、すでに、夏の匂いのする台北空港に着いた。

相変らず、空港には、日本人の団体客が溢れている。井本の乗って来た飛行機も、乗客の大半は日本人だった。それも、グアムやハワイと違って、中年の男性が圧倒的に多いのも特徴だろう。

空港で、入国手続を受けるために並んでいても、やたらに日本語が聞こえて来て、一瞬、日本国内の空港と錯覚してしまうほどだった。

何度も台湾に来ている日本人は、落着いて、初めての仲間に、どこで、どうやって女性を買うかを説明している。初めての日本人は、不安と興奮の入りまじった顔つきだ。

井本も、少しばかり不安だった。台湾は、初めてだったし、今回は、現地の警察の協力は期待できなかったからである。台中化学に何かあるのではないかというのは、あくまでも、十津川や井本たちの想像にしか過ぎない。想像で、現地警察の協力は要請できなかった。

従って、井本の入国目的も、観光になっている。

日本人観光客の大半が、空港から直接、歓楽郷として有名な新北投温泉（シンペイトーウエンチャン）に行ってしまった。

井本は、腕時計を見た。すでに、午後六時を回っている。台中に行くには、飛行機と鉄道の便があるが、一日一便の飛行機は、もう出てしまっているし、今から鉄道に乗っても、台中着は、夜半になってしまうだろう。

井本は、空港の一階ロビーにある「旅客服務中心」と書かれた旅客サービスセンターで、ホテルを世話して貰うことにした。有難いことに、ここには、日本語の出来る職員（服務員）がいて、市内のホテルを、あっせんしてくれた。

そのホテルのフロントにも、日本語の堪能な人がいて、日本人向きの中国料理の名前まで教えてくれた。

ホテル内の食堂で、食事をすませたあと、井本は、自分の部屋から、東京の十津川に国際電話を入れた。

「台中化学には、明日行くつもりです」

「その工場の現地での評判はどうだね？」

「ここ台北では、よくわかりません。それに、中国人は礼節の民ですから、表向きは、日本企業の進出を歓迎しているという答えしか返って来ませんね」

「台中化学が、連続自殺事件と無関係だとなると、ちょっとお手あげだな」

「野見山たちの動きはどうです？」

「車にはねられた仲間を、必死になって探しているよ。自分たちの秘密を喋られたら大変だと思っているらしい」

「その秘密を聞けそうですか？」

「聞きたいと思っているんだが、病院に運んだ男は、まだ、口を利けない。だから、そちらで何かつかめると有難いんだ」

「全力をつくしてみます」

「頼むよ。それから、この電話は、こちらで払うようにしておきたまえ」

「交換手に、そういってあります。何しろ、ふところが寂しいので」

9

翌朝、目覚めると、小雨が降っていた。まだ、雨期には早いから、たいした雨にはなるまいし、日本の初夏の暖かさだから、濡れてもどうということはないと考えて、井本は、ホテルで朝食をすませると、台北駅に向った。

台北から南の高雄まで、四百キロ余の縦貫鉄道がある。台中は、ほぼ、その真ん中だった。手ぶりと筆談で、台中までの切符を買い、観光号と名づけられた特急に乗った。特急には、それぞれ、愛称がついていて、莒光号、光華号などという名前がある。日本でいえば、新幹線といったところだろうか。

もちろん、冷房がきいている。

四列のリクライニングシートの一つに腰を下す。列車が台北の町を出ると、まず、十七、八に見えるボーイが、おしぼりを配って歩く。次に、お茶が配られるのだが、これが、まさに芸術だった。乗客は、ふたつきのコップに、好みのお茶を入れて待っていると、ボーイが来て、お湯を注いでくれるのだが、大きなやかんを片手に持ち、片手でコップを受け取ったボーイの手がひらめいた瞬間、コップの中には湯が注がれ、ふたが閉まっている。

零点何秒という早さだろう。新聞が配られて来たので、写真を見たり、何となくわかる漢字を拾い読みしているうちに、列車は、台中駅に着いた。雨は止(や)んでいた。

台北に比べると、ずっと、小ぢんまりした町である。ここには、日月潭(リーユェタン)という風光明媚(めいび)な湖があり、観光名所にもなっているのだが、今の井本には、縁がない。

とにかく、改札口を出ると、タクシーをつかまえ、運転手に、「台中化学」と書いて渡した。

中年の運転手が肯(うなず)いて、車は走り出した。

台北でも、ここでも、道路がよく整備されているのは、産業用と軍事用の両方を兼ねているからだろうか。

タクシーは、完全舗装された道路を、八十キロ近いスピードで、どんどん飛ばして行く。

たちまち、台中の町を出て、周囲は、畠や林に変ったが、タクシーは、なかなか止まらない。

（本当に、台中化学に向っているのだろうか？）

井本は、いささか不安になって来たが、中国語で、どうきいたらいいのかわからなく黙っていた。

森林を切り開いて作られた道路に入ると、家並みは完全に消えた。

やがて、前方に小さな湖が見え、そこに、巨大な工場群が広がっていた。一台、二台とトラックが、製品を積んで、タクシーの横をすり抜けて行った。

工場敷地内には、従業員のための宿舎も見える。

タクシーをおりると、正面に、「台中化学」の文字が読めた。

工場に活気があるのは、絶え間なく出入りするトラックの数でわかる。

ガード・マンの一人が日本語がわかり、井本は、工場長の部屋に案内された。

心地よく冷房のきいた部屋には、両国旗が並び、吉沢という日本人の工場長が、井本を笑顔で迎えた。

井本が、ここに来た理由を説明しても、その笑顔は変らなかった。

「わざわざお出で頂いて申しわけないのですが、私どもの工場には、全く問題がありません。従業員は、日中半々ですが、完全能率給で、差別は全くありませんし、台中化学の社長は、中国人です」

吉沢は、台湾政府からの感謝状を何枚も、井本に見せた。

「日宝化学は、十文字工場で、公害問題を引き起こしていますね」

と、井本は、いった。

吉沢は、わかっているというように、首を振って、

「ここでは、あの教訓を十分に生かしているので、人身事故は全く起こしておりません。工場内でも、周辺でもです。将来は、この辺りは一大工場団地になって、台湾の発展に、大いに貢献する筈ですよ」

と、自信満々にいった。

ファイルされた現地の新聞も見せられた。いずれも、この工場を讃えた記事がのった新聞である。

それに、工場周辺に人家はないから、十文字工場のような事故は起きないかも知れない。

「ああ、それから」と、吉沢が、ニコニコ笑いながらいった。

「工場廃水には、万全の配慮をしていますから、湖には、完全に濾過された水しか流していません。あとで、湖にボートで出てごらんになればよくわかりますよ。釣り好きの人が見たら、よだれが出そうな大きな魚が泳いでいるのが、よく見えますから。私も含めて、ここの従業員は、休日には釣りをして、それを夕食のおかずにしたりするんですが、このとおり、身体は何ともありません」

「しかし、工場の煙突からは、有害な亜硫酸ガスなどが吐き出されているんじゃありませんか？」

「それがゼロとはいいませんが、その量は、完全に基準以下に守られています。それが守られな

ければ、こういう合弁会社は許可されませんよ」

吉沢は、きっぱりといった。

井本は、その語調に押された恰好で、工場を出た。

確かに、水際に行ってみると、水は澄んでいて、魚影が見えた。空気も汚れているようにはみえない。

(この台中化学には、何の問題もないのだろうか)

井本は、首をかしげながら、工場を離れ、緑の濃い林の中へ入って行った。静かな場所で、次にどうしたらいいか考えたかったからである。

この辺りには、竹林も多かった。

風に、小枝がゆれて、さわやかな音を立てた。

(亜熱帯の台湾でも、落葉があるのかな?)

と、ふと思ったのは、竹林のところどころに、茶色い落葉のかたまりが見られたからだった。

(竹の葉というのは、落ちると茶色く変色するのだろうか?)

井本は、屈んで、拾いあげようとして、顔色が変った。

落葉と見えたのは、茶色い羽根をした、無数の蝶の死骸だったからである。

10

「台湾は、九州と同じくらいの大きさですが、日本には二二七種しかいない蝶が、台湾には三五〇種もいるほど、蝶の宝庫なんです」

国際電話で、井本が、興奮した声で報告して来た。

十津川は、台湾の地図を見ながら、

「その蝶が、台中化学と、どんな関係があるんだ？」

「台中化学の工場が建てられた場所は、台湾の中でも、珍種の蝶の群棲地です。ここの工場長がいうように、確かに、工場廃水は完全に処理されてから湖に流されていますし、煙突から出される有害ガスの量も基準以下で、人体に影響を与えることはありません。しかし、空気の汚染に敏感な蝶が、大量に死んでいます。竹林に多く棲むワモンチョウという蝶や、フトアゲハというアゲハ科の美しい蝶なんかがです。私は、薄茶の羽根をもったワモンチョウの死骸の山を見ました」

「そのことで、台中化学に対する批判の声はあがらなかったのかね？」

「台中の東に、浦里という小さな町があります。この町では、台湾各地から集められた蝶を装飾用に加工していて、年間数億円の外貨を獲得しています。このために採集される蝶の数は、一年間で、一千万匹前後といわれています。当然、蝶の採集を専業としている業者から、台中化学に対する非難が起きたそうです」

「その結果は？」

「台中化学、というより、日宝化学ですが、金の力にものをいわせて、彼等を黙らせてしまったようです」

「しかし、台湾政府はどうなんだ？　蝶が外貨獲得の花形なら、当然、保護政策をとっているだろう？」

「その通りです。しかし、今、ここの政府が推進しているのは、重工業の育成なんです。軽工業から重工業への転換です。そのためには、蝶の保護が一部地域で崩れても、台中化学は必要ということになったようです。そして、蝶が大量に死滅したことは、秘密にされてしまったというわけです」

「秘密にしたということは、逆に考えれば、それだけ、そのことが、台中化学、つまり、日宝化学にとって、痛いところだということになる」

「そうです。特に、最近は、自然保護が叫ばれていますし、日本の中でイルカを殺しても、世界の非難が集中する時代ですから」

「君は、もう帰って来たまえ。お手柄だよ」

十津川は、電話を切ると、ニッコリして、亀井を見た。

「これで、第一の自殺者が、銀座の歩行者天国で、無数の蝶を飛ばせた理由がわかったよ」

「日宝化学と、日宝コンツェルンに対する示威だったわけですね。台湾に進出した日宝化学の合弁会社が何をしたか知っているぞという――」

「一般の人には、ただ単に、奇妙な、面白い出来事にしか映らない蝶の乱舞も、日宝化学や、日宝コンツェルンの上層部の人間には、あのことだと、すぐわかった筈だよ。これは、電話や手紙で非難されるよりも、こたえたんじゃないかな」

「しかし、台中化学の工場周辺の蝶が死滅したことは、秘密にされていた筈なのに、なぜ、野見山たちは、知っていたんでしょうか？」

「二つの場合が考えられるね。彼等の一人が、たまたま、台湾に旅行して、井本君のように、台中化学の近くで、大量の蝶の死骸を見たという場合と、もう一つは、彼等の中に、昔、台中化学で働いていたことのある人間がいる場合だな。いずれにしろ、これで、彼等が、蝶を飛ばした理由は、わかったことになる」

「あと一つは、ゴム風船ですね。ゴム風船が、日宝コンツェルンと、どう関係してくるんでしょうか？」

「もう一度、君たちで、それを調べてくれないか。歩行者天国の蝶と同じように、野見山たちは、ゴム風船を、脅迫に使ったんだと思う。とすれば、日宝の関連会社にとって、ゴム風船が、マイナスのイメージになる何かを持っているということだ。だから、その方向で調べてみてくれ」

「マンモス団地が使われたことにも、何か意味があるとお考えですか？」

「あるかも知れないが、ただ単に、世間の注目を集めるのに便利だと考えたのかも知れないな。蝶の場合の歩行者天国は、明らかに、注目を集めるための舞台として、打ってつけだから選ばれたに過ぎないからね」

　十津川がいい、亀井と石川の二人の刑事が、捜査本部を出て行ったあとで、三田外科病院に詰めている大杉刑事から電話が入った。

「阿部浩が、今、眼をさましました」と、大杉がいった。

「医者は、訊問が出来る状態だといっています」

11

　十津川は、世田谷にある三田外科病院に駈けつけた。

　時間は、五時を回っていて、外来患者の姿はなかった。

　病院の入口には、大杉と原田の両刑事が、十津川を待っていた。

「その後、どんな具合だ？」

　と、十津川がきくと、大杉が、眼鏡を押さえるようにしながら、

「頭がやられていないので、意識は、はっきりしているようです。医者の話では、記憶も、はっきりしている筈だというんですが――」

「ですが――？」

「私が、話しかけてみたんですが、何をきいても返事をしてくれんのです。まるで、口がきけなくなったみたいにです」

「私が会ってみよう」

と、十津川は、いった。

病室の近くには、事務局長の藤沼と、病院長がいて、

「病人をあまり興奮させないで欲しいのです」

と、釘をさされた。

十津川は、肯いて、病室に入った。

ベッドが一つだけ置かれ、そこに、阿部浩が、寝かされていた。

十津川が、眼をやってから、一瞬、「おやっ」と、小さく呟いたのは、眼を閉じている阿部浩が、着せられている白衣や、不精ひげの生えたやつれた顔や、カーテン越しに射し込んでくる夕陽で、ふっと、映画や、絵画の中に出てくるキリストの弟子たちのように見えたからだった。

十津川が、黙って見つめていると、阿部が、ぽっかりと眼を開いた。

「阿部浩君だね？」

と、十津川は、確認するように声をかけた。返事はなかったが、黙っていること自体が、肯定のように、十津川には思えた。

「君たちのリーダーの野見山が、必死になって、君を探しているよ。恐らく、逃げ出した君が、仲間の秘密を喋るのではないかと心配しているんだろう」

「――――」

黙っていたが、はっきりと、阿部の表情の動くのがわかった。やはり、この青年は、野見山た

ちから逃げて来て、「さちこ」というバーに入って酒を飲み、その揚句、トラックに飛び込んで死のうとしたのだ。

「君は、なぜ、彼等から逃げ出したんだね？」

「――――」

「じゃあ、私が、いってあげよう。君たちは、野見山を父（ファザー）と呼び、堅く結束していた。自分たちの王国を作るためには、自分の生命を投げ出すことも、いとわなかった。君の仲間が、次々に自殺していったからね。ところが、四番目に、『スペース79』というプレハブの中で焼死した若い女は、遺体を解剖した結果、ごく最近、中絶手術を受けていたことがわかった。繊細な神経の持主である君は、そのことに、強いショックを受けた。君にとって、自分たちは、たとえ男女でも、信仰によって結びついているのであり、セックスによって結びついているのではないという確信があったのに、それが、無残にも打ち砕かれてしまった。ひょっとすると、君は、彼女を犯した人間を知っているんじゃないのかね？　考えたくなければそれでもいいが、君は絶望して、仲間のところから逃げ出し、トラックに飛び込んで死のうとした。違うかね？」

「――――」

「黙っていても、君の表情が、肯定しているよ」

「僕は知らない」

阿部は、弱々しい声でいった。

「何を知らないんだ？」

「知らないんだ。僕は——」

「それで通せると思うのかね？　すでに、君の仲間が四人も死んでいるんだよ。彼等は、勝手に死んだわけじゃない。野見山を含めた君たち全体が、死なせたんだ。それなのに、今になって、知らないではすまされないんじゃないかな」

院長や事務局長は、患者を興奮させないでくれといったが、ここまで来たら、その約束は守れないと、十津川は決めていた。この青年から、彼等の秘密を聞き出さないと、また、次の犠牲者を生み出すことになりかねないと思ったからである。

十津川が、強い眼で、じっと見つめていると、阿部は、ふっと視線をそらせて、

「僕にどうしろっていうんです？」

と、乾いた声できいた。

「何もかも、話してくれればいい。野見山たちは、どこに集っているのか？　まず、それを知りたいね」

「教えたら、逮捕するんだな？」

「いや。逮捕はしない。ただ、全員で何人いるのか知りたいし、話し合いもしたいんだよ」

「警察は、信じられない」

「そう野見山に教えられたのかね？」

「僕の考えだ」

「それもいいだろう。ところで、心中というのは、何のことだね？」

十津川が、わざと何気ない調子できくと、阿部の顔色が変った。

「心中だって――？」

「その通りだよ。男と女が、愛し合って死ぬ心中だ。君は、トラックに飛び込んで死のうとした。それを、手術によって、危うく助かったんだ。その前に、バーで飲んだが、そこで、酔って『心中――』と呟やいたのを他の客が聞いている。心中というのは、いったい何だね？　君が、自殺しようとしたように、君たちの仲間の誰かが、今度は、心中しようとしているのかね？　野見山と、若い男女が、君を探していたが、心中するのは、その男女かね？」

十津川は、ベッドに横たわっている阿部の顔を、のぞき込むようにしてきいた。

阿部は、一層、暗い眼になった。

「知らないな。何も知らないんだ。出て行ってくれ」

「もし、君の仲間が、心中する予定になっているのなら、それを防げるのは、君しかいない。君が、何もかも喋ってくれることで、次の犠牲が防げるんだ。君は、リーダーの野見山や、仲間に絶望して自殺しようとしたんだろう？　そんな野見山や、仲間を、なぜ、まだかばおうとするのかね？」

「あんたの知ったことじゃない。これは、僕自身の問題なんだ」

阿部は、激した、甲高い声でいい、咳込(せきこ)んだ。顔が、紅潮している。

病院長が入って来て、とがめるように、十津川を見た。

「なぜまた、患者を興奮させるようなことをなさるんですか？　危険ですよ」

12

「このままでは、また新しい犠牲者が出るかも知れないのです」と、十津川は、沈鬱な表情で、病院長にいった。

「それを防ぐために、どうしても、彼に協力して貰わなくてはならないのです」

「しかし、これ以上、患者を刺戟するような質問をされたら、この患者自身の生命が危険にさらされてしまうことになります。今、この患者に必要なのは、何よりも安静ですからね」

「では、もう一つだけ、質問させて下さい」

十津川は、食い下った。

病院長は、阿部の顔色を見、手首を握って脈を測ってから、

「あと一つだけですよ。患者が、それに答える答えないにかかわらず、解放して、眠らせてやって下さい。約束してくれますか？」

「いいでしょう」

と、十津川は、肯いた。

阿部は、眼を閉じてしまっている。しかし頬が、ぴくぴく動いているところを見ると、じっと、内心の葛藤に耐えている感じだった。

「君の仲間や、リーダーの野見山が、必死で、君を探していることは話したね」と、十津川は、

いった。

「しかし、君を心配してのことじゃないことは、君自身よく知っている筈だ。野見山は、君が、ユダのように、自分たちを裏切るのではないかと恐れているだけだ。だから、君は、見つかれば、どんな形でかわからないが、処分されるに決っている。それに、君は、『スペース79』で焼死した娘の妊娠中絶のことで、野見山や、仲間たちに絶望した筈だ。それなのに、なぜ、まだ、彼等をかばうのかね？」

「手短かに」

と、病院長がいった。

「最初の青年が、銀座の歩行者天国で、蝶を放った理由はわかったよ」と、十津川はいった。「あれは、台湾に進出した日宝化学が、台中で、大量の蝶を死滅させたことへの抗議だろう？やはり、そうなんだな。それでは、高島平団地で死んだ娘が、ゴム風船を空に飛ばした理由を教えてくれないか。あれは、何の抗議だったんだ？」

「日宝自動車――」

「日宝自動車？」

「いや、これは、僕たち自身の問題で、警察には関係ないんだ」

「何をいう。君たちの行動は、もう、君たちだけの問題じゃなくなっているんだぞ！」

十津川が、思わず大声を出すと、病院長が、厳しい声で、

「もう止めて下さい。これ以上の質問は無理です」

と、いった。

十津川は、病院長に礼をいい、大杉と原田の両刑事には、引き続き、三田外科病院に詰めているようにいって、捜査本部に帰った。

その一時間後に、聞き込みに出ている亀井から電話が入った。

「残念ですが、まだ、ゴム風船の謎が解けません。範囲が広過ぎまして」

「どうやら、問題は日宝自動車らしいよ」

と、十津川はいった。

「日宝自動車というと、あまりゴム風船に関係がないように見えますが――？」

「だが、阿部浩は、日宝自動車と口を滑らせている」

「では、もう一度、日宝自動車を調べてみます」

亀井が、そういって電話を切ってすぐ、また、十津川の前の電話が鳴った。

今度は、友人で、東西新聞社会部の田名部だった。

いつものように、「おれだよ。田名部だよ」と、いってから、

「妙な噂を聞いたんだが、君が今調べている事件と関係があるんじゃないかと思って、電話したんだ」

「どんな噂だ？」

「日宝が、金額はわからないんだが、とにかく、大金を、特定の個人に支払ったという噂だ。相手は政治家じゃないらしい」

「日宝の幹部は、どういってるんだ？」

「そんな事実はないと否定しているがね。おれは、この噂は事実と思っている」

（相手は、野見山たちだろうか？）

と、十津川は、眼を宙に走らせた。

脅迫

1

野見山たちが、日宝コンツェルンを脅迫し、日宝側が、金を支払ったのだろうか？

それを確認するためには、日宝の幹部に会えばいいのだが、恐らく、何も話してはくれまい。田名部の話では、ごく内密に支払いが行われたと思われるからである。

（ゴム風船の謎が解ければな）

と、十津川は、思った。

銀座の歩行者天国での蝶の謎は解けた。もう一つ、マンモス団地でのゴム風船の謎が解ければ、それをぶつけることで、日宝幹部の口を開かせることが出来るかも知れないからである。

夜おそくなって、亀井、石川の二人が、聞き込みから、疲れ切って帰って来たが、ゴム風船についての手がかりはつかめないということだった。

「意外に簡単なことだろうと思うんですが、それらしい話は聞けませんでした」

と、亀井がいった。

「日宝自動車の新車発表会の時には、景気づけにゴム風船を飛ばしたり、試乗に訪れた家族連れに、ゴム風船をあげたりしていることはわかったんですが、これまでに、事故は起きていません」

と、石川が、続けていう。

「日宝自動車が、ゴム風船と関係してくるのは、新車の発表会と試乗会の時だけなんですが」

亀井が、溜息(ためいき)をついた。

「その時、本当に事故は起きてないのか？」

十津川が、きいた。

「残念ながらというのは変ですが、起きていません。第一、ゴム風船では、破裂したところで、どうということはないでしょう」

「しかし、第二の事件で、自殺した女は、ゴム風船を飛ばしているんだ。ということは、蝶の場合と同じように、脅迫されるような事故なり、事件なりを起こしている筈なんだ」

翌日になると、亀井と石川は、疲れた足を引きずるようにして、再び、聞き込みに出かけて行った。

可哀そうとは思っても、十津川は、二人を休ませるわけにはいかなかった。

三田外科病院に入院している阿部浩は、「心中」と、呟やいたという。もし、それが、男女の死を予告したものなら、絶対に防がなければならなかったからである。

夕方になって、台湾へ行っていた井本刑事が帰って来た。

「ご苦労さん。おかげで、一歩前進できたよ」

と、十津川は、井本をねぎらった。

「亀井刑事たちは、どうしています？」

「ゴム風船の謎を解くために走り廻っているよ。何とか、今日中に解明できるといいんだがね。あと四日で、また、日曜日が来るからだ」

十津川は、ちらりと、壁に貼られたカレンダーに眼をやった。

「今度の日曜日に、何か起きるとお考えですか？」

「今、三田外科病院に入院している阿部浩という青年は、『心中』といった。悪くすると、次の日曜日に、男女の心中死体にぶつかることになるかも知れん」

「しかし、前の日曜日には、抗議の自殺はありませんでした」

「そうだな」

と、十津川は、肯いた。が、その顔は、明るくはならなかった。十津川たちの気付かぬところで、関係した事件が起きていたのかも知れないし、起きていないとしても、それが、つかの間の小休止かも知れなかったからである。

「とにかく、ひと休みしたまえ」

十津川は、井本にいった。

井本は、椅子を並べ、その上に横になり、毛布をかぶった。すぐ、寝息が聞こえてきた。いびきが高いところをみると、よほど疲れているのだろう。

十津川は、煙草に火をつけ、腕時計を見た。すでに、午後七時に近い。亀井と石川の二人は、朝、聞き込みに出かけたままである。

(彼等のために、仮眠をとる場所を作っておいてやらなければ)

と考え、十津川が、椅子を並べたり、毛布を取り出したりしている時、その亀井と、石川の二人が戻って来た。

「見つけましたよ!」

と、亀井は、部屋に入って来るなり、大声でいった。

「ゴム風船を見つけたんです」

2

「落着いて、話してくれ」

十津川は、興奮している二人に、コーヒーをいれてやった。

亀井は、ブラックで、一口飲んでから、

「正確にいうと、見つけたのは、ゴム風船じゃありません」

「というと?」

「一昨年の五月下旬に、板橋区内に、日宝自動車の営業所が店開きし、華やかな新車の展示会が催されました」

「板橋というと、例のマンモス団地があるところだな」

「その近くです。その展示会のとき、アドバルーンを二つあげたわけです」

「ゴム風船じゃなく、アドバルーンか」

「五月二十九日の早朝、一つのアドバルーンのロープが切れて、舞いあがりました。そして、風速五、六メートルの南風にのって、埼玉方面に漂い出したのです。係員三人が、あわてて、車で追いかけました。荒川を越えると、埼玉県で、日宝自動車の広大な工場予定地があります。係員は、そこに落ちてくれれば助かると思ったようです」

「そういえば、高島平団地から舞いあがったゴム風船のいくつかは、荒川を越えて、日宝自動車の工場予定地に落ちたと、新聞に出ていたな」

「荒川に落ちてくれてもいいと思っていたようです。とにかく、日宝自動車にとっては、営業所開きの時でもあり、また、新車発表の時でもあり、こんな時に、人身事故でも起こしたら大変なマイナスになると思ったに違いありません」

「それで、アドバルーンは、どこへ落ちたんだね？　人家の密集地帯に落ちたのかね？　しかし、それなら、大きなニュースになって、覚えている筈だが」

「落ちたのは、東京側の荒川の河原です。時刻は午前五時三十分頃でした。普通の日なら、こんな時刻に、河原に人はいないのでしょうが、その日は日曜日で、高島平団地に住む小学五年生の男の子が、釣りに来ていたのです」

「それで？」

「アドバルーンは、その子の傍に落ちました。それだけなら、事故にはならなかったのですが、小学五年くらいの男の子というのは、好奇心が旺盛です。地面に落ちたアドバルーンの上にのって、飛んだりはねたりしているうちに、突然、アドバルーンが、爆発しました。男の子は、全身に大やけどを負ってしまったのです」

「死んだのか？」

「いえ。そこへ、係員三人が、車で駈けつけました。当然、警察へ連絡し、救急車の手配をすべきなのに、彼等は、そうしませんでした。当時、河原に人かげがないのを幸い、二人が、重傷の子供を車で近くの病院に運び、もう一人は、日宝自動車の管理部長の自宅に電話しました」

「その係員は、日宝自動車の社員なのかね？」

「二人は、アドバルーン会社の社員で、一人が、日宝自動車の社員です。管理部長に電話したのが、日宝自動車の社員です」

「当時の管理部長というと、今、日宝プレハブの社長をしている千田徳一郎じゃないのか？」

「その千田徳一郎です」

「そうか。あの男か」

十津川は、社長室で会った六十歳の男の顔を思い出した。いかにも、聡明で、育ちの良さを思わせる男だったが、何よりも、会社が大事という感じの男でもあった。

「知らせを受けた千田部長は、どんなことをしてでも、この事故を、公けにしたくないと考えたようです。爆発したアドバルーンの残骸は、直ちに、大型トラックで回収され、アドバルーン会社に対しても、口止めが行われました」

「一昨年の五月だったな？」

「五月二十九日です」

「翌日の新聞には、事故が出ているんじゃないか。いくら、日宝自動車が、箝口令をしいたとしてもだ」

「いや、石川君と図書館に寄ってみましたが、出ていませんでした。小さく扱った新聞はありましたが、それも、アドバルーンが迷子になって、荒川の河原で見つかったというだけの記事で、子供のことは出ていません」

「その子は、どうなったんだ？」

「二週間後に病院で亡くなっています。名前は、坂井利春です」

「おかしいじゃないか。当然、両親は、日宝自動車と、アドバルーン会社を告訴した筈だろう。それでも、新聞に出なかったのかね？」

「出ませんでした。火傷は、アドバルーンの爆発によるものではなく、焚火をしていて、そこへ、誤って、ガソリンをぶちまけてしまったためということになったからです。この形では、新聞に出ています」

「馬鹿な。そんな嘘を、両親が納得する筈がないだろう？」

「だが、納得したんです。なぜだと思われますか？」

3

「日宝自動車が、よっぽど多額の見舞金を払い、子供の両親が、その金に目がくらんだということかね？　他には考えられないが」

と、十津川は、亀井の顔を見た。

「日宝自動車と、アドバルーン会社から、内密に、多額の見舞金が出たことは事実です。しかし、子供の両親が、焚火で火傷ということにすることに同意したのは、金のためだけではなかったと思われます」

「じゃあ、何のためだね？」

「子供の両親は、坂井賢一郎、明子といい、四十歳、三十五歳の夫婦です。ところで、夫の坂井賢一郎が、日宝自動車の本社で働く係長なのです」

「日宝自動車の社員か」

「しかも、高校を出るとすぐ、日宝自動車に就職し、以来二十年以上にわたって、日宝自動車一筋に働いて来た、真面目社員です」

「なるほどな」

「坂井賢一郎にとって、日宝自動車なしの自分も、家族も考えられない。そんな人間だったようです。千田管理部長が、坂井賢一郎を呼んで、説得したのではないでしょうか。とにかく、この事件は、うやむやに片付き、日宝自動車は、全く傷つかなかったわけです。坂井賢一郎は、翌年、福島に出来た日宝自動車の営業所長になり、家族も、高島平団地を出て、福島に移りました。もちろん栄転です」

「宮仕えは辛いといったところかな」

と、十津川は、笑いかけて、その笑いを呑み込んでしまった。考えてみれば、十津川自身も、巨大な警察機構の中の一員だし、警察を離れた自分を想像することが出来なかったからである。

「日宝自動車の千田管理部長が、日宝プレハブの社長になったのも、この時の処置が、評価されたからじゃないですか。とにかく、事故の起きた時は、日宝自動車が、新しく開発した新車に、社運を賭けていたといわれる時ですから、どんな小さな傷でも怖かったんだと思います」

「野見山たちは、新聞にのらなかったその事故の真相を知って、高島平団地から、同じ日曜日に、ゴム風船を飛ばしたというわけか」

「本当は、アドバルーンを飛ばしたかったのかも知れませんね。その方が、日宝に与える圧力が倍加しますから」

「野見山たちは、なぜ、二年前の事故の真相を知ったのだろうか？」

と、十津川は、自問するように呟やいてから、

「彼等が、台湾での蝶の死滅も知っていたところをみると、彼等のグループの中に、日宝の社員がいるのかも知れないな。ところで、カメさんたちは、どうして、わかったんだね？」

「それが、偶然からなんです」と、石川が、笑顔でいった。

「われわれが、聞き込みに歩いていると、三十二、三歳の男が近づいて来て、話してくれたのです。この男は、二年前の事故の時、アドバルーン会社の社員で、火傷した少年を病院に運んだ二人の中の一人だったわけです」

「なぜ、話してくれたのかね？」

「なんでも、最近になって、勤務状態が悪いと、会社を馘になったそうで、それを恨んで、われわれに話してくれたようです」

「野見山たちにも、その男が話したのかな？」

「私も、同じことを考えまして、質問してみたんですが、野見山という男は知らないといっていました。二年前の事故の真相を話したのも、われわれが初めてだということでした。その言葉に、嘘はないようです」

「金をたかられたんじゃないのか？」

十津川がきくと、亀井が、

「郷里の福岡へ帰るというので、石川君と二人で、東京から福岡までの汽車賃を進呈しました」

「その金は、あとで会計に請求しておきたまえ」

十津川が、いった時、話し声で眼をさましたとみえて、井本刑事が、椅子をがたがたいわせながら、起き上って来た。

十津川は、井本にも、コーヒーをいれてやってから、三人の刑事の顔を見廻して、

「君たちのおかげで、蝶とゴム風船の謎は解けたと思う。野見山たちは、日宝化学、日宝自動車

の過去の秘密を探り当て、それをタネに、日宝コンツェルンを脅迫したんだ。全て知っているぞという意味で、蝶の群れを、歩行者天国で舞いあがらせ、マンモス団地で、ゴム風船を飛ばしたんだろう」

「目的は、金ですか?」

井本が、眼をこすりながらきいた。

「彼等の王国を正式に作るための金だろう。日宝コンツェルンを、告発したりすれば、全てが公けになって、金を貰えなくなる。だから、あんな暗号めいたやり方で、相手を脅迫したんだ。一般の人々には、ただの蝶の乱舞や、ゴム風船の洪水にしか見えなくても、日宝の幹部には、それが何を意味しているか、すぐわかったろうからね」

「これから、どうします?」

亀井が、強い眼で、十津川を見つめた。

「明日、日宝の幹部に会ってくる。これは、私一人で行った方がいいだろう。多勢で押しかけると、相手を警戒させてしまい、聞けることも聞けなくなる心配があるからね」

「これで、野見山たちが脅迫し、日宝側が、金を払っていたことがわかれば、彼等を、恐喝容疑で逮捕できますね」

「東西新聞にいる友人の話では、日宝が、内密で、大金を誰かに払ったということだ。億単位の金だそうだよ」

「野見山たちに支払われたんでしょうか?」

「明日、それを確めて来よう」

「日宝の幹部が、果して、それを認めるでしょうか？　大企業というのは、自分のイメージ・ダウンになるようなことには神経質ですから、非協力的な態度をとるんじゃありませんか？」

石川が、心配そうにきいた。

「多分、そうだろう」と、十津川は、いった。

「だが、こっちも、後には引けないんだ。何人もの人間が死んでいるし、これからも、死ぬ恐れがあるからね。どんなことをしてでも、事実を話して貰うよ」

4

翌五月十日、十津川は、あらかじめ電話しておいてから、日宝化学の本社を訪ねた。

この頃の天候は気まぐれで、昨日はいい天気だったのに、今日は朝から雨と風が強い。

十津川は、すぐ、社長室に通された。そこには、前に会った社長の千田元司と、もう一人の男が、十津川を待っていた。

「私のことは覚えているだろう？」

と、千田は、十津川にいった。

十津川が、肯（うなず）くと、

「こちらは、日宝自動車の佐々木社長だ」

と、同席している男を、紹介した。六十歳ぐらいの血色のいい人物だった。

「君が、日宝自動車にも関係したことだと電話でいったので、来て貰ったんだ」

「ありがとうございます」

「何か飲むかね？　秘書に持って来させるが」

「何もいりません」

「じゃあ、君の話を聞こうか。何か非常に重要な話だそうだね」

と、千田がいい、佐々木は、パイプを取り出して口にくわえた。パイプ煙草の柔らかな香りが、部屋に漂った。

「私は、ある噂を耳にしました」と、十津川は、さりげない調子で切り出した。

「日宝コンツェルンが、かなり多額の金を、特定の個人に支払ったという噂です」

「それがどうかしたのかね？」

千田が、落着いた声で、きいた。

「事実ですか？」

「金額も、相手もあいまいでは、返事のしようがないね」

千田が、笑った。

「金額は、億単位で、相手は野見山という男です。或は、野見山をリーダーとするグループかも知れません」

「前にも君にいったと思うんだが、私は、野見山などという男に面識はないんだ」

「佐々木社長もですか？」

「私も、そんな人間は知らんな」

佐々木は、パイプをくわえたままいった。

「四月八日の日曜日に、銀座の歩行者天国で、無数の蝶を飛ばした直後に自殺し、次の日曜日には、高島平団地で、若い男が、無数のゴム風船を飛ばした直後に、同じように自殺しました。その後も、神宮球場や、日宝プレハブの『スペース79』の中で、焼身が続きました。マスコミが、大々的に取りあげましたから、ご存知の筈だと思うのですが？」

「ああ、知っているよ。妙な事件が続くものだと思っているがね」

「あの一連の事件は、あなた方日宝の幹部に対する脅迫だと、私は考えているのです」

「馬鹿馬鹿しい。蝶を飛ばしたり、ゴム風船を飛ばしたりするのが、なぜ、われわれに対する脅迫なんだね？」

「私は、何もかも知っています」

十津川は、二人を等分に見ながら、台湾での調査結果や、二年前のアドバルーンの爆発事故のことを話した。途中から、千田と佐々木は、当惑した表情になり、顔を見合せてしまった。

「いかがですか？　この際、何もかも話して頂けませんか」

と、十津川は、相手の決意を促すようにいった。

「そんな話は知らんといったら、どうする積りかね？」

佐々木が、パイプをテーブルに置いて、じっと、十津川を見つめた。

「明日、一連の自殺事件について、記者会見をすることになっています。その時、今までにわかったことを、全て話すことになるでしょう。新聞にとっては、興味のあることでしょうから、恐らく、社会面を賑(にぎ)わすことになると思いますね」

十津川は、静かにいったのだが、二人の顔が、赤くなった。

千田が、怒気を含んだ声で、

「君たち警察は、市民を守るのが仕事だろう。その警察が、われわれを脅迫するのかね？」

「千田さん」

「何だ？」

「今度の一連の事件で、すでに、四人の人間が死に、一人が死にかけました。これからも、死者が出る可能性があります。警察の任務は、あなたがいわれた通り、市民を守ることです。市民の生命を守ることです。そのためには、どんなことでもするつもりですよ。あなた方が協力して下さらないのなら」

「ちょっと待ってくれ」

と、千田が、あわてていった。

「全てを話して頂けますか」

「二人で相談しなければならんので、一時間だけ、時間をくれないかね」

5

十津川は、日宝化学本社に近い喫茶店で時間をつぶしてから、もう一度、社長室に戻った。

一時間の間に、千田と佐々木が、どんな話を交わしたのか、十津川にはわからない。ただ、テーブルの上の灰皿には、煙草の吸殻と、パイプ煙草の灰が、小さな山を作っていた。

「決心がおつきになりましたか？」

と、十津川がきくと、千田が、堅い表情で、

「その前に確めておきたいが、これから話すことについて、秘密を守ると、約束してくれるかね？」

「もちろん、秘密は守ります。警察の仕事は、あくまでも、事件の解決ですから」

「そうか」

と、千田は、いくらか、ほっとしたという表情になって、

「三月末に、野見山という男が、若い女を連れて、私の自宅を訪ねて来た。確か、日曜日だよ」

「会社でなく、自宅の方へですか？」

「そうだ。会社へ来たのでは、私が会わないと思ったからだろう。身なりもきちんとしていたし、言葉遣いも丁寧だったよ。頭も良さそうに見えたので、つい、家の中へあげてしまった。私は、若い人と話をするのが好きなんだ」

「野見山は、何の用で来たかいいましたか？」

「小さな宗教団体のリーダーだといったよ。一緒に連れて来た若い女も、信者の一人だといっていた」

「どんな女性でした？」

「二十二、三歳で、化粧はしていないが、なかなかの美人だったよ」

「高島平団地で死んだ女じゃありませんか？」

「いや、違う。もっと色っぽい女だった。完全に、野見山に心酔している感じだったね」

「野見山がいったことを、正確に話してくれませんか」

「自分たちは、キリスト教を、その本来の正しいあり方で継承しているのだというようなことをいっていたね。私自身、宗教にあまり興味がないから、彼のいうことは、よくわからなかった。野見山は、いろいろ説明したあと、自分たちは、神の王国を作りたいと念じているが、そのためには、費用がかかる。それで、寄附をして貰えないかといった。一万円ぐらいならと思っていると、野見山は、呆れたことに、日宝コンツェルンとして、五億円を寄附して欲しいというんだ」

「五億円ですか」

「私は、笑ってしまったよ。あまりにも馬鹿げた金額だからだ。帰ってくれというと、野見山は、意外にあっさりと肯いてから、四月八日の日曜日に起きることに注目して頂きたいといって、帰って行った。私には、何のことかわからなかったが、四月八日に、銀座の歩行者天国で、あの事件が起きたんだ」

「すぐ、野見山たちがやったとわかりましたか？」

「いや、妙な事件が起きたものだとは思ったが、すぐには、野見山と結びつかなかった。ところが、夕方になって、野見山から電話が入ったんだ。彼は、こういったよ。あれは、信者の一人が、台湾の浦里地区で大量に死滅した美しい蝶たちの霊をなぐさめるためと、そうした行為をした者に対する抗議から、自ら命を絶ったのですとね。私は、がくぜんとした。台中化学が、台湾で引き起こした事件を、野見山に会われたんですか？」

「あなたも、野見山に会われたんですか？」

十津川は、視線を、佐々木に向けた。

「ああ、会ったよ」

と、佐々木は、渋い顔で肯いて、

「歩行者天国の事件があった翌日の月曜日だ。私は、健康法として、毎朝、朝食の前に、家の周囲を散歩することにしているんだが、野見山は、途中で待ち伏せしていて、話しかけて来たんだ」

「その時も、若い女が一緒でしたか？」

「ああ、一緒だった。千田君がいったように、なかなかの美人だったよ」

「野見山は、何を話しました？」

「今、千田君がいったと同じことだよ。ある宗教団体の者だが、神の王国を築くことを目的としているので、日宝全体として、寄附をして貰えないかというのだ。その金額が、五億円と聞いて、私も、馬鹿馬鹿しくなって、追い返した。野見山は、次の日曜日、四月十五日に起きることに注目してくれといって、帰って行ったよ」

「そして、ゴム風船ですね？」

「そうだ」

「すぐ、野見山たちのやったことだとわかりましたか？」

「その前に、千田君に話を聞いていたので、すぐわかったよ」

「二年前の事故も、思い出されましたか？」

と、十津川がきくと、佐々木の顔が、奇妙にゆがんで、

「思い出さなかったといったら嘘になるな。だが、二年前のことだし、箝口令をしいてあるから、洩れることはないという気持もあったよ」

「その日に、野見山から電話があったんですね？」

「そうだ。夕方、電話があった。野見山は、こういったよ。今度のことは、われわれの信者の一人が、二年前に、アドバルーンの爆発事故で死亡した少年の霊をなぐさめるためと、その事故を闇から闇に葬った者に対する抗議から命を絶ったのだとね。私は、それを聞いて、背筋が寒くなった。二年前の事故を知られたということもあったし、抗議のために、次々に自殺する人間がいるということに対してだよ」

佐々木は、蒼ざめた顔でいった。

「これは、明らかに脅迫ですよ。警察に話そうとは考えられなかったんですか?」

十津川は、そうしてくれていたら、第三、第四の焼死事件は、防げていたかも知れないのにという思いで、二人にきくと、

「考えたが、出来なかったんだ」

と、千田が、苦い顔でいった。

「台湾で、台中化学が、大量の蝶を死滅させてしまったことや、二年前の少年の死が明らかになるのが怖かったからですか?」

「それもないとはいわん。だがね、十津川君」

と、千田は、語調を強くして、

「これを警察に話したら、君たちに、どうにか出来たのかね? 確かに、野見山のやったことは、実際には、脅迫だ。恐喝だ。だが、彼等を逮捕できるのかね? 野見山は、神の王国を作るために五億円寄附してくれといった。金額は大き過ぎるが、これは、脅迫にはならんだろう? 日曜日の事件も同じだ。誰かを殺せば、殺人罪だろうが、野見山たちは、勝手に自殺したに過ぎない。宗教上は、自殺は罪かも知れんが、刑法上は罪にはならんだろう。蝶を放ったり、ゴム風船を飛ばしたりしたのは、明らかに、日宝化学と日宝自動車に対する挑戦だよ。しかし、現象的には、

ただの奇矯な行動にしか過ぎない。そのあとで、野見山は、われわれに電話をかけて来たが、五億円よこせとは一言もいわないんだ。ただ、ただ、死んだ蝶や、子供の霊をなぐさめるためと、死なせた者への抗議のために、信者の一人が自殺したというだけだ。抗議だって、竹竿を持って押しかけて来たのなら、警察に頼んで排除できるだろうが、勝手に自殺したのを、どう警察に持ち込めばいいのかね？」

「――――」

今度は、十津川が、蒼ざめ、戸惑う番だった。確かに、これは脅迫だが、今のところ、野見山たちを、逮捕することは出来そうもない。

「それで」と、十津川は、気を取り直して、二人を見た。

「やはり、五億円を野見山に渡されたんですか？」

「われわれは、何度も会議を開いて、野見山をどうすべきか協議したよ」と、佐々木がいった。

「そうしている間にも、日曜日ごとに、野見山の信者という若者が、自殺していった。神宮球場で、焼身自殺し、次には、『スペース79』の中での焼身自殺だ。正直にいって、われわれは、怖くなった。彼等は、まさに、狂気の集団だ。次に、何をするかわからない。われわれの工場に入り込んで、ガソリンをかぶって死なれたら、どんな大災害を引き起こすかも知れないと思った。しかも、警察に頼んで、彼等を取り締って貰うわけにはいかないんだ。過激派の集団なら、警察に取り締って貰うことが出来るが、野見山たちは、勝手に自殺しているだけなのだからね」

「やはり、過去の問題が明るみに出て、日宝全体のイメージ・ダウンになるのも怖かったんじゃありませんか？」と、十津川は、いった。

「日曜日ごとに、一人ずつ、若者が死んでいく。しかも、その場所が、銀座の歩行者天国とか、マンモス団地とか、神宮球場のグラウンドといった人目につくところです。その上、蝶の群れを放ったり、ゴム風船を飛ばしたり、焼身したり。こうやれば、マスコミが大騒ぎすると、野見山は計算したに違いありません。その計算どおり、マスコミが飛びつきました。新聞、テレビから、週刊誌までが、この一連の事件を扱いました。そうしておいてから、全ては、日宝コンツェルンに対する抗議だったと発表すれば、日宝のイメージ・ダウンは、まぬがれない。それが、怖かったんじゃありませんか？」

「怖くなかったとはいわんさ」

千田が、吐き捨てるようにいった。

「われわれは、慎重に検討した」と、佐々木がいった。

「起きるかも知れぬ日宝のイメージ・ダウンや、狂気の彼等による災害の大きさと、五億円という金額とをだ」

「そして、五億円を野見山に払ったんですね？」

「日宝の関連会社には、石油精製工場もある。彼等の一人が、そんなところへもぐり込んで、焼身自殺でもされたら、工場全体が爆発して、何十億の損害を出してしまう。そうしたことも計算したのだ」

「あなた方が、五億円を脅し取られたと証言して下されば、彼等を逮捕できます」

「残念ながら、五億円は、彼等の作ろうとしている王国に寄附したんだよ」

「証言はして下さらないのですか？」

「さっきもいったように、彼等は、実際に、何の脅迫もしていないんだから、証言のしようがないんだ」

千田が、肩をすくめた。

「駄目ですか？」

「無理だね」

「では、野見山がどこにいるか教えて下さい。五億円も寄附されたんですから、彼と仲間が、どこにいるかぐらいは、ご存知でしょう？」

「彼に会って、どうするのかね？」

「それは、あなた方には関係のないことです」

十津川は、怒ったような声でいった。

7

千田と佐々木の両社長が、十津川に教えてくれたのは、北鳥山の地名だった。

北鳥山七丁目に、野見山たちの集まる場所があるという。

地図の上では、阿部浩が現われたバー「さちこ」の近くである。阿部は、そこから逃げ出して、バー「さちこ」に来たのだろうか。

「そこに、行かれたことが、おありですか？」

と、十津川は、二人にきいてみた。

「私は、一度だけ行ったことがある」

と、いったのは、千田の方だった。

「感想を聞かせてくれませんか」

「二度と、あんな妙な場所には行きたくないね」

千田は、吐き捨てるようにそれだけいった。

十津川は、とにかく、そこで何が行われているのか、見に行ってみることにした。

黒魔術の儀式でも行われているのだろうか。それとも、喜んで自殺するように、野見山が、若い男女に催眠術でもかけているのだろうか。

十津川は、そんな馬鹿げたことを考えながら、京王線の千歳烏山駅で降りた。雨は止んだが、風は、いぜんとして強い。バー「さちこ」は、まだ店を開けていない。十津川はその前を通り、身体を折るようにして歩いて行った。

中央自動車道をくぐりぬけたあたりが、千田たちの教えてくれた場所だった。

この辺りは、建売住宅が多く、大学のグラウンドなどもある。

その一角、むき出しの赤土の上に、日宝プレハブの「スペース79」が、四つ、ロの字形に並べてあった。それが、野見山たちの城だった。

四つの「スペース79」は、渡り廊下で結ばれている。

この土地も、プレハブも、日宝関連会社が、脅迫に屈して、野見山たちに提供したものだろうか。

四つの「スペース79」には、それぞれ、「住居」「集会場」「食堂」そして、「主の部屋」と、書かれている。

十津川は、道路に近い「集会場」の前に足を運んだ。ドアには、あのブレスレットに彫られていたのと同じ四ツ葉のクローバーが彫刻されていた。

ノックすると、内部で足音がして、ドアが開き、純白のローブを着た若い男が、顔をのぞかせた。

二十二、三歳だろうか。眼のきれいな青年だった。

「どなたですか?」

と、その青年が、とがめるようにきいた。

十津川は、名前をいう代りに、

「野見山さんに会いたいんだが」

と、相手にいった。

「ファザーのお知り合いですか?」

「ああ、前に会って、いろいろと話をしたことがあるよ」

十津川がいうと、青年の顔に、微笑が浮んだ。

「それなら、ご案内します」

青年は、外へおりて来ると、十津川を、「主の部屋」の建物の方へ案内した。

「君たちは、ここで何をしているのかね？」

十津川は、青年の後について歩きながらきいてみた。

「神の王国を作るために、毎日、努力しています」

青年は、そんな答え方をした。

「つまり、そのために、君たちの仲間は、次々に自殺して行ったというわけかね？」

「崇高な目的のために、自己を犠牲にすることは、立派なことです」

青年は、十津川を見て、きっぱりといった。

「すると、君も、同じように、自分を犠牲にすることが出来るというわけだね？　喜んで」

「そうありたいと思っています」

「本当は、死ぬのが怖いんじゃないかね？」

「ファザーは、ここにおられます」

青年は、十津川の最後の質問は無視して、「主の部屋」のドアを指さした。

8

そのドアをノックすると、「入りたまえ」と、男の声がした。

「ドアは、いつも開くようになっているよ」

野見山の声だった。

十津川が、ドアを開けると、さっきの青年と同じように、白いローブを着た野見山が、壁に寄りかかって、本を読んでいた。部屋一杯に、じゅうたんが敷き詰めてある。

野見山は、本の頁に眼をやったまま、

「話したまえ」

「――」

「私の部屋に来たのは、何か悩みがあるからだろう。遠慮はいらんよ」

「話すより、こちらから、ききたいことがある」

十津川がいうと、野見山は、初めて、顔をあげ、びっくりしたように、そこにいる十津川を見た。

「あなたか」

「ああ、私だ」

「何の用だね？　ここは、あなた方の来る所じゃない」

「神聖な場所だというわけかね？」

十津川は、皮肉な眼つきになって、野見山を見た。

「その通りだ」と、野見山は、いった。

「私を逮捕しに来たのなら、すぐ逮捕したまえ。しかし、私を逮捕する理由などあり得ない。それなら、ここでは、私の命令に従いたまえ」

「君の命令？」

「そうだ。ここでは、私は絶対者だ。まず、私のことは、ファザーと呼びたまえ」

「ファザーね」

十津川が苦笑すると、野見山は、強い眼で睨んで、

「私の弟子たちは、全員が、私のことを、ファザーと呼んでいる。私に対する信頼は絶対だ。そんな空気の中で、あなたが、今のような冷笑的な態度をとっていると、どんなことになるかわからない」

「つまり、私を脅しているわけかね？」

「事実をいっているだけだよ」

「事実？　君たちは、日宝コンツェルンを脅して、五億円という大金を手に入れた。自分たちの王国を作るためと称してね。これが事実じゃないのかね？」

十津川は、負けずに、切り返した。

「あの五億円は、寄附されたものだ。私たちは、一つの宗教団体だからね。他の宗教団体と同じように、寄附について文句をいわれる筋合いはない」

野見山は、本を置いて、ゆっくり立ち上った。

「逃げるのか？」

と、十津川が、声をかけた。

野見山が、振り向いて笑った。

「今、三時だ。弟子たちと語り合う時間だ。あなたも一緒に来たければ、来たまえ。だが、私がいったことを守らなければ、何が起きるか、わからんよ」

「いいだろう。ファザー」

と、十津川は、いった。事件を解明するためなら、野見山をファザーと呼ぶくらい何でもない。

野見山が、先に部屋を出た。渡り廊下を通って、集会場へ入ると、そこには、七人の若い男女が、床に腰を下して、ファザーである野見山を待っていた。

男が四人に、女が三人。いずれも、二十二、三歳の若さで、中には十七、八歳に見える少女もいた。

それが、ここでのユニホームなのか、全員が、白いローブを身につけている。

彼等の中に、小林昌彦の顔もあった。

野見山に続いて、十津川が入って行くと、七人の男女の中に、異様な空気が生れるのがわかった。それは、神聖であるべき場所に、それを犯すものが乱入して来たとでもいうような、非難の空気だった。

七人の冷たい視線を受けて、十津川は、一瞬、たじろいだ。

十津川のことを知っている小林が、野見山に向って、

「ファザー。この男は、警察の人間です。この神聖な場所にふさわしくない人間です」

「私も知っているよ。君を見舞いに行った時、会ったからね」

と、野見山は、おだやかにいった。

「それなら、なぜ、追放なさらないのですか？」

「ここでは、ここの掟に従うことを約束した。私たちの掟に従っている限り、私たちの仲間だ。私たちが作ろうとしている王国は、彼に対しても開放されるものだ。そうじゃないかね？」

「それはわかりますが、この男は、私に対して、しつこく、ファザーのことや、仲間たちのことを訊問しました。私たちの秘密を聞き出して、私たちを犯罪人に仕立てあげようとしている権力の手先です」

「ここで、もし、そんなことをすれば、彼は強く罰せられる」

「私を殺すのか？」

十津川は、小声で、野見山にいった。

野見山は、小さく笑っただけで、十津川の質問には答えず、七人の中の女性の一人に向って、

「彼に、私たちのローブを貸してあげなさい。違う服を着ている人がいると、目ざわりで仕方がないからね」

「こちらへ、来て下さい」

その女性は、十津川にいい、集会場を出て、食堂の方へ、渡り廊下を歩いて行った。

十津川は、彼女と肩を並べると、

「君の名前は？」

と、きいた。

小柄な、痩せた女だった。そういえば、ここには、男も女も、不敵で逞しい感じの若者はいない。ライトバンの運転をやっていた小林昌彦にしても、繊細な感じが目立つ。

「伊東みどりです」と、女は、いった。

「でも、ここでは、ひとりひとりの名前など、何の意味もありません」

「全て、神の子ということかね？」

「私たちは、全て、ファザーの子です」

「彼の命令なら、喜んで死ぬということかな？」

「無意味に生きているより、意味のある死を迎える方が幸福ですわ」

「彼は、そう教えているわけかね？」

「彼でなく、ファザーです」

「そうだったね」

「ファザーとお呼びなさい」

「わかったよ」

と、十津川はいった。

食堂といっても、畳の部屋で、折たたみ式の低いテーブルが隅に重ねてあった。

食堂の一隅には、衣裳ダンスがあり、伊東みどりは、そこから、純白のローブを取り出して、十津川の前に置いた。

「これは、上着の上から着るものかね？」

十津川は、ローブを手に持って、伊東みどりを見た。

「どちらでも、お好きなように」

と、みどりがいう。

十津川は、上着の上から、ローブを着るようにしながら、

「四月二十九日の日曜日に、新宿の住宅展示場で、これと同じ『スペース79』の中で焼死した女がいる。君たちの仲間だろう。カザミという名前の女だ。彼女は、死ぬすぐ前に、妊娠(にんしん)中絶している。君たちの中の誰かの子を宿し、その子を堕ろしたんだ。それを知っているかね？」

と、いった。

とたんに、伊東みどりの顔色が変った。

(やはり――)

と、十津川は思った。

病院に入っている小林昌彦に、わざと、妊娠中絶のことを聞かせた。小林は、そのあと、病院を抜け出した。仲間のところへ戻って、それを問題にしているのだろうと想像していたのだが、十津川のその想像は、当っていたようだ。

伊東みどりが、下を向いて、唇を噛(か)んでいる。

十津川は、押しかぶせるように、

「小林昌彦が、それを君たちに知らせて、問題になった筈だよ。阿部浩は、そのことで絶望し、君たちのグループから脱け出して、酒を飲み、自殺を試みた。君たちのいう神の王国を作るため

に死のうとしたのではなく、自分たち自身に絶望して、死のうとしたんだよ。定期便のトラックに飛び込んでだ。あのトラックが、日宝自動車の車だったら、これも、抗議のための自殺といい逃れが出来たかも知れないが、残念ながら、他の会社の車だった」

「――」

「君たちは、本当に、神の王国が作れると思っているのかね？　君たちは、野見山に利用されているだけのことじゃないのかな。――」

「何をしているんだ！」

ふいに、強い叱責（しっせき）の言葉が飛んできた。

いつの間にか、野見山が、食堂に入って来て、十津川を睨んでいた。

9

伊東みどりは、怯（おび）えた表情になり、あわてて、食堂を出て行った。

十津川は、強い眼で、野見山を見返した。

「何を怖がっているんだね？」

と、十津川は、からかうようにきいた。

「私が怖がる？　何を怖がるんだ？」

野見山が、笑った。

「弟子たちの反乱だよ。現に、阿部浩という青年は、君に絶望して、ここから逃げ出したじゃないか」

「あの男は、頭がおかしくなったのだ。もともと、強固な意志を持って、参加したわけではなかったからね。脱落も止むを得ない」

「それなら、なぜ、必死になって、彼を探し廻ったのかね？　京王線の千歳烏山駅周辺を、弟子たちと一緒に、探し廻っていたのを知っているんだよ」

「別にそれを否定はしない。あの男は、脱落者であり、裏切者のユダでもある。だが、聖書にも書いてあるように、迷える羊を見つけ出し、過ちを正してやるのも、私の仕事だからね」

「日宝コンツェルンから脅し取った五億円は、今、どこにあるのかね？　神の王国を作るといっているが、具体的に、どうするつもりなんだ？」

「君に答える義務はないが、一つだけ教えてあげよう。私は、別に、神の王国といっても、夢を描いているわけじゃない。北海道の原野を買い求めて、そこに、具体的な神の王国を作るつもりだ。そこでは、神の前に、全ての人間が平等になる。あなたも、警察を辞めたら、そこへ来たらいい」

「その王国で、君は、帝王のように君臨するわけかね？」

「あなたは、救い難い俗物だな」と、野見山は、大げさに溜息(ためいき)をついた。

「自分の見方でしか、物が見られない可哀そうな人間だ」

「君や、君の弟子たちは、違うというのかね？」

「彼等は、自己を犠牲にして、神の王国を作ろうとしているのだ。凡人に出来ることではない。神を信じ、私を信じているからこそ、自分を犠牲に出来る。あなたには、逆立ちしても出来ないことだね」

「君は、彼等に、催眠術でもかけて、自殺させたのかね？」

十津川がきくと、野見山は、クスクスと、楽しそうに笑った。

「私は、催眠術など習ったこともないね。私は、ただ、彼等と一緒に、神について語り、愛について話し合い、生や、死について意見を闘わせているだけのことに過ぎない。彼等は、その中から、自分のなすべきことを学びとって、社会や、マスコミを驚かせるような快挙をなしとげたのだ」

「それを見せて貰いたいな」

「何をだって？」

「君が、弟子たちと、神や、愛や、生や死について語り合うところをさ」

「いいだろう」と、野見山がいった。

「三時には、いつも、集会場で話し合うことになっているからね。ただし、さっきもいったように、ここにいるのなら、ここの掟に従わなければならない。発言が許されるまで、黙って聞いていることだ。その約束が出来るのなら、同席してもいい」

「わかったよ。ファザー」

と、十津川は、肯いた。

二人は、集会場に戻った。

野見山は、待っていた七人の男女の前に、あぐらをかく形で腰を下した。

十津川は、彼等から離れて、部屋の隅に腰を下した。

「彼のことは、気にする必要はない」と、野見山は、七人の弟子たちにいった。

「彼は、私たちの掟に従うことを約束したし、もし、それを破れば、罰せられることを知っている」

二、三人が、野見山の言葉を確認するように、十津川の方を振り返った。

十津川は、仕方なしに、小さく肯いて見せた。

野見山が、話し始めた。

「今の殆どの宗教は、現世の利益を約束している。私は、君たちに、そんな約束はしない。また、生き甲斐とは何かなどという人生相談的な話をしようとも思わない。私が、君たちに話すことは、常に二つだけだ。一つは、人間としての義務ということだよ。ただ生れて、食べて、やがて死んでいくというのでは、動物と変りはない。いや、動物だって、種の保存という義務を負って生きているのだ。鮭は、卵を生むために、自分の生れた川に戻ってくるのは、君たちも知っている筈だ。そして、卵を生みつけると、疲れ切って死んでしまう。彼等は、死ぬことによって、種族の保存を果すのだ。これは、聖書にある『一粒の麦死なずば、ただ一粒にてあらん』という言葉と一致する。人間は、ただ、生きているだけで、人間とはいえない。何かを果すことで、始めて、人間になるのだ。幸い、君たちは、何かをしなければならないと考えている。義務感を持っている。私が、君たちに期待するのは、そのためだ。すでに、君たちの仲間四人が、自己を犠牲にした。彼等も、君たちと同じように、義務感に飢えていた。何かをしなければならないと、絶えず思いながら、何をしていいかわからずに、焦燥にかられていた。私は、彼等に、目的を与えてやった。だからこそ、彼等の死顔には、満足気な微笑が浮んでいたのだ。もう一つ、私が君たちに話したいのは、死に甲斐ということだ」

(死に甲斐だって?)

十津川は、壁に寄りかかる恰好で、野見山を見つめた。

(ここでは、生き甲斐ではなく、死に甲斐を教えているのか?)

10

野見山は、小さく咳払い（せきばらい）をした。

「今、やたらに、生き甲斐論が盛んだ。人間いかに生くべきかという種類の本が、どこの本屋にも山積みされている。それなら、日本人は、全て、生き甲斐を持ち、幸福に暮らしているかといえば、事態は、全く逆だ。社会は、ますます住み難くなり、自然は破壊され、自殺者が続出している。だから、私たちが、神の王国を作らなければならない理由も、そこにある」

野見山は、ひとりで喋り（しゃべり）、七人の弟子たちは、ただ黙って聞いているだけだった。

「新聞に自殺者の記事が出ない日はない」と、野見山は、話し続けた。

「生き甲斐評論家は、こういう。なぜ、彼等は自殺しなければならないのか。死ぬ気でやれば、どんなことだって出来るじゃないかとね。だが、これは馬鹿げている。なぜなら、自殺する人間は、生きるよりも、死ぬ方が、はるかに楽だから死ぬのであって、そんな人間に向って、死ぬ気でやればと忠告するのは、何の意味もないのだ。こうした間違いは、人間にとって、生きることが自然で、死ぬことは不自然だという素朴な信仰にある。キェルケゴールの言葉を引用するまでもなく、人間は、死を約束された存在だ。生れた時から、すでに死刑を宣告されている。死刑囚に生き甲斐を説くのが馬鹿げているとすれば、人間に生き甲斐を説くのも馬鹿げているわけだよ」

（詭弁だ）

と、十津川は思ったが、口には出さなかった。

七人の弟子の中には、反論する者はいなかった。すでに、何回も、野見山から同じような話を聞かされているのかも知れない。

野見山は、自分の言葉に酔ったような表情をしている。

「死を約束された人間にとって必要なのは、いかに生きるかを考えるのではなく、いかに死ぬかを考えることだ。つまり、死に甲斐だ。私も、君たちと同じように、今度の戦争の実感はない。しかし、先日、ある写真集を見て感動した。それは、当時の若者たちの写真だった。十七、八歳の若者だ。彼等は、二、三年たてば戦場に送られ、戦って死ぬことを約束されていた。それなのに、眼が、きらきら光っているのだ。なぜなのだろうか？　今の恵まれた若者たちより、はるかに、生き生きとした眼の輝やきを持っているのは、なぜだろうか？　答は、一つしかない。つまり、彼等は、死に甲斐を持っていたということだ。国のため、民族のために死ぬのだという、死に甲斐だよ。その上、天皇という宗教的な存在もあった。それが、幻想であったにせよ、なかったにせよ、彼等の眼を、きらきら光らせていたのは、死に甲斐があったということだ」

野見山の語調は、次第に熱っぽくなってくる。自分に酔えるということは、こうした種類のリーダーにとって、必要な条件なのかも知れない。

自分を神と信じられない人間が、どうして神になれよう。

「金子君たちが、死に臨んで何のためらいもなく、その死顔に微笑すら浮んでいたのは、神の王国を築きあげるという大きな目的があったからだ。もちろん、君たちにも、同じ目的が与えられている。これ以上、大きな死に甲斐があるだろうか？」

「ありません。ファザー」

はじめて、弟子たちの一人が、声を出した。

野見山は、その青年に向って、大きく肯（うなず）いた。

「神の王国を作るために、自殺する必要はないではないかという人がいるかも知れない。だが、これは間違っている。私たちが、四ツ葉のクローバーのプラカードを持ち、神の王国を作るために協力をと呼びかけても、誰が、協力してくれるだろう？　鼻先であしらわれるのがいいところだ。日宝コンツェルンに寄附を頼んでも同じことだ。台中の蝶や、アドバルーンでの子供の死をいっても、それだけだったら、相手は、無視するか、場合によっては、私たちを脅迫罪で、警察に訴えたかも知れない。だが、死をもってする抗議は、それだけの重味をもっていた。マスコミは、こぞって、金子君たちの死を取りあげ、結局、それが、強力な圧力となって、あの日宝コンツェルンも、私たちに、喜んで、大金を寄附することになった。金子君たちが、自分を殺すことで、社会を動かしたのだよ」

11

「だが、神の王国を作るには、まだ足らないのだ」と、野見山が、続けていった。

「といって、庶民からの寄附は期待できない。日宝コンツェルンのような大企業からの寄附が必要だ。しかも、法律に触れないようにするためには、金子君たちが、自己を犠牲にしたように、君たちが、金子君たちのあとに続いてくれることを、私は、期待している。君たちに、期待していいのだね？　もちろん、神の王国を築くためなら、私も、君たちのあとに続くつもりだ。考えて欲しい。私は、君たちに期待していいのだね？」

野見山は、立ち上り、鋭い眼つきで、七人の弟子たちを見廻した。

「さあ、答えてくれないか。イエスかノーでいい。私は、君たちに期待していいんだろうね？さあ、いってくれ。イエス？　ノー？」

「イエス！」

と、七人が、口を揃えて叫んだ。

「ありがとう！　ありがとう！」

野見山が、声をふるわせた。十津川が見ると、野見山の眼に、涙があふれていた。

「日宝コンツェルンからの寄附によって、私たちは、北海道の原野に、かねて希望していた神の王国のための土地を買うことが出来る。だが、その土地に、人々のために、住む家を建てなければならない。そこで、私は、次の目標として、中央商事を選んだのだ。ここから寄附を受けるためには、君たちの自己犠牲が必要だ。金子君たちの死を無駄にしないためにも、ここで、立ち止まることは許されないのだ。彼等に、続いてくれるかね？　どうだね？　イエスかノーか、答えてくれ」

「イエス！」

と、七人の男女が、興奮した調子で叫んだ。

「ありがとう！」

野見山が、また、感動の声をあげた。

「次の日曜日、五月十三日に、私たちは、中央商事に対して、一回目のあいさつを送ることにしよう。死をかけたあいさつだ。きっと、私たちの行動は、また、社会に強烈な衝撃を与える筈だ。その衝撃は、死によってしか生れはしない。やってくれるだろうね？　君たちがいやならば、私がやる」

「やります！」

と、小林が、顔を赧く染めて、甲高い声をあげた。

他の六人が、一斉に拍手をした。その拍手は、いつまでも続いた。まるで、拍手をやめてしまうと、悪いことでも起きるのではないかと、恐れているみたいな手の叩き方だった。

「ちょっと待ってくれ！」

十津川は、声を出した。

「あなたに発言する資格はない」と、野見山がいった。

「もし、あなたも、神の王国を築くために、自分を犠牲にする覚悟があるのなら、話は別だが――」

「まあ、聞きたまえ」

十津川は、立ち上って、七人の若者たちの顔を見廻した。

野見山に話しかけたいのではなく、十津川は、彼の弟子たちに、いいたいことがあった。

「君たちが、欺されているとはいわない。立派に、自分の意志を持った人間だと思うからだ。ただ、私には、君たちの行動に対して、いくつかの疑問がある。だから、その疑問に対して、答えて貰いたいんだ」

「ファザー。こんな人間に、喋らせておいて、いいんですか？」

小林が、十津川を睨みつけるようにして、とがった声を出した。他の若者たちの眼も、非難の色を見せている。

しかし、野見山は、意外にも、小林に向って、手で制するようにしてから、

「私たちの信頼感は、こんな男の言葉で崩れるようなものではない。そうじゃないかね？」

と、若者たちにいった。

「その通りです。ファザー」

彼等が、声を揃えていう。

野見山は、満足気に肯いて、十津川を見た。

「何か質問したいのなら、してみたまえ」

「構わないのかね？」

十津川は、ちょっと、はぐらかされた感じで、野見山を見、若者たちを見た。当然、拒否されると覚悟していたからだった。

そんな十津川を、野見山は、からかうような眼で見た。

「何をまごついているのかね？　疑問があるのなら、どんどんいってみたまえ。多分、疑問というのは、私が魔法使か何かで、若者たちに催眠術でもかけて、自殺させているのじゃないかといった類の疑問だろうがね」

野見山が、そういうと、弟子たちの中で、一番若く見える少女が、突然、声を出して笑った。はじけるような笑い方だった。どこにも暗いかげが感じられないその笑い方に、十津川は、かえって、ぞっとするものを感じた。
十七、八歳の眼の大きな少女だった。この少女も、第一、第二の事件の男女のように、微笑を浮べながら、自殺できるのだろうか？
「阿部浩のことを話したい」

と、十津川は、いった。

12

「われわれを裏切ったユダのことには興味がない！」

小林が叫んだ。

他の六人も、肯いた。

十津川は、じっと、小林を見た。

七人の中で、一番、声高く叫んでいるのが、小林だった。それだけ、逆に、この青年は、自信がぐらついているのではないだろうか。自信のない人間ほど、攻撃的になるということがある。

「四人目に、『スペース７９』の中で焼死した女性は、妊娠中絶をしていた。それも、最近にだ。つまり、このグループの中で、誰かの子を宿し、それを知られるのを恐れて、堕ろしたのだと思う。小林君にそれを話したところ、血相を変えて、入院中の病院を脱走した。恐らく、ここへ来て、みんなに話したんだろう。さっきから聞いていると、ここは、素晴らしい場所のように聞こえるが、本当は、どろどろした男女のセックスがある場所なんだ。繊細な神経を持った阿部浩は、絶望してここを飛び出し、自殺を図った。彼は、ユダなんかではなく、もっとも、自分に正直な人間だということだ」

十津川が、そこまでいうと、小林がさえぎるように、

「その話は、もう解決している！」

と、叫んだ。

「どう解決しているのかね？」

「風見冴子は、ここに来る前に、つまらない男と関係して妊娠し、中絶したんだ。そんな生き方への反省があったからこそ、進んで、四番目の戦いに、自分を投げ出したんだ」

「風見冴子さんというのか――」

「だから、もう、彼女の問題は解決している。死者、それも、神の王国を作るために生命を投げ出した人を、冒瀆するようなことはすべきじゃない。特に、あんたのような部外者がだ」

「君が、ああいわせているのかね？」

と、十津川は、野見山を見た。

野見山は、笑って、

「今のは、小林君の考えだ。そして、ここのコミュニティ全体の意見だ。あなたには気の毒だがね」

「私は、死者を鞭打つ積りはない」と、十津川は、若者たちにいった。

「彼女を妊娠させ、その秘密を知られるのを恐れて堕ろさせて、知らん顔をしている卑劣な男のことを問題にしているんだ」

「ここの人間でないことを、なぜ、ここで問題にするんだ？」

小林が、嚙みつくような顔でいった。

十津川は、彼を無視して、眼の大きな少女に向って、

「君の意見を聞きたいね」

と、声をかけた。

少女の眼が、一層大きくなった。

「私たちは、神聖な心の世界で結ばれているんです。神の王国が築かれたときには、全てが許されますが、今は、セックスを考えることも、セックスを伴った交際も許されません」

「なぜかな？　なぜ、許されないのかね？」

「もし、そんなことをすれば、団結が乱れますし、私たちを裏切ったユダのように逃げ出すかも知れませんし、今のあなたのように、外から、いわれのない攻撃を受けるかも知れないからです」

少女は、大きな眼で、十津川を、まっすぐに見つめていった。

自分の考えに、何の疑いも持っていない眼だった。

「君も、神の王国を作るために、自分を犠牲にする気でいるのかね？」

十津川は、少女にきいた。

「はい」

「怖くはないのかね？」

「私は、二年前に、自殺に失敗したことがあるんです。あの時は、何もかも嫌になって、意味もなく死にたかったんです。それが、今は、神の王国を作るという大きな目的のために、死ぬこと

が出来るんです。なぜ、怖がらなくちゃいけないんでしょう？」

「君は、まだ十七、八だろう？」

「ええ」

「君には、何十年という長い未来がある。その間には、好きな男性も出来るだろうし、子供を作ることもあるだろう。そんな楽しい未来を捨ててしまうのかね？」

「神の王国が出来てからなら、私は、何年も長生きしたいと思います。そこでは、全てが自由で、平等で、平和だからです。でも、今は、違います。私の両親は、お互を傷つけ合って生きています。憎み合っているんです。あんな生き方をしていて、長く生きることに何の意味があるんでしょう？　私は、自分を犠牲にしても、それによって、神の王国が出来て、私の代りに、私みたいな若い女の子が、幸福に暮らせたら、それで満足なんです。怖いどころか、自分を犠牲にすることを誇らしく思います」

少女が、いい終ると、若者たちは、一斉に拍手をした。

野見山も、拍手している。

「しかしだね――」

と、十津川が、いいかけると、それを打ち消すような勢いで、拍手が強くなった。なおも、彼が発言しようとすると、若者たちは、また、猛烈な勢いで拍手をした。

十津川は、仕方なしに、肩をすくめた。

13

彼等が、攻撃的なのは、多分、彼等の持っている弱さをかくそうとしているからだろう。十津川は、そう思った。

ここを脱け出した阿部浩を、自分たちを裏切った「ユダ」と決めつけてしまうことにも、それは、現われている。

眼の大きな少女は、彼女のいう通りを信じているのだろう。彼女の眼に、疑問も、戸惑いもない。

しかし、他の六人の男女の眼の全てに、確信の色があるわけではなかった。少くとも、十津川は、そう思った。誰だって、死ぬことは、怖いに違いない。そうでなければ、人間ではないだろう。

「では、そろそろ、食事にしようか」

野見山が、勝ち誇ったようにいい、十津川に向って、

「あなたも、一緒に食事をしたらいい。そうすれば、私たちのことが、もっとよく理解できる筈だし、私たちの周囲をうろつくことの愚さもわかってくると思うね」

「いいだろう。ご馳走になろう」

と、十津川は、いった。

畳を敷きつめた食堂に、テーブルが並べられた。

簡単な食事だった。野菜をいためたものと、牛乳と、パンだけの夕食である。

野見山が、神に感謝する祈りを口にしたあと、食事が始まった。

「こうした食事代は、どこから出ているんだ？　やはり、日宝コンツェルンの寄附かね？」

十津川が、右隣りに座った野見山にきくと、

「全員が、そのために働いている。小林君は、運転手として働いたし、他の者も、それぞれに働いている。北海道にわれわれの王国が出来たら、そこでは、食料も、全て、自給自足になる筈だ」

「風見冴子が堕ろした子供は、君の子じゃなかったのか？」

十津川は、わざと、何気ない調子できいた。

野見山が、眉を寄せた。同時に、十津川の左隣りに座っている小林が、息をひそめたのもわかった。

「何だって？」

と、野見山が、きき返した。

「君は、ここでは、キングだ。独裁者だ。弟子たちを死に追いやることも出来るし、女を自由にすることだって可能だ。いや、ここで、君だけが、それが出来たといった方がいいだろう。そうなると、風見冴子が堕ろした子供は、君の子供としか考えようがないじゃないか。君は、風見冴子に、妊娠したことを打ち明けられて、あわてたんだ。そんなことがわかったら、ファザーと呼

ばれている君の地位が、ぐらつくからな。それで、内密で、中絶させた」

「そんな馬鹿げたことしか考えられないのかね？」

「だが、事実だろう。だからこそ、阿部浩は絶望したんだ」

「風見冴子の件は、解決している。彼女は、外の世界で、男と関係し、中絶した。そのことは、私に、懺悔していたよ」

「その証拠はあるのかね？」

「神に向って懺悔するのに、証拠などというものは、必要ないんだよ」

「しかし――」

と、十津川は、いいかけた時、急に、口がもつれるのを感じた。手足も、しびれてくる。

(牛乳に薬を入れたな)

と、思ったが、他の者は、平気で、食事を続けている。とすると、薬は、牛乳に入れたのではなく、カップに塗りつけてあったのだろう。

十津川の身体が、前にのめった。

北の原野

1

十津川警部が、どこかへ消えてしまった。

いや、この言葉は、正確ではない。十津川が、どこへ出かけたかはわかっていたから、そこから、どこへ移ったかが問題なのだ。

亀井は、板橋署の大杉刑事と、野見山たちの住居を訪ねて行った。

「家宅捜査の令状を貰って行った方がいいんじゃないか？」

大杉が、眼鏡を光らせながら、亀井にきいた。

「そんな時間はない」と、亀井がいった。

「もし、彼等が家の中を見せなかったら、おれは、拳銃をぶっ放したって、調べてやる」

その結果、警察をやめることになってもかまわないと、亀井は、思っている。なぜなら、自分が行方不明になれば、十津川も、同じことをしてくれるだろうという確信があったからだった。

野見山たちは、朝の祈りをしているといい、亀井たちは、食堂で、しばらく待たされた。

「警部は、いないようだな」

大杉は、食堂の中を見廻しながら、呟やいた。

「まだ、わからんよ」

と、亀井がいったとき、純白のローブ姿の野見山が、微笑を浮べながら、部屋に入って来た。

「あなたに、ききたいことがある」

亀井が、気負って、相手に声をかけると、野見山は、軽くいなすように、

「私の部屋に行きませんか。ここでは、これから、弟子たちが食事をしますから」

「われわれがききたいのはだな」

「何のご用でしょうか？」

野見山が、そういいながら、さっさと、廊下へ出てしまったので、亀井と大杉も、仕方なくそのあとについて行った。

野見山は、「主の部屋」に入ると、二人の刑事に煙草をすすめた。

亀井は、いらないと断ってから、

「昨日、十津川警部が、ここへ来た筈なんだがね」

「見えましたよ。食堂、集会場、住居と、全て、見ていかれましたね」

「今、どこにいます？」

と、大杉が、眼鏡を、手で押さえるようにして、きいた。

「もちろん、帰られましたよ」

野見山が、微笑した。

亀井は、焦燥にかられるのを、努めて、抑えるようにしながら、

「それが、帰っていないんだ。ここで、警部は、あなたと、どんな話をしたんです？」

「いろいろなことを話し合いましたよ。神について、人間の死について、そして、私たちが、これから、作ろうとしている神の王国についてですよ」

と、野見山は、遠くを見るような眼をして、

「十津川さんは、こんな風にいいましたよ。毎日のように殺人事件を追いかけていると、かえって、死について考えなくなってしまう。ここに来て、初めて、まともに、死について考えたと。死について考えるということは、即ち、神について考えるということです。話し合っているうちに、彼も、私たちの考えに共鳴されたようでしたね。だから、帰るとき、こう申しあげた。私たちと一緒に、神の王国を作ろうと考えられたら、いつでも、来て下さいと。だから、私は、十津川さんが、また来て下さるのを、待っているのですがね」

「神の王国というのは、自殺を奨励するところなんですか？」

皮肉をこめて、大杉がいうと、野見山は、強く頭を振って、

「それは、間違いです。神の王国が作られた場合、そこにあるのは、生の喜びでなければなりません。楽園でなければならない。神が支配するのですから、そこにいる人間は、全て平等で、争いのない世界です。ただ、神の王国を作るために、今、尊い生命が、犠牲にされているのですよ。私の弟子たちは、喜んで、自分の身を犠牲にしている。本当に嬉しいと思っていますよ。昔も、

十二使徒が、自分を犠牲にした。それと同じことです」

野見山は、また、遠くを見る眼つきをした。

(この男は、言葉どおりに信じ込んでいるのだろうか)

と、亀井は、思いながら、

「警部は、どこに行ったんです？」

「さっきもいったように、帰られましたよ」

「他の部屋を見せて貰えますか？」

「私たちが、十津川さんを監禁しているとでも、お考えですか？」

「とにかく、見せて貰えますか？」

「いいでしょう。皆さんにも、私たちのことを理解して頂きたいですからね。ご案内しますよ」

野見山は、ゆっくり立ち上った。

食堂では、五人の男女が、簡素な朝食をとっていた。

「あなたの弟子は、ここの五人だけですか？」と、大杉がきいた。

「十二使徒ならば、あと二人いる筈でしょう」

「その通りです」

「あとの二人は、どこにいるんですか？」

「働きに出ています」

「日宝コンツェルンから、多額の寄附があったんじゃありませんか？」

「ありましたが、あれは、私たちの念願である神の王国を作るためのものです。たとえ一円でも、無駄には使えません」

亀井と大杉は、押入れの中も調べた。浴室も、のぞいた。

次の集会場と、住居も、念入りに調べた。

しかし、十津川の姿は、どこにもなかった。

「これで、私の言葉を信じて頂けましたか？」

と、野見山が、微笑しながらきいた。

二人の刑事は、黙っていた。亀井も、大杉も、相手の言葉を信じてはいなかった。

2

目覚めたのに、十津川の意識は、まだ、もうろうとしていた。

しっかりと、眼を見開こうとするのだが、周囲の景色が、ゆれ動いて、定まらない。吐き気がして、力が入らない。

(何を飲ませやがったのか？)

と、考えているうちに、自分が腰を下している床が、小きざみにゆれ動いているのに気がついた。

少しずつだが、次第に、意識がはっきりしてくる。

どこかの部屋と思ったのは、大型トラックの荷物室の中なのだ。両手と両足に手錠が食い込んでいて動かすことが出来ない。

エンジンの唸り(うな)が聞こえてくる。時々、すれ違う車の音がする。

ふと、積み込んである荷物の向うから、人影が現われて、十津川の前に腰を下した。

淡い明りの下で、それが、小林昌彦だとわかった。

「どこへ連れて行くんだ?」

と、十津川は、きいた。薬のせいか、まるで、自分の声でないみたいに、遠く聞こえる。吐き気は、相変らず続いていた。

「気分が悪くはありませんか?」

小林は、意外に優しい声でき返してきた。

「良いわけがないだろう」

「寄りかかっているといいですよ」

「何を飲ませたんだ?」

「死ぬような薬じゃありません」

「どこへ行くのか、まだ教えてくれていないよ」

「今、東北縦貫道を北へ向っています」

「なるほどね。北海道へ行くのか?」

「そうです。父(ファザー)が、あなたに、神の王国に予定されている土地を見せてあげるようにいわれたのです」

「手錠をかけて連れて行くとは、念の入ったことだな」

「仕方がありません。われわれは、警察に、神の王国建設を邪魔されたくなかったのです」

「まともな手段で建設しようとしているのなら、警察は、別に邪魔はしないよ。だが、君たちのやり方は、どこか不自然だ」

「どこが、不自然なんです？」

小林の声が、急に甲高くなった。この若者は、なぜ、こう、神経質なのだろうか。

「日宝コンツェルンから、五億円の寄附を出させるために、四人の若者が死んでいる。そして、もう一人が、病院に入っている」

「われわれを裏切ったユダの話はしたくありませんね」

と、小林は、眉をひそめてから、

「他の四人は、神の王国を作るために、自分を犠牲にしたんです。私だって、喜んで、自分を犠牲にする決心は出来ている。意味のある死を選べることこそ、人間であることの証明ですからね」

「野見山が、そういったのかね？」

「私たちは、一心同体なのだ。それに、自らの命を絶つことが、法律に触れるとは思いませんね」

「そりゃあ、法律には触れないだろう」と、十津川は、背中を荷物にもたせかけた。

「だが、君たちは、死によって、一つの企業を脅迫した。脅迫であることに違いはない」

「向うが、私たちの考えに賛同して、寄附してくれた。それが、なぜ脅迫になるのか、私には、理解できませんね」

「それも、野見山の意見かね？」

「そういういい方は、気にいりませんね」

「そうかね。君たちを見ていると、まるで、野見山にあやつられている人形のように見えて仕方がないんだ。君は、女を愛したことがないのか？」

「なぜ、そんなことをきくんだ？」

「焼死した風見冴子が、ごく最近、子供を堕ろしたと教えたとき、君は、顔色をかえて、病院から逃げた。君は、彼女が好きだったんじゃないのか？」

「私たちの間で、愛だとか恋だとかは、余分なことなんだ。そんなものに時間をかけている閑はないんだ。急いで、神の王国を作らなければならないからですよ。周囲をよく見てご覧なさい。公害で自然は失われ、人々の心は荒んでいます。自然も、人間も病んでいるんです。しかも、その病気は、どんどん進行しているんです。警察で殺人事件を追っかけているあなたなら、人間の心の荒廃の方はよくおわかりでしょう。毎日のように殺人が行われています。麻薬、売春も日常茶飯事じゃありませんか。母親は、子供を捨てて蒸発する。政治家は、ワイロをとって平然としている。しかも、日本人は、本当の信仰を忘れて享楽だけを追い求めている。イエス・キリストが現われ、十二人の使徒が自分を犠牲にして、神の王国を求めた時と、よく似ているのです。一刻も早く、神の王国を作らなければならないという私たちの気持は、わかるでしょう？」

小林は、同意を求めるように、じっと、十津川を見つめた。

「私にわかって貰いたいのかね？」

「わかって頂きたいですね」

「こんな手錠を、足にまではめて、わかってくれというのは、おかしいんじゃないか？」

十津川は、両手を、小林の眼の前に突き出した。

「あなたが、私たちの行動に賛成して下さって、邪魔はしないと確約して下されば、こんな真似はしません。父（ファザー）だって同じです。何よりも、父（ファザー）は、神の王国の建設を第一に考えていらっしゃるんです。そのためには、あらゆる犠牲を払ってもいい、邪魔するものは、排除しなければならないと考えていらっしゃるんです」

「つまり、目ざわりな私を殺すということかね？　北海道へ運んで行って」

「そんなことはしません。ただ、邪魔はして頂きたくない、そのための措置をとる。それだけのことです」

「それを聞いて安心したが、まだ、君の答を聞いていないよ」

「何のことです？」

「風見冴子のことだよ」

「彼女のことは、もう答えましたよ」

「彼女が、君たちのグループに入ったのは、いつなんだ？」

「一年前です。それがどうかしたんですか?」

「じゃあ、妊娠したのも、中絶したのも、君たちのグループに入ってからということになる。相手は君か?」

「彼女は、時々、外出していたから、内部の人間とは限らない。私たちは、神の王国を一刻も早く作らなければならないんです」

「そうだったな。愛だの恋だのといっている閑はなかったんだったね」

「そうですよ」

「他の者もそうかね?」

「みんな気持は同じです。ユダの阿部浩は別ですが」

「共同生活では、お互の眼が光っているから、あそこにいる限り何も出来ないだろうな。阿部浩だって同じ筈だ。ただ、野見山だけは別だ。彼は、君たちの中で絶対的な権力を持っているし、自分だけの部屋も持っている。彼女の方だって、野見山に誘われれば、いやとはいえないだろう。何しろ、彼は、絶対者なんだからな。風見冴子は、野見山の子供を宿したんじゃないのか?」

十津川がいうと、小林の眼に、強い怯えの色が走った。まるで、自分が張本人だと指摘されたような顔だった。

「そんな筈はない! 何をいうんだ!」

小林は、十津川を睨みつけた。しかし、声の大きさが、狼狽の大きさを示しているように、十津川には思えてならなかった。

「君だって、ひょっとすると、野見山が張本人かも知れないと思ったんじゃないのか？　だから、君は、妊娠の話を聞いて顔色を変え、病院を飛び出して行ったんだ。そして、野見山を問い詰めたんじゃないのかね？　君たちの父をだ」

「あれは、ユダがやったことだ」

「阿部浩？」

「あいつは、身体が弱いので、父にもっとも可愛がられていた。それをいいことに、風見冴子を犯して、知らん顔をしていた。卑怯者なんだ。あのユダと全く同じさ。だからこそ、彼女のことがバレたと知ると、逃げ出したんだ。ユダが逃げ出したように」

「私には、そうは思えないね。君自身、前には違うことをいっている」

十津川は、小林の顔を、じっと見すえたまま、いった。

「じゃあ、どう思うんです？」

「阿部浩も、犯人は野見山だと思ったんだ。彼は、深く傷ついて、絶望して、あのグループから逃げ出したんだ。そのことは、君にだって、わかっているんじゃないのか？」

「――――」

「わかっていないまでも、そうじゃないかという疑いを持っているんじゃないのか？」

問い詰めるように、十津川がいったとき、車が急に停って、運転席から、男が、箱の方へ入って来た。

名前は知らないが、野見山のところで見た青年だった。

「これから、青函連絡船に乗るぞ」

と、その青年は、小林にいってから、今度は、十津川に向って、

「船の中で騒がれては困るので、もう一度、眠っていて頂きます」

「何をするんだ？」

「注射をするだけです。別に、殺しはしないから安心して下さい」

青年は、冷静な口調でいい、運転席から持って来た注射器を取りあげた。

十津川の身体が押さえつけられ、上衣の袖がまくりあげられて、注射器の鋭い針が突きささった。

3

亀井と大杉は、阿部浩が入院している千歳烏山の三田外科病院を訪ねた。

野見山たちの協力を期待することが難しい以上、亀井が頼りに出来るのは、阿部だけだったからである。

阿部が、十津川の居場所を知っているとは思えない。十津川が消えたのは、阿部が入院したあとだからだ。

しかし、彼が、野見山や、そのグループのことで、何か喋ってくれれば、それが、十津川を探し出す手がかりになるかも知れなかった。

まず、亀井たちは、担当の医師に会った。

「身体は、もう大丈夫です。一カ月も入院していたら、元気で退院できますよ」

と、医師は、二人にいった。

「身体はというのは、精神的に参ってしまっているということですか？」

亀井が、きいた。

「そうですね。自殺しようとした理由をきいてみたんですが、まるで、言葉を失ってしまったみたいに黙りこくっているんです。相当強いショックを受けたものと思いますね」

「記憶喪失ということはありませんか？」

「そういうことではないと思っています。むしろ、逆に嫌な記憶を振り払おうとしているんじゃありませんか。こちらが、彼の過去に触れようとすると、強い拒否の姿勢を示しますから」

「じゃあ、何もわからずですか？　なぜ、仲間のところから逃げ出して来たかも」

「何もいいませんからね」

「話をして構いませんか？」

「どうぞ」

亀井と大杉は、医師に案内されて、阿部の入っている病室に向った。

阿部は、ベッドの上に起き上って、ぼんやりと、窓の外を眺めていた。

顔は、相変らず青白く、不精ひげも伸びているので、意識不明で横たわっていた時よりも、なお一層、痩せてしまったように見える。

亀井は、ベッドの横に腰を下すと、

「煙草でもどうだね」

と、セブンスターをすすめた。

阿部は、黙って、煙草をつまんだ。ライターで、火をつけてやってから、

「今、一人の人間が、危険にさらされているんだ」

と、話しかけた。

阿部は、無表情に、煙草を吸っている。

「十津川という警部だ。君たちが住んでいるところへ出かけて行ったまま、帰って来ない。ひょっとすると、野見山が、殺してしまったのかも知れない」

「――――」

「野見山は、君も、見つけ次第、殺してやるといっていたよ。自分たちの秘密を喋られるのが怖いからだ」

亀井は、嘘をつき、相手の反応を見たが、阿部の表情に変化はなかった。

「君だって、人が死ぬのは嫌だろう？」

その言葉で、阿部の眼が動いた。

「やっぱりだね。自分もだが、他人だって、殺されるのは嫌なものだ。私たちは、十津川警部を助けたいんだ。それは、野見山や、君たちのためにもだよ。君たちの仲間は、何人か自殺した。しかし、今度は、人殺しをしようとしているんだ。それを食い止めたいんだ。どうだね。私たち

に協力してくれないか」

「――――」

返事はない。が、阿部の眼が、しきりに動いている。心が動揺している証拠だった。

「一人の人間の命を助けて貰いたいんだ」

と、亀井はいった。

無意識に、彼は、阿部に向って、頭を下げていた。

阿部は、当惑した顔で、黙っている。

亀井は、じっと、相手の返事を待った。

何分たっただろうか。横にいた大杉が、何かいいかけるのを、亀井が、手で制した。

さらに、数分が過ぎた。

阿部が、重い沈黙に耐えかねたように、小さく、咳払い（せきばらい）をした。

「何をしろというんですか？」と、阿部がいった。

「僕には、何も出来やしませんよ」

「話してくれるだけでいいんだ」

「話したくないんです。何にも」

「しかし、君が協力してくれないと、人が一人死ぬことになるんだよ」

「父（ファザー）は、人を殺したりはしませんよ」

と、阿部はいった。が、その声は、ひどく弱々しかった。

「果して、そういい切れるのかね？」

亀井は、食い下った。明らかに、この青年は、野見山に対する信頼を失ってしまっている。それを知られまいとして、必死になっている感じだ。だが、なぜ、野見山に対する信頼を失ったのだろう？　他の者たちは、相変らず、野見山と一緒にいて、彼を信頼しているように見えるのに。

(この青年は、何か、野見山の秘密を知ってしまったのではないだろうか？)

阿部は、また、黙ってしまった。が、その沈黙は、言葉よりも明確に、一つのことを語っていた。つまり、阿部は、野見山を信じられなくなったといっているのだ。野見山が、十津川を殺すかも知れないといっているのだ。

「警部が、殺されてしまってからでは、遅いんだよ」

と、亀井は、相手の顔を、のぞき込むように見た。

「君たちは、神の王国を、どこに作るつもりなのかね？」

横から、大杉がきいた。

「北海道です」

「北海道のどこだね？」

「千歳空港の近くに土地を買うのだと聞いていましたが、くわしい場所は知りません」

それだけいうと、阿部は、疲れたように眼を閉じて、

「これ以上は、いえません。勘弁して下さい」

「いいとも。助かったよ」

亀井は、頭を下げ、大杉を促して、病室を出た。

「北海道へ行くつもりかね？」

病院を出たところで、大杉がきいた。

「ああ。これから、行ってみる。向うで聞けば、彼等が買った土地はわかるだろう」

「阿部がいったことだがね」

「ああ」

「彼は、父（ファザー）は人を殺したりはしないといい、君が、果して、そういい切れるかと反問した。その時、彼は、明らかに狼狽の色を見せたよ」

「ああ、おれにもわかったよ」

「なぜ、彼は、野見山が信じられなくなったんだろう、と、それを考えていたんだ。死をもいとわないほど、野見山に傾倒していた筈なのにね」

「それで、答は？」

「二つ考えてみた。一つは、女のことだ。妊娠中絶していた女のことだよ。もう一つは、彼等は、殺四人死んでいる。全てが、抗議の自殺ということになっているが、ひょっとすると、あれは、殺人ではないのか。いや、四人全部がというんじゃない。一人か二人、殺されたやつもいるんじゃないか。阿部は、それを知って絶望したんじゃないかとね」

「おれは、すぐ発（た）つが、君は、もう一度、阿部に会って、それを確めてくれ」

4

冷気が車内に入り込んで来たのを、十津川は覚えている。

空気が冷えてきたのは、北海道に渡ったからなのか、夜に入ったからなのか、その時、意識がもうろうとしている十津川には、わからなかった。

前よりも、一層、気分が悪くなっていた。

床に横たわったまま、起きあがる気になれない。頭が痛く、やたらに吐き気がする。

小林の姿はなかった。十津川が逃げられないものと決めて、二人とも、運転席にいるのかも知れない。

十津川をのせたトラックは、フルスピードで走っているらしく、揺れが激しい。吐き気がひどくなり、十津川は、止むを得ず、起きあがって、吐いた。

どの辺を走っているのか、全くわからなかった。

青函連絡船に乗り込む前に、薬を注射されたのだから、北海道の大地を走っていることだけは確かだが、北海道のどの辺りかが、見当がつかない。

何時間眠ったのかもわからない。腕時計はとられていなかったが、暗くて、読み取れないのだ。

両手首が痛い。赤くはれあがっているのだろうが、暗くて、それもわからなかった。

殺されるかも知れないという恐怖は感じなかった。殺すつもりなら、こんな面倒なことをして、わざわざ、北海道へ連れて行ったりはしないだろうと思ったからである。

邪魔だから、北海道のどこかへ監禁しておくつもりなのだろう。

時々、車が停まる。信号で停まるのだろうが、身体が思うように動かず、逃げ出せそうになかった。

また、車が停まった。

今度は、なかなか動き出さない。ふいに、後方の扉の開く音がして、淡い電灯の明りが射し込んできた。

荷物が、まずおろされ、ぽっかりと開いた空間から、小林が顔をのぞかせた。

「おりて下さい」

と、小林がいった。

「足にはめた手錠を外してくれなきゃ、歩けないな」

十津川は、文句をいった。相変らず、自分の声でないみたいだ。

「逃げないと約束して下さい」

「頭がふらついて、逃げられやしないよ。まるで、身体の中が、薬漬けになったみたいな気分だ」

「すぐ治りますよ」

小林は、十津川の足首にはめた手錠を外した。

十津川は、ふらつく足で、トラックからおりた。

さわやかな夜気が、十津川を押し包んだ。

見上げると、頭上一杯に、星がまたたいている。

十津川は、思わず深呼吸してから、周囲を見廻した。

見渡す限りの原野だった。ところどころに、黒々と、林が浮んで見える。

眼の前に、山小屋風の家があり、小林は、そこへ、十津川を連れて行った。

小林が、石油ランプに灯を入れた。昔、猟師が使っていたような感じの小屋である。大きな囲炉裏が切ってあり、部屋の隅には、薪が積んであった。

「寒ければ、火を入れますよ」

と、小林がいった。

「いや。いい。ここが、神の王国を作るために、君たちが買い入れた土地なのかね？」

「そうです。その土地に、前から建っていた小屋です」

小林がいったとき、もう一人の青年が、ダンボールの箱を抱えて入って来た。その箱の中から、食料を取り出した。

「お腹がすいたでしょう」

と、菓子パンと、鑵入りのジュースを、十津川に渡した。

十津川は、手錠をはめられた手で、それを受け取りながら、

「吐き気がして、食欲がわいて来ないね」

「すぐよくなりますよ」

「君の名前を教えて貰いたいな。何と呼べばいいのかね?」

「立花賢一郎です」

と、青年は、いった。二十二、三歳ぐらいだろう。ひどくきまじめな顔をしているのは、小林とよく似ている。

十津川は、菓子パンと罐入りジュースを横に置いて、

「君たちは、これからどうするんだ?」

「ここに、神の王国を作ります」

立花は、眼を輝やかせていった。

「しかし、野見山は、まだ、何人かを自殺させるといっていたじゃないか」

「土地は手に入れましたが、その他にも、資金が必要だからです。そのためには、私たちは、喜んで、自分を犠牲にするつもりですよ」

「死骸の上に、理想の王国が作れると思っているのかね?」

「昔十二使徒は、自分を犠牲にしています。彼等が、命を惜しんでいたら、今のキリスト教はなかった筈です」

「しかし、あの時、イエス自身、磔にかかっている。野見山はどうなのかね? 弟子たちを死なせて、自分は、何もせずにいるんじゃないのか?」

「そんなことはありませんよ!」

小林が、強い声でいった。顔が紅潮していた。心外なことをいわれて怒ったのか、それとも、

彼自身、疑問に思っていることを指摘されて怒ったのだろうか。

「父(ファザー)は、いつ自分が犠牲になってもいいと、いつもいわれていますよ」

立花が、落着いた声でいった。この青年は、野見山を信じ切っているようだった。その点、小林の方は、気持がぐらついていて、そのために、やたらに声をとがらせ、攻撃的になるのだろうか。

「彼のその言葉を信じているのかね？」

「信じています」と、立花はいった。

「だから、あの人のためなら、私は、何でもするし、何でも出来ると思っています。あの方が、殺せと命令すれば、私は、平気で、あなたを殺すことが出来ますよ」

立花は、別に興奮するでもなく、たんたんといった。

その冷静さが、十津川には怖かった。これは、一つの狂気ではないだろうか。しかも、自分の狂気に気がついていないだけに、始末が悪いなと、十津川は思った。

「ここは、北海道のどの辺りなのかね？」

十津川は、二人の青年のどちらにともなくきいた。

「そのうちにわかります」

と、小林が答えたとき、頭上で、ジェット機のエンジン音がひびいた。あまり高度はない感じで、五、六分で消えていった。

十津川は、手錠をかけられた左手の腕時計を見た。

午後十時を少し回ったところだった。東京から札幌への最終便は、確か、午後十時頃、千歳へ着く筈だった。

「空港から、あまり遠くないようだね」

と、十津川は、反応を見るように、二人を見た。二人とも黙っていたが、ふと、立花が微笑して、

「あまり遠くないといっても、ここは北海道ですよ。歩いて逃げるのは無理ですね」

「なるほどね。ところで、君たちのいう神の王国には、いったい誰が住むのかね？」

「それにふさわしい人々が住む筈です。といっても、別に難しい条件があるわけじゃありません。ただ、神の王国の存在を信じて、ここへ来ればいいのです。疑いを持つ人は、入れませんが」

「つまり、野見山を父（ファザー）とあがめる人ということなんだろう？」

「その通りです。何かを信じられるということは、幸福ですよ。今の人たちの不幸の一つは、何も信じられないということですからね。すでに、私たちの考えに賛成して、ここに住みたいといってくる人たちが、何人もいるのです。やがて、ここに、理想の楽園が生れるんです。その礎となるのなら、私は、喜んで死ねますよ」

立花は、きらきら眼を光らせて、いった——

あれから何時間たったんだろう。

5

亀井は、日航五二七便（最終便）で、夜の千歳空港に着いた。定刻より十二分おくれて、腕時計は、午後十時を回っていた。

三百人乗りのジャンボ機は、満席だった。考えてみれば、今日は土曜日なのだ。

あらかじめ電話で連絡してあったので、空港には、北海道警察本部の荒木刑事が、迎えに来てくれていた。

四十歳ぐらいで、北海道の大地を思わせるように、骨太な、がっしりした体格の刑事である。

荒木は、あいさつをすませると、

「電話でおききになっていた件ですが」

と、車に案内しながら、切り出した。

「ありましたか？」

「五日前に、ここから六十キロばかり離れた土地を、十万坪買った人間がいます。東京の人間で、野見山という名前と聞きました」

「そいつだ」

と、亀井は、思わず、大声になった。

「支払った金額は五億円前後といわれていますが、正確なところは、わかりません」

「坪五千円ですか。北海道は、やはり土地が安いですね」

と、亀井が感心すると、荒木は、首を横に振って、

「北海道でも、驚くほど土地は値上りしました。内地の不動産屋が、どんどん買い占めますんでね。ただ、野見山が買った場所は、荒地で、戦後、内地から入植者が何家族か入ったんですが、辛うじてじゃがいもが出来るだけで、一年前に、最後の一家族が、引越してしまったんです」

「これから、そこへ案内して頂けますか？」

「幸い月明りですから、ご案内しましょう」

荒木は、空港の外にとめておいた車に、亀井を乗せると、自分が運転して、走り出した。

千歳空港から札幌まで、高速道路が走っている。その両側は、さすがに北海道だけあって、広大な大地や、原生林が広がっている。

青白い月明りの下に、黒々と大地が広がっているのは、素晴らしい眺めだった。

ところが、その素晴らしい眺めを破るのが、ふいに視野の中に現われてくるラブ・ホテルのけばけばしいネオンである。それも、「ホテル・ベルサイユ」などという名前なので、一層、しらける感じだった。

運転している荒木は、苦笑しながら、「困ったものです」と、小声でいった。

三十分ほど走ってから、車は、高速道路を離れた。

舗装道路が消え、急に、車がゆれ始めた。

亀井は、あわてて、助手席の前にあるダッシュボードにつかまった。

山が迫ってくる。人家は、全く見られない。

更に、四十分近く、山道を走ったところで、山ふところの盆地に着いた。

「ここです」

と、荒木がいった。

眼の前に、屋根が傾き、住む主を失った廃屋があった。

じゃがいもを植えていたであろう畠には、今は、雑草が生い茂っていた。

「こんな家が、十二、三軒あります」

と、荒木がいった。一つの廃村を、野見山が買ったのだという。

亀井は、しゃがみ込んで、足元の土を指でつまみあげた。東北の農村に生れた亀井は、指先で、土の良し悪しがわかる。ここは、いわゆる火山灰地で、土は痩せている。入植者が、三十年の苦汁の末に、逃げ出して行ったのもわかるような気がした。今の農村で、米がとれないことは致命傷だし、ここでは、畜産も難しいだろう。

(野見山たちは、こんなところに、神の王国を作ろうとしているのだろうか？)

「電気は来ていないんですか？」

「去年、やっと電気が引けたんですが、皮肉なことに、その時に、最後の一軒が引越して行ったんですよ」

「村全体を見てみたいんですが」

「じゃあ、車に乗って下さい」

二人は、また車に戻り、雑草の生い茂った荒野に踏み込んだ。

月明りの中に、廃屋が点在している。亀井は、いちいち車からおり、傾いた家の中に踏み込んでみた。十津川が、監禁されているかも知れないと思ったからである。

だが、十二軒の全てを調べ終っても、十津川はいなかった。見つかったのは、眼を異様に光らせた野良犬が二匹だけだった。

亀井は、溜息(ためいき)をついた。いつの間にか、午前零時を過ぎている。

「野見山が買ったのは、この廃村だけですか？」

「と、思いますが、小さな買物は、ちょっとわかりません」

「朝もう一度、この廃村を見たいんですが」

「それなら、車の中で夜明かししませんか」

と、荒木がいった。

エンジンを止めた車の中にいると、音というものが、全く消えてしまったように感じられる。静かな、死んだ村だ。

「野見山という男は、この死に絶えた村を、また生き返らせる気でいるんですか？」

荒木が、煙草を亀井にすすめながらきいた。

「そうです。しかも、幸福を約束する天国にする気のようです」

「ここで農業をやっても、食べていけませんよ」

「そのようですね」

亀井は、肯いた。食べられるなら、廃村にはならなかったろう。

夜明け近くなるにつれて、寒くなった。二人は、車の外に出て、焚火をした。

その火の傍で、亀井たちは、いつの間にか眠ってしまった。

二人は、人声で眼をさました。

ポンコツ寸前のワゴンが、傍にとまっていて、その横に、数人の若い男女がかたまって、不審げに亀井たちを見ていた。

「君たちは、なんだ？」

と、亀井がきいた。

「あんたこそ誰だい？」と、若者の一人が、眉をひそめた。

「僕たちの仲間かい？」

「仲間？　何のことだ？」

「神の王国に住みたい者は、今日、ここへ集れということで、僕たちは、あの東京の喧騒を捨てて、ここまでやって来たんだ。あんたたちも、その仲間かと思ってね」

「野見山が、君たちに、そういったのか？」

「野見山かどうか知らないけど、僕は、これを見てやって来たのさ」

若者は、丸めてポケットに突っ込んであった、薄い雑誌を亀井と荒木に見せた。

今、若者たちに人気のある「ポイント」というミニ・コミ雑誌である。いわゆる情報誌だが、その一頁に、次のような広告がのっていた。

〈現代の社会は、その驕慢と堕落のために、やがて亡び去るだろう。その徴候は到るところに見えている。公害、汚職、殺人、麻薬、全てが、亡びへのきざしである。

我々は、今こそ、それと戦わなければならない。堕落の中に亡び去ることを、断固として拒否しなければならないのだ。

そのために、北海道の荒野の一角に、「神の王国」を建設することにした。志ある者は、この王国に参加せよ。

ここでは、神の前に全ての人間が平等である。病める者、罪ある者、幼き者、年老いた者も、ここでは差別されない。ただ一つ、神に対する服従が要求されるだけで、他には、何の制約もない。

五月十三日（日）から、この神の王国への参加が許される。現代社会に絶望した者、神の王国を求むる者は、参集せよ〉

そして、地図も添えられていた。

亀井が、その広告を読んでいる間にも、車や、自転車に乗って、この廃村に集って来る人々がいて、その数は、次第に多くなっていった。

6

三十人を越した人々が、責任者はどこにいるのかと騒ぎ出したとき、大型トラックが、警笛を鳴らしながら近づいて来た。

運転してきたのは、小林昌彦だった。トラックがとまると、彼は、ボンネットの上に飛び上って、そこから、

「皆さんは、神の王国をここに建設することに賛成して集まられたんですね？」

と、呼びかけた。

朝日を受けて、彼の左手首にはめてあるブレスレットが、きらきら光っている。

「あなたが、責任者ですか？」

三十何人かの人々の中から、すでに初老に見える男が、質問した。

「いや。我々の指導者は、今日中に、ここに来られます。くわしい話は、その方がなさる筈です」

「それまで、どうしたらいいんですか？」

「取りあえずの食料や、医薬品は、このトラックに積んでありますから、それを使って下さい。ここには、十二軒の家がありますが、どれもこわれかけた空屋です。そこに寝て下さっても、或は、テントを張って寝られても結構です。テント用具も、このトラックに積んでありますから、

利用して下さい」

「ここでは、本当に、差別されずに、平等なんですか？」

足の不自由な五、六歳の女の子を連れた中年の女が、暗い眼で、小林を見てきいた。

小林は、優しい微笑を浮べて、

「その通りです。我々の指導者が来れば、きっと、それを納得されると思いますよ」

小林は、そのあと、ボンネットから飛びおり、トラックから、食料などを下して、そこにいる人々に分け始めた。

その作業が一段落したところで、亀井が近寄って、小林の腕をつかんだ。

「十津川警部を、何処へやったんだ？」

「知りません」

「知らない筈はない。警部は、君たちの所へ行って、消えてしまったんだからな。誘拐が重い罪だということは知っているんだろう？」

亀井は、脅かすようにいったが、小林は、そっけなく、

「疑うのなら、ここを探し廻ったらどうですか？」

「もう一人は、どうしたんだ？」

「もう一人って、誰のことです？」

「北鳥山の君たちの家へ行ったら、野見山の弟子が二人いなかった。君と、もう一人だ。その男は、何処にいるんだ？」

「東京へ帰ったんじゃないですか？　調べてみたらどうです？」

「警察を甘くみるんじゃない！」

亀井は、思わず、小林を殴りつけた。十津川が、ひょっとすると、すでに殺されていて、この北海道の広大な原野の何処かに埋められてしまっているのではないかという不安が、亀井の気持を、高ぶらせていたからだった。

小林は、よろけながら、ニヤッと笑い、見守っている三十数人の人々に向って、

「よく見て下さい。この人たちは警察官だ。自分たちが気に入らないと、彼等は、こんな風に暴力を振うんです。ここに築かれる神の王国には、警察官はいません。そんなものは必要ないからです」

「この野郎！」

亀井が、カッとして、小林につかみかかろうとするのを、荒木が必死に止めた。

見守っている三十数人が、明らかに、非難の眼で、亀井と荒木を見つめていたからである。

「亀井さん。引き揚げましょう」

と、荒木がいった。

亀井は、肯いたが、小林に向っては、

「いいか。どんなことをしてでも、十津川警部を見つけ出すぞ」

と、釘をさした。

二人が、背を向けて、車に乗り込もうとした時、ふいに、小石が飛んで来て、亀井の背中に命

中した。

続いて、もう一箇の石が、車のフェンダーに当って、大きな音を立てた。

7

同じ日の午後二時。

多摩川の水もぬるみ、ここ丸子多摩川の貸ボート屋の前にも、小さな行列が出来ていた。

気温は、正午で二十五度に近く、すでに初夏の気候になっている。川面を行き来しているボートに、圧倒的にアベックの姿が多いのも、初夏らしい景色だった。

川辺には、子供たちの姿も見える。釣人も多い。

東京側の川辺に貸ボートの店を出している大野は、時々、双眼鏡で、川面を見廻した。事故を心配してということもあるが、十二番のボートが、さっきから見えなくなっていたからである。

大学ノートには、ボートを貸した時刻が書いてあるが、十二番のボートは、十二時二十分に貸し出してある。すでに、予定の一時間が過ぎているのに、まだ、返しに来ていなかった。

双眼鏡で探しても、十二番のボートは、いっこうに見当らない。こちら側から乗って、勝手に反対側に乗り捨ててしまう者もいるので、神奈川県側の川岸を、ずっと眺めてみたのだが、十二番は、見つからなかった。

（しようがないな）

と、舌打ちしながら、五、六分して、もう一度、双眼鏡を眼に当ててみると、百メートルほど川上の浅瀬のところに、動かずにいるボートが見えた。

人が乗っている気配はない。しかも、十二番のボートだった。

「浅瀬につき、ボートの乗入れ禁止」の立札が立っている場所である。浅瀬に乗り上げてしまったので、乗っていた客は、ボートを放り出して逃げてしまったらしい。

（困った客だな）

と、思いながら、そのままにしておくわけにはいかず、大野は、店番をしている長男に、「ちょっと、行ってくる」といって、あいているボートに乗った。

乗入れ禁止の立札のところまで漕いで行って、そこのクイにボートをつないだ。

その先は、二、三十センチの浅さで、ボートの底をこすってしまう。

大野は、ズボンをまくりあげ、浅瀬に入った。川底は、垢のついた石が多いので、滑り易い。

大野は、ぶつぶつ文句をいいながら、ゆっくり、乗り捨てられたボートに近づいて行った。

やっと、たどり着いて、へさきに手をかけた。

（あっ）

と、声にならない声をあげたのは、ボートを手元に引き寄せた時だった。

誰も乗っていないと思ったのに、ボートの舟底には、若い男女が、枕を並べる感じで、ひっそりと横たわっていたのだ。それだけではない。二人の身体は、赤い南国の花で埋められていた。

何十、いや、何百という花の数だった。顔を近づけると、その強烈な香りにむせてしまいそうだった。

しかも、花の中に埋れている二人の男女は、眼を閉じ、胸の上で合掌した形で、ぴくりとも動かないのだ。

頬を叩いてみた。だが、動かない。

(死んでいるのか?)

と、思った時、大野は、もう一度、声にならない悲鳴をあげていた。

8

ボートが、東京側の浅瀬にあったので、事件は、東京警視庁の扱いになった。

具体的には、蒲田(かまた)署の刑事が調査に当ったのだが、事件が起きるとほとんど同時に、井本と、石川の二人が、蒲田署に駈けつけていた。

日曜日の心中事件。そして、二人の男女の手首に、聖書の中の言葉を彫りつけたブレスレット。

それだけでも、この事件が、野見山たちが引き起こしたものだと想像できたからである。

井本と石川は、蒲田署の刑事に、現場である多摩川の川原に案内された。

問題のボートは、川原に引きあげられていた。花一杯の舟の柩(ひつぎ)だった。

ボートの周囲は、野次馬で一杯だった。

「死因は、青酸中毒によるものだと思われます」

と、蒲田署の刑事が、井本たちにいった。

「この花は、ハイビスカスですね」

井本は、遺体を埋めている赤い花の一輪をつまみあげた。

「そうです。この心中が、日曜日ごとの自殺事件と同じものだとお考えですか？」

「他には考えられませんよ」

と、井本は、怒ったような声を出した。

阿部浩が、「心中」と、うわ言にいい、警戒していたのに、それを防ぐことが出来なかったからだった。しかも、十津川警部の行方は、まだわかっていない。

「これが、男の胸のところにありました」

蒲田署の刑事が、ハガキ大の紙片を見せた。


〈われらは、抗議のために死を選ぶ〉


と、それには、書かれていた。

（またか）

と、井本は思った。野見山は、弟子たちの相次ぐ自殺によって、日宝コンツェルンを脅迫し、五億円という大金を寄附させた。

今度は、この心中によって、いったい誰を脅迫しようとしているのだろう？

「今度の仏さんは、第一、第二の仏さんみたいに、微笑してはいないな」

石川が、ボートの中をのぞき込むようにしていった。確かに、今度の二人には、苦しみの表情が、そのまま残っている。

「こっちの方が自然なんだよ」

と、井本がいった。

解剖のために、二つの死体が、車で病院へ運ばれて行った。

「くわしいことは、君が聞いておいてくれ」と、井本は、石川にいった。

「おれは、三田外科病院にいる大杉刑事や、北海道にいる亀井刑事に連絡してくる。そのあと、野見山に会って来るつもりだ」

9

大杉は、受話器を置くと、階段を駈け上って、阿部浩のいる病室に飛び込んだ。

ベッドの上に起き上っていた阿部は、大杉のただならぬ顔つきを見て、一瞬、怯えたような表情になった。

大杉は、椅子に馬乗りに座ると、自分の顔を、阿部に向って、突き出すようにして、

「多摩川で、心中事件が起きた。死んだのは、明らかに、君の仲間だった男女だ」

と、いった。

阿部の顔色が変った。大杉は、押しかぶせるように、

「君は、予期していた筈だ。二人の男女が死ぬのをだ。そうなんだろう？」

「二人は、花に埋って死んでいましたか？」

阿部が、低い声できいた。

「そうだ。真っ赤なハイビスカスに埋っていたそうだよ」

「やっぱり、そうですか」

「そうですかで、すむと思っているのか？」

「え？」

「十津川警部が、野見山たちに誘拐された。もし、殺されでもしたら、これは殺人事件なんだ。いや、殺されなくとも、誘拐は成立する。神の王国を作るのかどうか知らんが、これは犯罪なんだ。罪をおかしてまで作った王国が、果して、幸福を約束してくれると思うかね？」

「父（ファザー）は、本当に十津川警部を誘拐したんですか？」

「ああ、本当だ。それに、今度の心中は、偽装心中かも知れん」

「何をすればいいんです？」

「何もかも話してくれればいい。それだけでいい」

「何もかもといっても――」

「じゃあ、心中事件から聞こう。今度は、誰を脅迫する気なんだ？」

「中央商事です」

「なぜ、ハイビスカスを？」

「沖縄で海洋博があった時、中央商事は、沖縄中央観光という子会社を作って、海洋博に浮かれている沖縄に乗り込んだんです。そして地元の人たちに、今が、金儲けのチャンスだからと、融資して、観光事業をすすめたわけです。これといった産業のない沖縄の人たちは飛びつきましたが、みんな失敗しました。海洋博騒ぎは一時のものだったし、本土の巨大資本が入ってくると、地元の小さな企業なんて、あっさり押し潰されてしまいますからね」

「それで？」

「彼等に残ったのは、借金だけです。沖縄中央観光は、借金のかたに、沖縄の美しい土地を手に入れ、海岸に、巨大なレジャーランドを作りました」

「ハイビスカス心中と、どんな関係があるんだ？」

「犠牲者の中に、新婚早々のカップルがいたんです。沖縄中央観光におだてられて融資を受けて、観光客相手の土産物店を出したんですが、失敗して、一千万近い借金を背負い込んでしまいました。それを苦にして心中したんですが、その時、新妻の方が、髪に真っ赤なハイビスカスの花をさしていたそうです」

「なるほどね。ところで、野見山は、君たちみたいな自殺志願者を、どうやって集めたんだ？」

「一部の若者は、絶えず、自殺の誘惑にかられています。それは、絶望からかも知れないし、目立ちたいという虚栄心からかも知れないし、前途に対する漠然とした不安からかも知れません」

「しかし、外見からじゃわからんだろう？　それとも、野見山は、自殺する人間を見分ける能力を持っているのかね？」

「『ポイント』というミニ・コミ雑誌があるんですが、知っていますか？」

「名前だけは、聞いたことがあるよ」

「若者向きの情報をのせたり、人生相談の頁もあります。家族や友人にも相談できない若者は、深夜ラジオのＤＪあてに手紙を書いたり、ミニ・コミ雑誌に投書したりするんです。誰にでもいい。自分の悩みを聞いて貰おうとしてです」

「君も、『ポイント』に投書したのか？」

「そうです。僕は、高校一年のとき、一度自殺に失敗しているんです。そんなことも書いて投書しました。しかし、全ての投書に回答が与えられるわけじゃありません。人気のある雑誌ほど、投書は多くなりますからね。諦(あきら)めていたら、父(ファザー)が訪ねて来て、仲間に入らないかとすすめられたんです」

「野見山は、なぜ、君が、『ポイント』に投書したのを知ったんだ？」

「父(ファザー)の友だちが、『ポイント』の編集をやっているからです」

「すると、あの弟子たちは、みんな、『ポイント』というミニ・コミ雑誌に、自分たちの悩みを書き送った若者たちなのか？」

「そうです。その中から、常に自殺の衝動を感じている若者、繊細な神経の持主の若者を選んで、十二人を、自分の弟子にしたんです」

「そして、彼は、どんな教育をしたんだ？」

「自殺したいという気持を止める代りに、死ぬことの素晴らしさを教えられました。毎日ね。生き甲斐でなく、死に甲斐です。それにもう一つ」

「何だね？」

「僕には、この方がこたえました。一種の強迫観念です。みんなの心に、強迫観念を植えつけるんです」

「具体的に、どんなことをするんだ？」

「事あるごとに、僕たちは、父から叱りつけられました。スモン問題について何をしたか？　水俣に行ったことがあるのか？　ベトナム難民について何かしたことがあるか？」

「それは、難癖というものだろう？」

「しかし、刑事さん。神経の細かい若者は、絶えず、何も出来ずにいる自分に後ろめたさを感じているものなんです。政治運動に走れば救われるでしょうが、それが出来ないから、一層、悩むんです」

「野見山は、君たちの弱点を、突っついたというわけだね？」

「そうです。一種のノイローゼ状態になるくらいにです。その一方で、神の王国を作るために、自己を犠牲にすることの素晴らしさを説くのです。第一、第二の自殺者の金子君や石田明子さんが、微笑して死んでいた理由が、僕には、よくわかるんです。二人とも、ほっとしたんです。これで、強迫観念から解放されると感じたに違いないんです。死の瞬間にね。ある若者にとっては、死ぬという恐怖以上の恐怖がありますからね」

「しかし、君は、逃げて来た。なぜなんだ？」

10

「話したくありません」

「いや。話してくれなくては困る。焼身自殺した風見冴子のことが原因なんだな？」

「――――」

「やはり、そうか。彼女は、姙娠し、子供を堕ろした。父親は君か？」

「違います」

と、阿部は、蒼白い顔で、強く否定した。

「なぜ、違うといい切れるんだ？」

「弟子たちには、恋愛の自由は許されていないからです。神の王国を作りあげるまでは」

「すると、君たちの間で、女を自由に出来るのは、野見山一人ということになる。君は、すぐ、風見冴子を姙娠させたのは、野見山だとわかった筈だ。だからこそ、絶望して、あのグループから逃げ出したんだ。そうなんだろう？」

「勝手に想像して下さい。僕は、結局、脱落者で、ユダでしかないんですから」

「そんなことはあるものか。しかし、他の弟子たちは、なぜ、抜け出さなかったんだろう？　小林昌彦は、風見冴子が妊娠中絶したと知って、顔色を変えたんだ。彼にも、相手は野見山とわかった筈なのに、なぜ、今でも、彼のところにいるんだろう？」

「怖いんです。僕だって怖かった」

「野見山が怖いのか？」

「それもありますが、ひとりになるのも怖い。父（ファザー）という絶対者がいて、彼の命令どおりに動いていたのに、その絶対者がいなくなって、自分で考えるようになるのも怖いんです」

「君も、風見冴子が好きだったんだろう？」

「みんな、彼女が好きでしたよ」

「風見冴子自身は、どうだったんだろう？」

「え？」

「野見山の子を宿したことから考えて、彼が嫌いだったとは思われない。しかし、その子を堕ろすことになった。野見山にしたら、風見冴子の妊娠がわかったら、自分の神聖が傷つくと思ったんだろう。風見冴子は、喜んで中絶したとは思えないね。そんな女がいる筈がない。彼女のブレスレットは、引っかいたような傷で一杯だった。これは、明らかに彼女の怒りの表現だよ。となると、彼女は、本当に、すすんで自殺したんだろうかという疑問がわいてくる」

「よして下さい」と、阿部は、弱々しい声でいった。

「彼女は、神の王国を作るために、喜んで自分を犠牲にしたんです」

「野見山に絶望したくせに、まだ、そんなことをいっているのかね」

　大杉は、眼鏡越しに、憐むように阿部を見た。

「僕は、信じたいんです」

「何を？」

「何かをです」

「風見冴子が、野見山を憎んでいたとしたら、彼女は自殺じゃない。野見山が、口封じに殺したんだ」

「そんなことはありません。あれは、自殺です。密室の中で彼女は死んでいたんですから」

「果して、そういい切れるんだろうか？」

　と、大杉は、じっと、阿部を見つめた。

11

　亀井は、札幌の道警本部で、東京の井本からの電話を受けていた。

「多摩川の心中事件は、さっき知ったよ」

　と、亀井は、井本にいった。

「おれは、石川刑事と現場に行って来た」

「ハイビスカスに埋れて死んでいたようだね？」

「そうだ。花の匂いで、むせるようだったよ」

「本当に、その二人は、自らすすんで死を選んだのかね？」

「今のところ、どちらともいえないね。石川君が、まだ現場にいるから、何かわかるかも知れない」

「野見山や、仲間の弟子たちは、どういってるんだい？」

「それを聞こうと思って、北鳥山の住居へ行ってみたんだがね。もぬけのからだったよ。野見山も、弟子たちも、消えてしまっているんだ」

「何処へ消えたかわかるかね？」

「いや。近所の聞き込みをやってみたが、皆目わからん。彼等は、近所と全くつき合わなかったようだからね」

「北海道へ来ると思うね」

「そういえば、北海道の神の王国の現状は、どうなんだ？」

「十万坪の土地、といっても廃村だがね。それを、野見山が買い取っていた。すでに、未来の神の王国に住みたいという人たちが三十人以上、この廃村に集って来ているよ」

「野見山たちは、そこへ行ったのかも知れないな」

「小林昌彦が、こっちへ来ているんだが、彼は、今日中に、指導者が来ると、参加者に説明していたよ」

「じゃあ、野見山たちは、間違いなく、そっちへ行ったんだ」

「十津川警部を探すには、どうしても人手が必要だ。誰か来てくれないか」

「大杉刑事に、連絡しておくよ。彼は、今阿部浩を訊問しているから、何かつかめたかも知れないからね」

電話が切れると、亀井は、腕時計に眼をやった。

すでに、五時に近い。

野見山が、東京を発ったとすると、もう、こちらに着いているだろうか？

道警の荒木刑事が、夕食を運んで来てくれた。

「食事がすんだら、もう一度、あの廃村に行ってみたいんですが」

と、亀井がいうと、荒木も、

「私も、行ってみたいと思っていました」

と、いってくれた。

二人が、再び、車で廃村を訪れたのは、七時を少し廻った時刻だった。

いつの間にか、入口のところに、簡単なものだが、門が出来ていて、そこに、ガード・マンのように、小林が立っていた。

亀井たちが、車からおりて近づくと、とがった眼を向けてきた。

「野見山が、来ている筈だが」

と、亀井が声をかけると、小林は、

「父は、今、みんなとお話をされている最中だから、しばらく待って下さい」

と、いった。

それを裏付けるように、遠くに、篝火が焚かれているのが見え、人々のざわめきが聞こえて来た。

12

野見山は、集った人々に向って話しかけた。

「私は、君たちを歓迎する」

人々は、期待と不安の入り混った眼で、じっと、野見山を見つめている。

野見山は、微笑を浮べて、そうした人々の顔を見渡した。

「君たちは、ここに、何かを求めてやって来た。私は、君たちの過去に何があったかを知りたいとは思わないし、知る必要もない。君たちの中に、前科者がいるかも知れないが構わない。現に、罪を犯している者がいても、私は、それを責めようとは思わない。ここは、履歴の必要のない場所だ。そこに、片脚のない青年がいるね。ああ、君だ。今の実力主義の社会では、君は、さぞ生きにくかったろうと思う。そこでの同情は憐みでしかなかったからだ。だが、この神の王国では、違う。ここでは、誰もが、完全に平等だ。平等を損うもの、例えば、通貨は、ここにはない。必要なものは、申し出れば支給される。より多く働いたものが、より多く取ることは、ここでは許されない。なぜなら、ここは神の王国であって、働くことは、神に対する奉仕を意味しているからだ。また、ここでは、君たちは、世の中のもろもろの手枷、足枷から解放される。親子兄弟の関係、上役、下役の関係、或は、大きく考えて、日本人同志の関係といったものは、ここでは、全て意味を失うからだ。君たちは、そうした心理的な束縛から解放される。従って、完全な自由を手にすることが出来る。君たちが、繊細な神経の持主であればあるほど、義理、人情といった古めかしい束縛を、耐えがたく感じていたに違いない。それから、君たちは、解放される。つまり、ここでは、君たちは、物質的にも、精神的にも、完全に自由になれるのだ。ここは、神の王国である。君たちは、ここでは、神の言葉にだけ従えばいい。ただし、神の言葉には、絶対に服従しなければならない。なぜなら、神が過ちを犯すことは、絶対にあり得ないからだ」

野見山は、ひとりひとりの顔を、見つめるようにして話す。能弁というよりも、むしろ、彼は、一語、一語、嚙(か)みしめるようにして、ゆっくりと話した。

集った人々は、じっと、野見山の言葉を聞いている。感動して聞いているのか、それとも、戸惑いながら聞いているのか、その緊張した表情からだけではわからなかった。

一人の少年が、おずおずと、手をあげた。

「神さまの言葉は、どうしたら聞けるんですか?」

「君はいくつだね?」

と、野見山は、セーター姿の少年に向ってきき返した。

「十二歳です」

「君は、素直で、素晴らしい質問をした」と、野見山は、賞めあげた。

「もっとも肝心な質問でありながら、大人は、それをすることを躊躇(ためら)う。わかったふりをする。

だが、全くわかってはいないのだ。教会のお偉方は、聖書を読みなさい。聖書の中に出ていると、決っていう。そのくせ、聖書の中の言葉は、どうにでも解釈できるという。明らかに、自分自身に自信がなく、責任転嫁をしているのだ。私は、そんなことはしない。ここでは、私の言葉が、神の声だ。私が、いかにして、神の啓示を受けるようになったかについて、ここで、くどくどと説明するつもりはない。ただ、ある夜、突然、しびれるような戦慄（せんりつ）と共に、私は、神の声を聞いたのだ。十二人の弟子たちを連れて、自己を犠牲にして、荒野に神の王国を作れという神の声をだ。これは、私に、イエス・キリストの如くせよということを意味している。私の狂気が夢見た幻想だと笑った人もいる。しかし、イエス・キリストも、当時、狂人扱いされたのだ。だが、今、誰が彼を狂人というだろう？」

　野見山は、言葉を切り、じっと、人々の顔を見つめた。

　その強い視線を受けて、人々の間には、眼を伏せる者もいたし、頬を紅潮させて、食い入るように、野見山を見つめている少年もいる。

　野見山は、人さし指で、天の一角を指さした。

「私は、神の啓示に従った。十二人の若者が、私の下に集り、神の王国を作るために、自己を犠牲にしていった。別に、私は、彼等に強制したわけではなかった。彼等が、自分の気持で、自己を犠牲にしていったのだ。そして、今、この荒野に、神の王国が作られようとしている。私は、今更のように、神の啓示の正しさに驚いている。しかも、私の下に集った十二人の若者の中の一人は、私たちを裏切って、警察に駈け込んだ。命が惜しくなったのだ。二千年前、イエス・キリストを裏切ったユダのように、私たちの間にも、現代のユダが生れたのだ。私は、神の啓示の正しさに驚くばかりだった。君たちが、私を信じるかどうかは、君たち自身の問題だ。もし、信じられないのなら、すみやかにここから立ち去り、世俗に汚れた世界に帰り給え。神の王国は、君たちにふさわしくないからだ。もし、ここに住みたければ、私が、神の啓示を受けたことを信じるのだ。信じる者は、手をあげたまえ」

その瞬間、人々の間から、ぱっと、ひとりの手があがった。

「私は、あなたを信じる！」

大きな声だった。人々の間に混っていた小林昌彦だった。

つられたように、小林の周囲にいた数人が、手をあげた。

「ありがとう。ありがとう」

と、野見山は、眼頭をおさえた。

芝居でなく、本当に、彼の眼から涙があふれ出し、きらきら光った。

感動の波が、人々を押し包んだ。自ら作った感動に、野見山は酔っているようだった。

「ありがとう」

野見山は、人々に向って、涙声で、繰り返し、礼を述べた。

「私のことは、父(ファザー)と呼んでくれたまえ」

「父(ファザー)よ！」

と、小林が叫んだ。

人々が、それに合せるように、

「父よ！」

と、叫ぶ。小林が、その機を逸せず、「父よ！」と、繰り返した。

今まで、照れ臭そうに口を閉ざしていた女性まで、その場の空気にあおられたように、「父よ！」と叫び、大きく見開いた眼に、涙をたたえているのだ。

「私は、君たちに約束する」

野見山は、人々に向って、手を差しのべるようにしながら、

「イエス・キリストは、民衆が、彼を裏切っても、彼は、民衆を裏切らなかった。私は、今、同じことを君たちに向って約束する。君たちが私を見捨てることがあっても、私は、君たちを見捨てはしない」

「父よ！」

人々は、一斉に叫んだ。人々の顔が、次第に紅潮してきているのが、よくわかった。

「君たちも、私に約束して欲しい」

「父よ！　われわれは、喜んで約束する」

小林が、大声でいった。

「父よ！」

人々が、叫ぶ。そう叫んでいれば、自分が救われると信じているかのような叫び方だった。野見山は、感動したように、また、眼をしばたいた。

「君たちに約束して欲しいのは、私を信じ、私に従って貰いたいということだ。約束してくれるか？」

「父よ！　われわれは喜んで約束する」

「私が、神の啓示を受けていると信じるか？　私の言葉が、神の言葉だと信じるか？」

「父よ！　われわれは信じる」

「振り向いて、背後を見たまえ」

ふいに、野見山が、厳しい顔になって、人々の背後を指さした。

一斉に、彼等が振り向いた。

「そこにいるのは、悪魔の使いである刑事たちだ。彼等は、神を信ぜず、私を信ぜず、この神の王国を破壊しようとしている。彼等を、あのままにしておいて、いいだろうか？」

「彼等を追い出せ！」

誰が叫んだのかわからなかった。

人々が、ひとかたまりになって、刑事たちに向って、迫って来た。

どの顔も、かたく引きつっている。

「まずい。引き揚げよう」

と、亀井刑事が、後ずさりしながら、蒼い顔で叫んだ。

13

刑事たちが帰ったあと、トラックが、建築資材を運んで来て、集会場の建設が始まった。

全てが、人々の奉仕だった。

野見山自身も、汗を流し、建材を担ぎ、釘を打った。

誰もが、強制されないのに、すすんで仕事に励んだ。男たちは、力仕事をし、女子供も、細かい材木を運んだり、後片付をしたりした。

人々の頭に、はっきりした神の王国の姿が描かれているとは思えなかった。だが、何かわからないが、そこに幸福が約束されているのだという期待が、彼等を、自発的に作業に参加させているようだった。

その間にも、一人、二人と、新しい人々が、この神の王国にやって来た。

全ての参加者の所持金は、一カ所に集められた。それは、野見山の指示によるものだった。

反対する者はなかった。それだけ、野見山という男の言葉に、説得力があったということなのだろう。

人海戦術のおかげで、不恰好ながら、集会場は急速に出来あがっていった。

床と屋根が、まず、出来た。風雨にさらされて、こわれかけていた十二軒の農家も修復され、集った人々は、そこに分宿した。

北海道警本部に来ていた亀井や、大杉は、道警の荒木刑事たちと、毎日、神の王国を見張っていたが、そこが、野見山の私有地である以上、相手の制止を振り切ってまで、中へ入ることは出来なかった。

十津川警部の行方も、いぜんとして不明だった。

亀井と大杉は、深夜、ひそかに、神の王国に忍び込み、明りのついている十二軒の農家をのぞいて見たが、十津川の姿を発見することは出来なかった。

十津川は別の場所に監禁されていると考えざるを得なかった。

そこは、十万坪の廃村と一緒に、野見山が買った場所に違いない。北海道のどこかの山小屋か何かだろう。

そこまでは見当がついた。が、そこから先の捜査が難航した。野見山の名前で買い求めているとは限らなかったからである。

事実、問題の廃村以外、野見山の名前で購入された土地も、家も見つからなかった。

といって、広大な北海道である。やみくもに探していたら、十年かかっても、十津川は見つからないだろう。

「条件を考えてみよう」

と、亀井は、北海道の地図を見ながら、大杉にいった。

「条件？」

「野見山が、警部を監禁している家なり小屋なりを購入した時の条件だ。彼は、警部を監禁するために、急遽、購入したものだと思う」

「なぜ、そう思えるんだ？」

「違うのなら、野見山の名前で買っているさ。彼は、あの通り自己顕示欲の強い男だからね」

「なるほどな。他の条件は？」

「急遽、買ったものとすれば、その時期は、警部が姿を消した翌日か、翌々日かだ。つまり、五月十一日か十二日ということになる。これが第二だ。次は、場所だが、例の廃村から、そう遠くない所だ。いざという時、駈けつける必要があるからな」

「今、思い出したんだが、例の廃村、今は、神の王国だが、あそこへ、食料なんかを運んで来た大型トラックがあった」

「覚えているよ。大きな箱のくっついたやつだろう。今でも、札幌あたりで、食料や、建築資材を買い込んで、神の王国に運んでるじゃないか」

「ところで、あのトラックは、東京ナンバーだよ。食料なんかの調達に使うのなら、北海道で、車を買うか、借りればいい。それなのに、わざわざ、東京の車を、北海道まで運転して来ている」

「そうか。あのトラックで、警部を東京から運んだんだな」

「そうだと思う。となると、賑やかな街の中で、あんなでかいトラックから警部をおろしたとは思えない。といって、あまり山の中の小屋では、あのトラックが入って行けない」

「よし。それも、条件の中に入れておこう」

二人の考えた条件は、道警本部に伝えられ、その条件に合った家屋が探された。

それでも、捜査は、なかなか、進展しなかった。

再び、土地ブームのきざしが見え、北海道でも、最近、土地、家屋の売買が激増していたからである。

五月十一、二日頃に、登記が新しくなった家屋は、千歳周辺だけでも、二十一軒あった。

亀井と大杉は、道警の協力を得て、一軒ずつ当っていった。

なかなか、目的の家屋にぶつからなかった。五軒目の別荘風建物の時には、近づくと、いきなり狙撃（そげき）され、さてはと、色めき立ったが、機動隊で包囲してみると、地元の暴力団が、その別荘で、覚醒（かくせい）剤を製造していたのだった。

その間にも、時間が容赦なく過ぎていき、亀井たちをいらだたせた。野見山たちが、まさか、現職の警部を殺すまいとは思っても、相手は、自分を現代のイエス・キリストと考える男である。何をするかわからないという不安もある。

十六軒目は、恵庭（えにわ）に近い場所にある別荘だった。

あまり期待を持たずに、亀井たちが出かけたのは、場所が、札幌市に近かったからである。

建ててから、数年はたっていると思われる山小屋風の別荘だった。

役所の登記簿によれば、東京の立花賢一郎という男が、五月十二日に購入している。

幅八メートルの舗装された道路が、その別荘まで通じているので、大型トラックを横付け出来る条件は、備えていた。

亀井たちが、車で乗りつけてみると、門は閉ざされて、人のいる気配はなかった。

亀井は、大杉と相談し、道警の刑事の了解も得て、強引に、ドアをこじあけて、中に入った。

ことは、十津川警部の生命に関わるのである。あとで問題化したら、自分が警察を辞めればいい
と、亀井は、腹をくくっていた。

人間もいなかったし、死体も転っていなかったが、菓子パンのかけらや、ジュース、ビールの
空かんが散乱していて、ごく最近まで、ここに、人がいたことを示していた。だが、それが、十
津川警部かどうかわからなかった。

なおも、室内を調べていた亀井が、突然、

「これを見てくれ！」

と、大声で、大杉を呼んだ。

部屋の隅の床に、「S・TO」と、荒っぽく彫られていた。しかも、真新しい。

「警部の名前は、十津川省三だ」と、亀井は、眼を光らせていった。

「S・TOTSUGAWAと彫ろうとして、途中で、どこかへ連れて行かれたんだと思うね」

「どこへ？」

「恐らく、神の王国へだ」

と、亀井がいった。

地獄の楽園

1

目かくしを取られた時、十津川は、自分がどこにいるのか、一瞬、わからなかった。

自分に向けられている明りが眩しくて、まわりが見えないのだ。

眼を何度かしばたき、明りに馴れるにつれて、自分を見つめている何十人という人間に気がついた。

木の床の上に、椅子が置かれ、十津川は、手錠をかけられたまま、その椅子に腰をおろしている。

だだっ広い建物だった。

何十人という男女が、床に腰をおろしたり、突っ立った姿勢で、十津川を見守っている。

「ようこそ。十津川警部」

と、横から呼びかけられて、十津川は、腰を下したまま、視線を、声のした方に向けた。

純白のローブを羽おった野見山が、そこにいた。

「君か」

十津川は、吐き気をこらえながら、相手を見すえた。連日、得体の知れない注射をされ、そのために、時には、幻覚症状に襲われたことさえあった。今は、やたらに吐き気がしていた。

「君たちは、私を誘拐した。従って、君たちは、誘拐罪で逮捕されるぞ」

十津川がいうと、野見山は、鋭い視線で睨んで、

「君こそ、これからここで、裁かれるのだ」

「裁かれる？」

「そうだ。ここは、神の王国だ。君は、それを冒瀆し、破壊しようとした罪で、これから裁かれるのだ」

「馬鹿馬鹿しい。いったい、誰が裁くんだね？」

「私だ。神の啓示を受けた私が、君を裁く」

「そんなものを、誰が信じるんだね？　君が神の啓示を受けたなどと」

「この集会場には、五十人を越す人々が集っている。この人たちが証人だ」

と、野見山は、自信満々に、人々に向って、「君たちにきく」と、話しかけた。

「君たちは、私が、神の啓示を受けたと信じるか？」

「ファザー！　われわれは信じる」

人々が、一斉に叫んだ。

十津川の顔が、蒼ざめた。この場の空気が、何か、問答無用の感じになっていくのを感じたか

らだった。

野見山の口元に、微笑が浮んだ。

「見たまえ！　この男を」

と、野見山は、大声でいうと、まっすぐ、十津川を指さした。

「この男は、刑事だ。われわれのユダは、この男に、われわれを売った。この男は、この神の王国を破壊しようと、部下の刑事を送り込んで来た。どうして、この男に罪がないといえるだろうか？　まず、君たちに聞こう。この男は、神に対して有罪か、無罪か？」

「有罪だ！」

また、人々の声が、一斉にはね返ってきた。

野見山は、満足気に人々に向ってうなずき、十津川を振り向いた。

「気の毒だが、君は有罪だ」

「私を殺すのか？」

「殺しはしない。ここは、神の王国だ。神聖な王国を、君のような権力の手先の血で汚したくはない」

「それは有難いね」

「君には、名誉ある死を選ばせてやろう。私の弟子たちは、自己を犠牲にして、神の王国を作ろうとした。どうだね。君も、悔い改め、彼等のあとに続かないかね？」

「あいにく、自殺は嫌いなんだ」

「神の慈悲を拒否するのかね？　私の忠告に従って、自殺の道を選べば、君も、神の王国を築きあげるのに貢献したことになるのにね」

「立派な墓でも作ってくれるのかね？」

「すでに、私の弟子十二人の中、半数の六人が、自己の生命を投げ出した。彼等の名前は、この集会場の壁に刻み込まれて、永遠に残るだろう。君の名前を、それに、書き加えてやってもいい」

「真っ平だね」

「神の裁きを拒否するなら仕方がない。彼等に、君の処分を委せよう」

と、野見山は、じっと、二人のやりとりを見守っている六十人近い男女に眼をやった。

「この男を、どうしたらいいと思うね？」

一瞬の沈黙があってから、

「目には目をだ！」

と、誰かが叫び、一斉に拍手が起きた。

「歯には歯を！」

今度は、甲高い女の声が、鋭く、十津川の耳朶を打った。

誰もが、異常に興奮している。

野見山は、自分をイエス・キリストになぞらえている。だが、今、彼の煽動で、十津川をリンチにかけようとしている人々は、二千年前、イエス・キリストを磔にした群衆と同じではないか。

ふいに、小石が飛んできて、十津川の額に当った。

十二、三歳の少年が、五、六コの小石を手につかんで、じっと、十津川を睨んでいた。

十津川は、額を、手錠をかけられた両手で押さえて、その子供を見つめた。生温かい血が流れてくるのがわかった。

子供は、これ以上はないというような真剣な眼で、十津川を睨んでいる。この少年にとって、十津川は、悪魔のように見えているのだろうか？

「子供を巻き添えにするのは止めろ！」

と、十津川は、叫んだ。

しかし、その言葉は、人々を制止するよりも、かえって、彼等の感情を高ぶらせてしまったようだった。

同じ少年が、また、石を投げた。今度は、命中しなかったが、床に落ちて大きな音を立てると、それが引金になったように、

「そいつを、外へ引きずり出せ！」

と、いう叫び声があがり、何人もの手が、一斉に、十津川に向って伸びてきた。

「止めろ！」

十津川が、思わず、大声を出した。

しかし、たちまち、椅子から引きずりおろされた。誰かが、背後から、十津川を蹴った。頭を殴られた。両腕をつかまれ、床を、ずるずる引きずられて行く。戦うには、相手が多すぎたし、

何よりも、相手が正常な神経でないことが怖かった。ちょっとしたことでも、相手を刺戟してしまうだろう。いや、悲鳴でさえも、相手を刺戟しかねない。

（おれを殺す気なのか？）

と、十津川が、思ったとき、突然、銃声が、周囲の空気を引き裂いた。

2

十津川の眼に、拳銃を構えた二人の男が見えた。

（カメさん――？）

「警部！」

と、相手が、駈け寄って来た。やっぱり、亀井刑事だった。

十津川は、亀井に抱き起こされた。

「大丈夫ですか？」

亀井が、十津川の顔をのぞき込んだ。

大杉刑事も、近寄って来て、

「外は、道警の警官が、包囲しています。彼等を逮捕します。誘拐と監禁で」

「ちょっと待ってくれ」

十津川は、大杉にいった。

「なぜですか?」

「彼等と話し合いたいんだ」

「話し合ってわかる相手じゃありませんよ」と、亀井が、いった。

「全員逮捕して、留置場に放り込み、少し頭を冷してやった方がいいですよ」

「それじゃあ、完全な解決にならん。問題を先に伸ばすだけだ。恐らく、逮捕しても、野見山は、それを、輝やかしい受難の一ページに書き変えてしまうだけだろう」

「どうしたらいいとお考えですか?」

「だから、話し合うのさ。君たちも、そこで、聞いてくれ」

「わかりました」

「私が監禁されている間に、また二人死んだそうだな?」

「多摩川のボートの中で、二人の男女が、ハイビスカスの花に埋って毒死しました。これは、沖縄の土地を買い占めた中央商事に対する抗議であり、脅迫だと、阿部浩が教えてくれました」

「わかったことは、全部話してくれ」

「ここに、メモしてきました」

亀井が、メモした手帖を渡した。それには、これまでに死んだ野見山の弟子たちの名前も書いてあった。

「その名前は、阿部に聞いたものです」

「この中に、日宝コンツェルンで働いていた人間がいないかね?」

「日宝化学の社員だった男がいます」

「そうだろうと思ったよ。そうじゃなければ、台中化学の蝶のことを知るわけがないからな」

「何でも、内部告発をしようとして挫折し、野見山のグループに入ったということです。屈折した正義感が、狂信的な仲間に入らせたんだと思います」

「ボートで死んだ女の方は、伊東みどりか」

十津川は、野見山の家で会った、痩せた、神経質そうな娘の顔を思い出した。あの娘も死んでしまったのか。

「その二人の死顔には、微笑は浮んではいませんでした。むしろ、苦痛の表情が残っていました」

「そうだろうな」

十津川は、肯き、改めて、集会場の中を見廻した。

新しく、この廃村にやって来た人々は、さっきまでの狂気は忘れてしまったように、怯えた表情で、ひとかたまりになっている。十津川に小石を投げた少年は、まだ、しっかりと、小石をつかんでいたが、十津川の視線にぶつかると、後ずさりして、床に小石を捨ててしまった。

十津川は、彼等に向って、「君たちも、よく聞いていたまえ」と、声をかけてから、反対側にいる野見山に近づいた。

野見山のまわりには、生き残った五人の弟子たちがいた。

その中には、小林昌彦もいたし、十津川を監禁していた立花もいた。

「君たちの名前を聞かせて貰いたいね」と、十津川は、彼等に向っていった。

「死んだ六人の名前はわかった。もう一人、小林君と立花君の名前も知っている。君たちが、ユダと呼んでいる阿部浩もだ。他の三人の名前も知りたいね」

「私が紹介しよう。素晴らしい私の弟子たちを」

と、野見山が、相変らず、落着いた声でいった。

「右から、小野沢勇、三枝君子、そして、一番若い片岡敏子だ」

その片岡敏子は、十七、八歳にしか見えない。まだ、眼元にも、口元にも、幼さが残っていた。

「これで、やっと君たち全員の名前がわかったわけだ」

十津川が、微笑すると、野見山は、眉をひそめて、

「それが何だというのかね？」

「私の眼に、やっと、ひとりひとり独立した人間に見えて来たということだよ。ところで君は、今、素晴らしい私の弟子たちといったね？」

「その通りだからいったのだよ。神の王国を作りあげるために、進んで自己を犠牲にしていく人たちだ。素晴らしい弟子たちだ」

「だからといって、殺していいとはいえない筈だ」

「何だって？」

野見山が、眼をむいた。

「聞こえなかったのかね？　君が、イエス・キリストの再来だろうと何だろうと、殺人は殺人だ

といってるんだ」

十津川の眼が、厳しくなった。

「何をいってるんだ？　私の弟子たちは、進んで、自分を犠牲にしたのだ。人殺しなどというのは、私に対してだけでなく、彼等の死に対する冒瀆だ」

「物はいいようだな。最初に死んだ金子真、次に死んだ石田明子の二人は、確かに自殺だ。しかし、この二人にしても、君が、その繊細な神経を痛めつけ、義務感で縛り、自殺に追いやったのだ。自殺だけが、唯一の救いであるようなところまで追い込んだんだ。だからこそ、あの二人の死顔には、微笑が浮んでいたのだ。あの微笑は、君のいうような、自己犠牲の満足の表現じゃない。やっと解放されたという微笑なんだ。そのことは、君も、そこにいる弟子も、よくわかっている筈だよ」

「何といおうと、彼等は、自己を犠牲にしたのだ」

「確かにそうだ。しかし、他の事件は違う。君は、心理的に追い込みやすい、つまり、傷つき易い神経の持主で、しかも、過去に自殺の衝動に悩まされたような若者ばかりを、ミニ・コミ誌の投書を利用して集めた。だが、前の二人のように、上手くはいかなかった。当然なのだ。君は、一生懸命に、死に甲斐を吹き込んだが、二つの過ちを犯した。一つは、若者たちを集団生活させたことだ。孤独な時には、ノイローゼから自殺の衝動にかられる若者だったかも知れないが、集団生活をしていく中に、逆に、生きる喜びを感じてしまったに違いないからだ。第二は、君の旺盛な性欲だ」

と、十津川は、亀井の手帖を広げて、

「君は、かくしていたが、学生時代に、二度ほど、人妻と問題を起こしている。君の別れた奥さんも、君の性欲が、異常に旺盛だったと証言している。君が集めた若者の中には、若い女が五人もいた。しかも、君の命令には絶対に服従する女性たちだ。君は、五人の中で、もっとも魅力的な風見冴子と関係をもった。彼女は妊娠し、君は、あわてて中絶させた。現代のイエス・キリストが、弟子に子供を作らせたのでは、さまにならないからね。だが、このスキャンダルは、ばれたら、君の命取りになる。そこで、君は、順番を早めて、風見冴子を四番目に死なせることにしたのだ。三番目に死んだ関根和夫も、恐らく、君と彼女のことに気付いたために、君によって殺されたのだ」

「何を馬鹿な。関根和夫も、風見冴子も、神の王国を作るために、自分を犠牲にしたんだ」

「いや、二人とも、君が殺したんだよ」

「証拠があるのかね？　関根君は、神宮球場のピッチャーズマウンドで焼死したんだよ。殺されるとわかっていて、あんなところへ、のこのこ出かけて行く人間がいるかね？　行かせられるかね？」

野見山は、皮肉な眼つきになった。

「簡単なことさ」と、十津川は、いった。

「君は、自分が、神宮球場のピッチャーズマウンドで自殺すると、関根和夫にいったんだ。だから、その死を見届けに来いとね。ファザーの言葉だから、関根はついて行った。多分、イエス・

キリストのように自己を犠牲にしようとしている君に、感動しながらだ。君たちは、ガソリンを持って、ピッチャーズマウンドまで歩いて行った。そこで、君は、別れの乾杯をしようと持ちかける。だが、そのジュースの中には、青酸カリが入っていたのだ。関根は、たちまち絶命した。君は、死体にガソリンを振りかけ簡単な時限発火装置をほどこして、立ち去ったんだ。油をひたした紐でも、ろうそくでもいい。それが、時限発火装置だ」

「マウンド周辺は、整地されていて、関根君の足跡しかついていなかったんだよ。ピッチャーズマウンドに向う足跡だ」

「知っているさ。一種の密室状態だったといいたいんだろう。だがね。君は、球場に備付けのトンボを使って、関根和夫の足跡だけ残し、あとは、きれいに整地してから逃げ去ったんだ。もちろん、トンボを使っての整地は難しく、素人に出来はしない。ところが、君は、大学時代に三年間、この仕事をアルバイトでやっているんだ。それがわからなかったのは、君が、川上弘文という友人の名前を使って、このアルバイトをしていたからだ。ようやく、それが、わかったのさ。次は、風見冴子だ。君は、口を封じるために、彼女を、『スペース79』というプレハブの中で、焼き殺したんだ」

3

集会場全体に、重苦しい空気が生れていた。誰もが、堅く押し黙って、野見山と十津川を見つめている。

この神の王国に、何かを求めてやって来た人々は、ただ、呆然としている。

小林や、片岡敏子は、引きつった顔で、尊敬するファザーが、どう反撃するかと、息をひそめて見守っていた。

ふいに、野見山が、甲高い笑い声を立てた。

「風見冴子は、日宝コンツェルンに抗議するために、あのプレハブの中で焼死したのだ。自らの命を絶ったのだ。あれこそ、完全な密室だった筈だ。彼女は、他人に迷惑がかかるのを恐れて、内側から錠を下し、密室状態で焼死している。私が、そうしろといったわけではない。彼女自身が、他の人が疑われるのを心配して、密室にしたのだ。それさえも、君は、私が彼女を殺したというのかね？」

今度は、人々の視線が、十津川に集中した。

その視線には、好奇心の他に、強い憎悪が含まれているのを、十津川は、痛いほどに感じないわけにはいかなかった。

十津川は、ふと、小林や、片岡敏子や、立花たちの眼に、自分がどう映っているだろうかと思った。

野見山という彼等の偶像を破壊しようとしている野蛮な人間に見えているのだろうか。そうだとしても、十津川は、ファザーと呼ばれている野見山を、殺人犯の地位まで引き下げなければならない。もし、それに失敗したら、野見山の偶像性は、より強固なものになってしまうだろう。

そうなった時の怖さを、十津川は考えた。「殺せ！」と、野見山は、命令するかも知れない。そういわないまでも、「追い出せ！」ぐらいのことは命令するだろう。もし、この集会場を狂気が支配してしまったら、刑事たちの持っている拳銃など、何の役にも立つまい。

十津川は、小さく咳払いをした。

「君が、彼女を殺したんだ」

と、十津川は、まっすぐに、野見山を見つめていった。

「私がいったことが聞こえなかったようだね」と、野見山がいい返した。

「彼女の死んだプレハブは、完全な密室だったんだよ。そのため、駈けつけた消防隊員は、窓のガラスを打ち割って、部屋の中に放水しなければならなかった。これは、誰もが知っていることだ。もちろん、警察の人たちもだ。それなのに、君は、私が彼女を殺したというのかね？」

「その通りだよ」

「それなら、どうやって、あの密室から抜け出せたか、いってみたまえ」

「簡単なことだ。あのプレハブは売出し宣伝中でカタログが出廻っていたから、内部の構造が、どうなっていたかは、君たちにもわかっていた筈だよ。それを思い出しながら、私のいうことを聞いて欲しい。確かに、ドアにも、窓にも、錠がおりていた。そして、窓には、カーテンが閉っていて、そのカーテンも燃えていたのだ。まず、どうやって、中に入ったかから考えてみよう。あの展示場の管理人は、ドアの錠を下していたかどうか確信がないようだったが、まあ、錠は下りていたと考えるべきだろう。その錠をどうやってあけて、犯人は、中に入ったのだろうか？

映画やテレビでは、針金を曲げて、錠をあけるシーンがよく出てくるが、素人に、そんなことが出来たとは思えない。犯人は、もっと簡単で、乱暴な方法をとったと私は、思っている。『スペース79』のドアの錠は、一般のマンションに使われているのと同じ、シリンダー錠だ。鋼鉄製で一見頑丈そうに見えるが、あの種の錠には盲点がある。錠そのものは頑丈だが、ネジ回し一本で、錠の部分全体を、ドアから外してしまえるからだ。私の知っている職人は、たった五分で、あれと同じ錠をドアから取り外してしまったよ。もちろん、ネジ回し一本でだ。私も真似してやってみたが、私でも出来た。犯人は、この方法で、ドアを開けたに違いない。しかし、焼死事件は、明るい昼間に起きている。そんな明るさの中で、ネジ回しで、錠を分離したりしていれば、誰かに見つかる恐れがある。だから、犯人は、前日の夜、やったに違いない。ネジ回しで、錠を取り外し、ロックされない状態にしてから、また、ドアに取りつけておいたのだ。こうしておいて、犯人は、事件の日、『スペース79』の中に入った。それでは、出る時は、どうしたのだろうか？　ドアから出たのだろうか？　ノーだ。発見された時、ドアには錠がおりていた。鍵(かぎ)なしに、そうやるには、もう一度、錠をドアから取り外し、犯人が外に出てから、ロックされた状態で、取りつけなければならないからだよ。これは、取り外すより難しいし、見つかる恐れもある。だいいち、内側からチェーン・ロックがされていたのだから、犯人は、ドアから出たのではない。犯人は、内側から、ドアの錠を下したのだ。問題は、窓の錠だ。アルミサッシの窓の錠は、バネ式になっている。上から下におろしてきて、水平位置より下がると、あとは、バネの力で、ぱちんと、錠がかかってしまうようになっているのだ。このために、犯人は、密室を作って、悠々と抜け出すことが出来たんだ。まず、犯人は、風見冴子を、あのプレハブに誘い出して、毒殺した。関根和夫の場合と同様、犯人は、ファザーと呼ばれる絶対者なのだから、彼女に、青酸カリ入りのジュースを飲ませるのは、容易だったろう」

と、いってから、十津川は、「いや」と、自分の言葉を、自分で否定して、

「風見冴子は、犯人の子供を宿し、それを堕ろした。そのことで、二人の間は、救い主と弟子の関係ではなく、男と女の関係になっていたに違いない。とすれば、犯人は、一緒に死のうと甘く持ちかけて、彼女に毒を飲ましたのだ。とにかく、犯人は、風見冴子を毒殺して、プレハブの中に横たえ、ドアの錠をおろしてから、用意したガソリンをまき散らした。次に、窓の錠にちょっとした細工をする。紐を使って、錠の位置を水平より少し下った位置に固定するのだ。燃えやすいものなら、どんな紐でもいい。こうしておいてから、火をつけ、カーテンを閉め、窓から外に出てから、勢よく窓を閉めれば、これで、密室は完成する。室内は炎に包まれ、すぐ、化学繊維のカーテンに燃え移る。何百度という高温になる筈だ。当然、窓の錠を固定してあった紐は燃えてしまう。抑えの外れた錠は、バネの力でおりて、ロックされる。こうして、君は、風見冴子を殉教者に仕立てあげて、彼女の口を封じてしまったんだ」

4

集会場の空気が、なお一層、重苦しくなった。まるで、墓場になってしまったようだ。

ふいに、十八歳の片岡敏子が、泣き出した。立花や、小野沢、それにもう一人の女性である三枝君子は、暗い眼で、野見山を見守っている。

ただ、敏子の泣きじゃくる声だけが聞こえてくる。

野見山は、顔をゆがめ「馬鹿げている」といった。

「馬鹿げている。私は、彼女を殺したりはしない」

「密室はこわれたんだ。しかも、風見冴子は、君の子供を堕ろしている。阿部浩は、それを知って絶望し、トラックに飛び込んで死のうとしたんだ。現代のイエス・キリストどころか、君は殺人犯人だ」

十津川は、決めつけるようにいった。

「僕は、ファザーを信じる！」

突然、小林が、大声で叫んだ。甲高く、ふるえを帯びた声が、集会場に反響した。

「小林君。君は欺されているんだ」

と、十津川は、小林に向っていった。

「そんなことはない。ファザーは、この神の王国を作ることだけを考えていらっしゃるんだ。そんなファザーが、殺人者の筈がない」

「君だって、風見冴子が堕ろした子供が、野見山の子供とわかっている筈だ。彼だけが、弟子の女性を自由に出来る立場にいたんだからね。眼をさますんだ。そこにいる男は、イエス・キリストの再来なんかじゃない。自分の絶対的な地位を利用して、弟子の女性を抱き、子供が出来たと知ると堕ろさせ、口封じに殺した犯罪者だ。この神の王国にしても、宗教的な使命感から作ったのではなく、絶対者として君臨したいからに過ぎない。君にだって、それは、わかっている筈だよ」

「証拠があるんですか？」

「状況証拠は十分だよ」

「そんなものは、僕は信じない」

小林は、かたくなにいった。

「ただ信じないだけでは、子供と同じじゃないか。子供が、すねているのと同じだ」

「違います。絶対に違う」

「どう違うんだね？」

十津川が、強い眼で見つめると、小林は、睨み返してから、

「ファザーは、いつも、僕たちに約束している。君たちだけを死なせはしない。イエス・キリストが十字架にかけられたように、自分も、君たちに続くと。神の王国を作るために、自分さえ犠牲にしようとしている人が、なぜ、自分の個人的な理由で、人を殺したりするんです？」

「野見山は、君たちに嘘をついているんだ。君たち全員を犠牲にして、神の王国を作り、自分は、磔になるどころか、王国の指導者として、君臨するつもりなんだ。しかも、奴隷たちの上に君臨する独裁者の王国だ」

「そんなことはない」

「じゃあ、なぜ、野見山は、他の弟子たちのように、自殺しようとしないんだね？　もし、本当にイエス・キリストの再来なら、弟子たちよりも先に、自ら進んで十字架にかかるのが当然じゃないか？」

「ファザー」

と、小林は、野見山の前に膝まずいた。

「あの刑事たちに、あなたが、殺人犯などじゃなく、イエス・キリストの再来であることを示してやって下さい」

「――――」

野見山は、黙って、じっと考え込んでいる。十津川は、そんな野見山に向って、

「君は、死ねやしないよ。人一倍野心家で、欲望の強い人間なんだからな」

「そんなことはない」

と、いったのは、野見山でなく、小林だった。

小林は、野見山に向って、

「ファザー。お願いします。あなたが、殺人者じゃなく、イエス・キリストの再来であることを、私たちにも示して下さい。そして、イエス・キリストのように、私たちの前に復活して下さい」

「私もお願いします」

三枝君子も、野見山の前に膝まずいて、彼を見つめた。

十津川は、彼が何というだろうかと、野見山を注目した。この男は、聖人どころか、俗臭ふん

ぷんたる野心家なのだと、十津川は、思っていた。この神の王国を作ったのも、人々を救おうという気持からというより、自分が、ここで、独裁者のように振る舞いたいからなのだ。と、すれば、野見山が、自殺する筈がない。

「わかった」

野見山が、重々しく肯いた。

「わかって下さいましたか？」

小林が、ぱッと眼を輝やかせた。

野見山は、自分の前で膝まずいている弟子たちに向って、その頭をなぜるようにしながら、

「確かに、私は、君たちに約束した。その約束は覚えているし、それを破って、君たちを失望させるつもりもない。今、こうして、刑事たちの悪罵を浴びているのも、私に与えられた一つの試練だと思っている。彼等が、私を十字架にかけようとするのなら、私は、喜んで、十字架にかかる。死を恐れはしない」

と、いい、今度は、集会場にいる数十人の人々に向って、

「よく聞き給え。警察は、私に石を投げ、危険人物視している。それは、二千年前、イエス・キリストが、時の権力者によって、危険視されたのと同じだ。イエス・キリストは、自ら十字架にかかることによって、彼が、神の子であることを示した。私も、それにならう積りだ。今夜、私は、ここにいる弟子たちと、最後の晩餐を楽しみたいと思う。そして、明日、私は、十字架にかかる。ただ死ぬためにでなく、復活のためにだ。だから、警察の方にも頼みたいが、今夜は、私

と五人の弟子たちだけにしておいて貰いたいのだ。警察だって、私を逮捕はできない筈だ。殺人犯というが、証拠はないのだからね」

5

十津川は、すぐさま野見山を逮捕しようといきまく亀井たちをおさえて、いったん、神の王国の外に出た。

「なぜ、野見山を逮捕なさらないんですか？」

と、亀井が、歯ぎしりして、十津川に迫った。

「そうしたくても、野見山が、関根和夫と、風見冴子の二人を殺したという証拠はないんだ」

「しかし、二つの密室の謎（なぞ）は解けたじゃありませんか」

「ああ、その通りさ。しかし、密室の謎が解けたということは、他殺の可能性があることを証明はしたが、同時に、自殺の可能性も残しているということなんだ。他殺の証明じゃないんだ。風見冴子は、自分で、ドアや窓の錠をかけて焼死したのかも知れない」

「警部！」

「わかってるよ。あれは殺人だ。だが、証明はできない」

「警部が誘拐されたのは、事実です。誘拐罪で逮捕しましょう」

「私を誘拐したのは、小林と立花だ。あの二人は、逮捕できる。だが、肝心の野見山は、知らなかったといえば、逮捕できない」

「しかし、このままだと、野見山は、逃げ出すかも知れませんよ。弟子たちと、最後の晩餐をやりたいなどと恰好いいことをいってましたが、夜の闇にまぎれて、逃げ出すに違いありません」

「いや、逃げ出すとは思わないね。彼は、人一倍自尊心が強くて、名誉欲が強い男だ。もし、こそこそと逃げ出したら、それこそ、今までに作りあげた偶像が、粉々にこわれてしまう。この上ない卑怯者(ひきょう)になってしまう。神の王国も失うんだ。そんなことに、あの男が堪えられる筈はないよ」

「しかし、野見山が、自殺するとも思えませんが」

「イエス・キリストのように、自分も進んで十字架にかかるとはいっていたな」

「追いつめられて、その場しのぎに、心にもないことをいったんだと思いますね。自分も死ぬとでもいわなければ、収拾がつかなくなると思ったんでしょう。口から出まかせに決っていますよ。今頃、どうしていいかわからなくて、立往生してるんじゃありませんか?」

　亀井は、皮肉な眼つきをした。

「あの男は、頭の切れる人間だよ。いくら追いつめられていたとはいえ、何の成算もなしに、十字架にかかってみせるなどと広言はしないだろう」

「狂気の虜(とりこ)になったんじゃないでしょうか?」

「狂気?」

「そうです。野見山は、自分をイエス・キリストの再来だと広言しています。それに十二人の弟子を集め、完全に、イエス・キリストを気取っています」

「阿部浩というユダも出ているよ」

「そして、曲りなりにも、神の王国も出来あがりつつあります。野見山は、次第に、自分が、本当にイエス・キリストの再来だと信じ込んで来ているんじゃないでしょうか。つまり、狂気に取りつかれたというわけです」

「一度死んでも、イエス・キリストのように復活できると、自分で信じ切っているんじゃないかということかね？」

「逃げ出す気もなしに、あんな広言をしたとなれば、私は、狂気としか思えないんですが」

「狂気ねえ」

十津川は、じっと、集会場の方に眼をやった。

神の王国に集った数十人の男女も、今は、集会場の外に出て、突っ立ったり、草の上に腰を下したりして、集会場を見守っている。

夜空に、大きな月が浮んでいて、その青白い明りを受けて、人々の姿は、影絵のように動かない。

野見山は、今夜、集会場で、五人の弟子たちと、最後の晩餐をするといった。まるで、芝居じみていると、十津川は思う。

(亀井刑事のいうように、野見山の頭を、狂気が支配してしまったのだろうか？)

集会場の中は、静かだった。

十津川は、腕時計に眼をやった。が、いつの間にか、とまってしまっている。誘拐され、大型トラックに閉じこめられて運ばれたりしている中に、とまってしまったらしい。

「今、何時だね？」

と、十津川が、亀井にきき、

「午後十時を廻ったところです」

という返事が戻って来たとき、ひっそりと静まり返っていた集会場から、四つの人影が出てくるのが見えた。

6

四人の中に、小林がいたので、十津川は、もう一度、王国の中に入って、彼をつかまえた。

「集会場の中で、何をやってるんだ？」

「あなたには、関係ない」

小林は、堅い表情でいった。

「そうはいかないんだ。野見山は、自ら十字架にかかるといった。もしそれが、自ら死を選ぶことなら、われわれは、それを止めなければならないからね」

「あなたがそんなことをいうのは、奇妙ですね」

「なぜだね？」

「あなたは、ファザーを殺人者だと決めつけた。だから、ファザーは、自分の無実を証明するために、自ら十字架にかからなければならなくなった。それなのに、今度は、それを止めようとするんですか？」

「その通りさ。今、集会場の中で、野見山は、何をしているんだ？　弟子たちは五人いた筈だが、もう一人は、中に残っているのか？」

「最後の晩餐はすみました。今は、ファザーと、立花さんが、静かに話をしていますよ」

「あの立花だけが、なぜ、野見山と二人だけで話をしているんだね？」

「彼は、一番最初にファザーの弟子になった人だからです。もし、ファザーが十字架にかかったら、復活してくるまでの間、残された私たちは、立花さんの指示に従うことになる。それを考えて、ファザーは、立花さんに、いろいろと、自分の考えを話されているんです。その邪魔はしないで下さい」

「君は、野見山の復活を信じているのかね？」

「信じていけない理由はないでしょう。僕にしろ、他の四人にしろ、ファザーの復活を信じているからこそ、ファザーが自ら十字架にかかろうとしているのを、平静に見守っていることが出来るんです。この神の王国に復活することをですよ」

「野見山と立花の話というのは、いつまで続くのかね？」

「明日の朝までです」

「それまでは、野見山は死なないということだな？」

「あなた方には関係がないことです。あなたも、他の警官も、この神の王国の住人じゃないんだから」

「私は、刑事だよ」

「だから、どうだというんです？」

小林は、突っかかる調子でいい、他の三人の方に、歩いて行ってしまった。

十津川は、しばらく迷ってから、重い扉を開けて、集会場の中へ入って行った。

朝までは、野見山が死ぬことはないと、小林はいったが、やはり不安だったからだった。十津川は、野見山が自殺する筈がないと思い、亀井は、狂気から、ひょっとすると自らの命を絶つかも知れないといったが、いずれにしろ、自殺は阻止しなければならない。

広い集会場の真ん中に、二人の男が、ぽつんと、床に腰を下しているのが見えた。

野見山と立花だった。

二人とも、フードつきのローブを羽おっていた。立花の方は、十津川が前に見たことのある白いローブだったが、野見山の方は、金色だった。この神の王国では、指導者であることの印として、金色にしているのかも知れなかった。

二人は、床にあぐらをかくようにして、向い合って話をしていたのだが、野見山は、ふと、顔をあげ、咎（とが）めるように十津川を見た。

「何の用だね？」

「私は刑事だ。君が自殺するようなら、それを止めなければならない。それが、私の義務だからだ」

「ご苦労なことだが、夜が明けるまでは、何もせんよ。まさか、こうやって弟子の一人と話をしていたら法律に触れるわけじゃないだろう？」

野見山は、皮肉な眼つきをした。確かに、自殺するかも知れぬという予見だけで、雑談をしている人間を逮捕はできない。

十津川が、返事に窮していると、野見山は、彼を無視して、大声で、

「小林君！」

と、呼んだ。

小林は、入って来ると、けわしい眼で、十津川を睨んだ。

「その刑事は、放っておけばいい」と、野見山が、小林にいった。

「それより、私は、この王国に住むことになった人々に、最後の別れをしたいから、ひとりずつ、ここに入って来るようにいってくれないか」

7

数十人の男女が、ひとりずつ集会場に入って行くのを、十津川は、外に出て、亀井と並んで見守っていた。

小林は、ひとりずつといったのだが、若い男女は、カップルで入って行ったし、幼い子は、母親が手を引いて、集会場に入った。

どの顔も、出て来ると、感動に紅潮しているのがわかった。眼を真っ赤に泣きはらしている少女もいる。

恐らく、野見山は、彼等に向って、自分が間もなく死ぬことを改めて、告げたのだろう。死というものは、そのことだけで人々を感動させる力を持っているものだ。

別れの儀式は、二時間近くかかって、やっと終り、そのあと、小林が、野見山と立花に、ぶどう酒を持って行った。

「ファザーが、みんなと話をされて、のどが乾いたとおっしゃっているんです」

と、小林は、十津川にいった。

十津川は、亀井の腕時計を見た。午前一時。夜明けには、まだ時間がある。

小林は、十二、三分して出て来た。

「中の二人は、まだ話をしているのかね？」

と、十津川がきくと、

「夜明けまで話をなさるといった筈ですよ」

小林は、相変らず、堅い声でいった。

小林をはじめとする弟子たちと、数十人の王国の住人たちは、集会場を遠巻きにして、じっと見つめていた。まるで、今からここで、奇蹟(きせき)が起きるのを待ち受けているような眼つきだった。

「どうします？」

と、亀井が、小声できいた。

「今、踏み込んでも、どうしようもないな。野見山と立花が、ただ話をしているだけでは、逮捕もできないからね」

「どうも、彼等の眼が、薄気味悪いですね。野見山が死ぬのを、胸をわくわくさせながら待っているような眼つきですよ」

「現代のイエス・キリストが、十字架にかかるのを待っているのさ」

「立花が出て来たら踏み込みますか？　野見山が死ぬとしても、彼ひとりになってからでしょうから」

「そうだな」

と、十津川が肯いた時だった。

突然、眼の前が、ぱっと明るくなった。

続いて、「ごおッ」という音と共に、窓ガラスが、真っ赤に染まった。

火だ。

十津川は、反射的に集会場の階段を駈けあがり、重い扉に手をかけた。

だが、開けようとして、「あッ」と悲鳴をあげた。

どっと、炎が吹き出して来たからだ。中は、すでに、火の海になっている。

灯油をまいて、火をつけたに違いない。

十津川は、階段を逃げおりて、呆然と、炎に包まれていく集会場を見守った。

この荒野の真ん中では、消防を呼ぶことも出来ない。

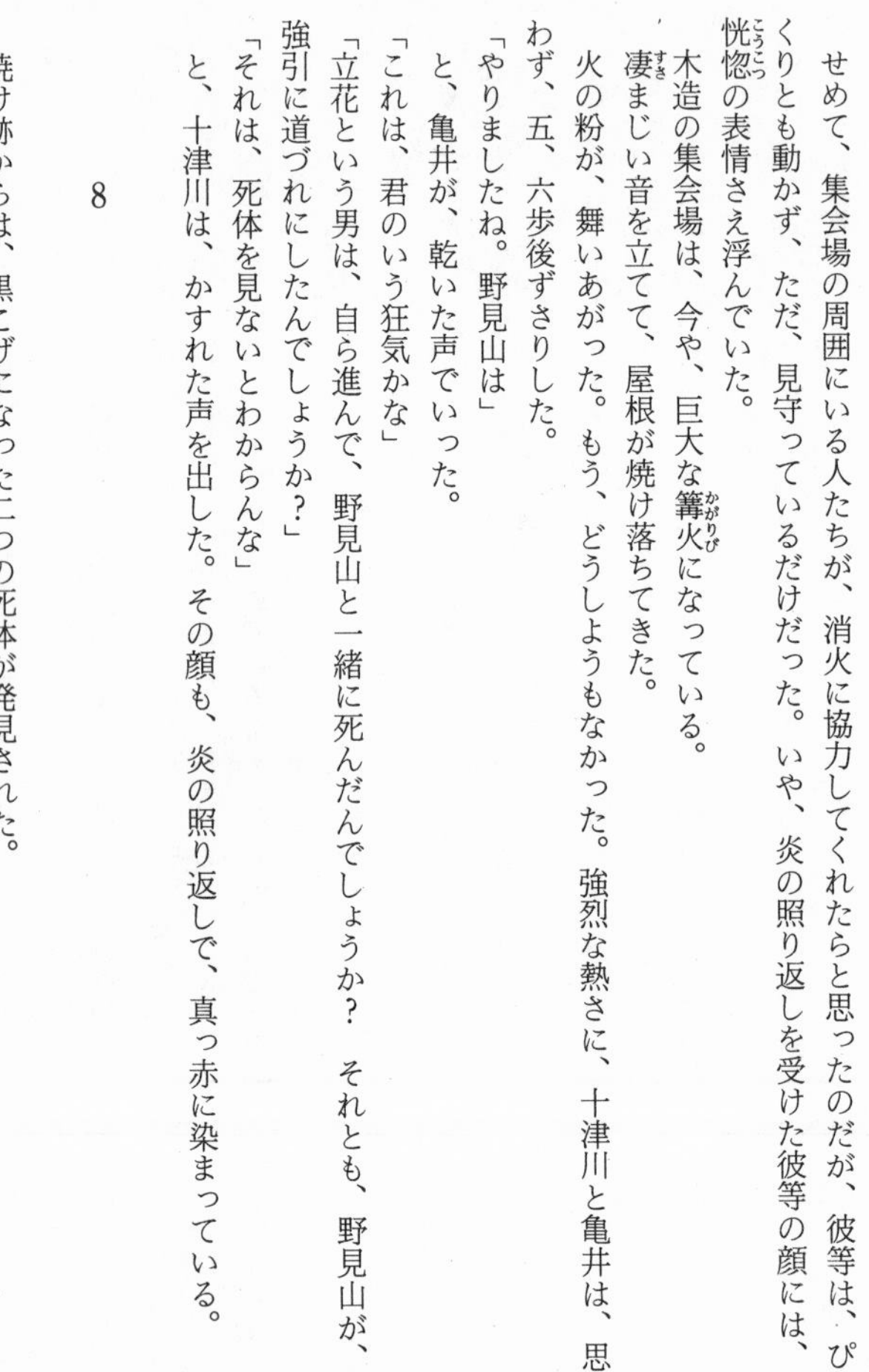

せめて、集会場の周囲にいる人たちが、消火に協力してくれたらと思ったのだが、彼等は、ぴくりとも動かず、ただ、見守っているだけだった。いや、炎の照り返しを受けた彼等の顔には、恍惚の表情さえ浮んでいた。

木造の集会場は、今や、巨大な篝火になっている。

凄まじい音を立てて、屋根が焼け落ちてきた。

火の粉が、舞いあがった。もう、どうしようもなかった。強烈な熱さに、十津川と亀井は、思わず、五、六歩後ずさりした。

「やりましたね。野見山は」

と、亀井が、乾いた声でいった。

「これは、君のいう狂気かな」

「立花という男は、自ら進んで、野見山と一緒に死んだんでしょうか？　それとも、野見山が、強引に道づれにしたんでしょうか？」

「それは、死体を見ないとわからんな」

と、十津川は、かすれた声を出した。その顔も、炎の照り返しで、真っ赤に染まっている。

8

焼け跡からは、黒こげになった二つの死体が発見された。

どちらが野見山なのかわからないほど、その遺体は、焼けただれていた。辛うじて判別できたのは、焼け残ったロープの一部が、片方は金色だったからである。

二つの遺体は、解剖のために、札幌市内の大学病院まで運ばれた。

小林たちが、運び出すことに反対したが、それは、道警の警官が、力で押さえつけた。

十津川たちは、解剖の行われる大学病院まで、ついて行った。

まだ、夜は明けていない。

病院では、解剖の前に、焼死体が身につけている腕時計や、例のブレスレットを外すことになり、その作業を、十津川たちが手伝うことになった。

まず、焼けた身体に、金色のロープの切れ端が、辛うじてへばりついている遺体の方だった。

その切れ端を引き剝がそうとすると、肉片まで、くっついてきた。

二つの遺体は、背恰好が同じくらいのうえ、顔も手足も焼け焦げてしまっているので、この金色の切れ端がなかったら、こちらが野見山とはわからなかったろう。

次に、真鍮製のブレスレットを外した。ハンカチで、拭いて、裏側に彫られた文字を読んだ。


〈われらは種播くものなり〉


「おかしいぞ」

と、十津川が、思わず、大きな声をあげたのは、その時だった。

野見山のはめているブレスレットは、前に一度見せて貰ったことがあった。そこに彫られていたのは、「I・N・R・I」の四つのアルファベットだった。ラテン語の「ナザレのイエス、ユダヤ人の王」の頭文字だ。

「そっちの仏さんのブレスレットを外してみてくれ」

と、十津川がいった。

亀井と大杉が、外して、十津川に渡した。

そのブレスレットの裏側には、はっきりと、I・N・R・Iの文字が彫ってあった。

「これは野見山のものだよ」

「じゃあ、こっちの仏さんが野見山ということですか？」

亀井が、けげんそうに、二つの遺体を見比べた。

「いや、私が見た時、野見山は金色のローブを着ていたから、こちらの仏さんが、彼の筈だよ」

「とすると、二人は、ブレスレットを交換してから、火をつけて焼死したことになりますね」

「そうだな」

「となると、弟子の立花は、自分から進んで、野見山に殉じたことになりますね」

「確かにそうなりそうだが――」

十津川は、どこかに、引っかかるものを感じた。

野見山は、自らをファザーと呼ばせ、現代のイエス・キリストを自負していた男だ。だからこそ、自分のブレスレットには、「I・N・R・I」と、彫り込んだのだ。

また、野見山は、二千年前に、イエス・キリストが十字架にかかったように、自らを犠牲にするといった。その男が、もっとも現代のイエス・キリストにふさわしい言葉を彫ったブレスレットを、弟子のそれと交換するだろうか？

遺体の解剖が始まってからも、十津川の疑問は、消えてくれなかった。

解剖は、二時間ほどで終った。

「死因は、二人とも、青酸中毒死ですね」

と、解剖を担当した医師が、十津川にいった。

「焼死ではなく、青酸中毒ですか」

十津川は、神宮球場や、プレハブの中で死んだ男女のことを思い出した。

あれは、野見山が犯人だった。少くとも、十津川は、そう確信していた。多摩川のボートの中で、ハイビスカスに埋もれて死んでいたカップルも、恐らく、野見山に毒殺されたのだろう。

十津川は、亀井から聞いた事件の状況から、心中事件を、次のように推理していた。

普通の場合なら、若い男女を心中に見せかけて殺し、しかも、ボートに乗せて、ハイビスカスの花で飾ることは、難しいことだろう。

だが、野見山の場合は違う。彼は、あのグループでは、カリスマ的存在だったし、弟子たちは、野見山に従順だった。そんな状態でなら、弟子の中の二人を、心中に見せかけて殺すことは、割合、簡単ではなかったろうか。

例えば、こんな風にすればいい。

野見山は、犠牲にすべき若い二人を、そっと呼び、神の王国を作るために、君たちが犠牲になってくれないかと頼む。二人が、肯いて死んでくれればそれでいい。もし、死を怖がったら、こういえばいいのだ。

それなら、次の日曜日には、私が犠牲になろう。イエス・キリストが、弟子たちに先んじて磔になったように。ただ、君たち二人には、私の最期を見届けて欲しいと。

二人に、否応がある筈がない。野見山は、更にこういう。世間の注目を集めるためと、中央商事に対する抗議の意味から、私は、多摩川のボートの中で、ハイビスカスに埋まって死にたいと。

二人の男女は、唯々諾々として、日曜日に、ハイビスカスの花を集め、多摩川の川原に出かけた。

野見山は、彼等を、人の眼の届かない草むらに案内する。それから、二人に、ボートを借りに行かせる。

二人は、ボートを借りると、それを、草むらまで引きずり揚げた。

そこで、野見山は、二人に向って、いよいよ、君たちともお別れだから、最後の晩餐の意味で、酒をくみかわそうといい、持参したぶどう酒を取り出した。ぶどう酒でなく、ジュースだったかも知れないが、とにかく、その中には、青酸カリが入っていたのだ。

二人が、全く疑わなかったかどうかは、わからない。例え、疑ったとしても、彼等には、ファザーを先に死なせるのだという後ろめたさがあった。だから、ためらいながらも飲んだろう。

そして、二人は死んだ。

野見山は、二つの死体をボートに乗せ、二人の運んで来たハイビスカスで飾ってから、ボートを川に押し出し、姿を消した。

もちろん、野見山は、残った弟子たちには、二人が、神の王国を作るために、進んで自己を犠牲にしたと報告したに決っている。

今度も、よく似ている。

だが、今度、死んだ二人の片方は、野見山なのだ。

念のために、二人の血液型も調べて貰った。

I・N・R・Iのブレスレットをしていた死体はB型。

もう一人は、AB型とわかった。

野見山の血液型は、AB型だったから、やはり、ブレスレットは、取りかえられたことになる。

なお、二人の胃の中からは、かなりの量のぶどう酒が検出されたとも、医師はいった。

ぶどう酒は、小林が運んだのを、十津川は見ている。

あの中に、青酸が入っていたのだろうか？　それとも、野見山自身が、焼死の恐怖に耐えられず、あらかじめ、立花と、青酸を入れたぶどう酒を飲み合ってから、火をつけたのだろうか。

それにしても、ブレスレットが交換されていた謎は残ってしまう。

夜明けと共に、小林たち四人が、遺体の引き取りにやって来た。

「神の王国で、ファザーと、立花さんのために、盛大な慰霊祭を行いたいのです。ファザーは、自らを犠牲にすることによって、無実を証明されたのですから、遺体は、当然、引き取らせて頂きたい」

と、小林は、切り口上で、十津川や、道警の刑事たちにいった。

十津川は、野見山が死んだことで、彼の無実が証明されたなどとは思っていなかった。

関根和夫、風見冴子を殺したのは、間違いなく野見山だと考えているし、ボートの中で死んだ男女も、野見山が殺したに違いないと確信していた。この男女の名前も、小池信之、伊東みどりとわかっている。

だが、死体に、手錠はかけられない。遺体は、小林たちに渡されることになった。

二つの遺体が運び去られると、十津川たちは、いったん道警本部に引き揚げた。

道警本部長の秋月が、十津川たちに、ねぎらいの言葉をかけてくれた。

「これで、事件はあらかた片付いたんじゃないかね。野見山の自殺という結末は、君にとっては残念だろうが、あとは、君を誘拐（ゆうかい）、監禁した容疑で、小林昌彦を逮捕して終りだな。これは、うちの刑事がやるから、君も、亀井君たちも、ひと休みするといい」

「ありがとうございます」

と、十津川は、秋月に礼をいってから、

「小林には、あとで、私自身が会って来たいと思っています」

「彼が逃げる恐れはないかね？」

「それは大丈夫です」

「彼をよく知っているのかね？」

「知っています。東京で、彼をつけ廻したことがありますから。あの男は、自分の頭の中の義務感に縛られる性格です。病的なほどです。彼は今、ファザーと呼んでいた野見山の慰霊祭をやらなければならないと思っています。それが自分の義務だと考えています。従って、それがすむまで、逃げることは出来ない筈です。そういう男です」

9

十津川は、亀井や大杉たちを寝かせ、自分も、昼近くまで眠った。

その間に、小林が逃げ出しはしないかとは、全く考えなかった。

十津川の脳裏には、小林が、ぶるぶるふるえながら、チンピラに絡まれている中年男を助けに出て行った姿が、はっきりと焼きついていた。あれは、勇気ではなく、恐怖に近い義務感からなのだと、十津川は、今でも確信している。

逃げれば、あの男は、自滅するだけなのだと、十津川は、思った。義務を放棄したという自責の念に耐えられなくて、自滅するに決っている。

十津川が、目覚めたとき、亀井はすでに起きていて、道警が用意してくれた昼食を運んできた。

「こちらのテレビは、昨夜の事件を、ひっきりなしに放送していますよ。夕刊も、大きく取りあげると思いますね」

亀井は、自分も、十津川と一緒に折詰弁当の食事をとりながら、報告した。

「どんな風に取りあげているんだ？」

「中継車を、あの神の王国にやって、小林たちから取材しているわけですから、現代のイエス・キリストは、自らを十字架にかけた式の放送の仕方です。あのニュースを見て、また、何人もの人間が、参加しにやって来るんじゃありませんか」

「道警では、小林昌彦を逮捕したりはしていないだろうね？」

「していませんが、神の王国の監視は続けています。その報告なんですが、例の日宝コンツェルンが、野見山の死を知って、神の王国あてに、多額の弔慰金を送ってきたそうです」

「中央商事の方は？」

「額は少くても、送金してくるんじゃありませんか。野見山は、中央商事も脅していたに違いないんですから」

「野見山の慰霊祭は、もう始まっているのかね？」

「陽が落ちてから始めるそうです。恐らく、北海道のテレビは、全て、それを放送すると思いますね」

「われわれも、その時刻に合せて、行ってみようじゃないか」

「小林を、誘拐、監禁容疑で逮捕するわけですね？」

「それよりも、私は、別のことが、引っかかっているんだよ」

十津川は、食後の煙草に火をつけてから、亀井に向って、いった。

「どんなことですか？」

「例のブレスレットのことさ。なぜ、野見山と立花のブレスレットが、交換されていたんだろうかとね」

「それについて大杉刑事は、あの二人は、ホモだったんじゃないかといっていましたよ。だから野見山は、立花を道連れにして死んだんだろうと」

「ホモか」

「もっとも、野見山は、風見冴子を妊娠させているわけですから、彼は両刀使いだったのかも知れません。ああいう狂的な指導者というのは、昔から、倒錯した性行為に走りがちなものですから、野見山がホモだというのも、何となく肯ける気がするんですが」

「ホモだと、ブレスレットを交換するものかね？」

「ホモの男性というのは、よくブレスレットをするという話は、聞いたような気がするんですが――」

「そういえば、本物のイエス・キリストがホモだったという説もあるねえ。宗教者というのは、多少は、ホモ的な傾向がないと、信徒を心服させられないのかも知れないな。特に男の信徒は」

「信仰というのは、恋愛感情に似ているんじゃありませんか」と、亀井が、いった。

「女の信徒は、リーダーに対して男と女の恋愛感情を持つ。男の信徒も、リーダーに対してホモ的な恋愛感情を抱く。だからこそ、リーダーのために死ねるのかも知れません」

「つまり、ただの尊敬だけじゃあ、リーダーのためには死ねないということかね？」

「そうです。とにかく、死の恐怖に打ち勝つためには、盲目的な感情が必要でしょう」

亀井は、あくまでも、ホモに拘って(こだわ)いる。

野見山と立花が、死ぬ前にブレスレットを交換したのは、二人が、ホモ関係にあったからに違いないという。また、それだからこそ、立花は、野見山に殉じて焼死したのだろうともいう。

(だが、そうだろうか？)

十津川は、疑問を持った。

立花の気持が、理解できないわけではない。あの男は、野見山を信じ切っていた。その感情は、或は、ホモの感情に近いものだったかも知れない。

イエス・キリストのように自己を犠牲(いけにえ)に捧(ささ)げようとする野見山と、立花が、行動を共にしようとした気持が、わからなくはなかった。

十津川にわからないのは、野見山の気持と行動なのだ。

彼は、自分を現代のイエス・キリストになぞらえている。それなら、立花に向って、自分の復活を信じて待てというべきだろう。

それに、野見山は、間違いなく、風見冴子たちを、自殺に見せかけて殺しているのだ。

(もっとも、今度は、多勢の前で自殺すると発表してしまったのだから、他人を殺すわけにはいかなかったろうが)

と、十津川は、考えてから、急に、亀井に向って、

「出かけよう」

と、大声でいった。

10

二人は、道警の用意してくれた車に乗った。

亀井が、ハンドルを握り、車をスタートさせてから、

「いよいよ、小林を、誘拐と監禁容疑で逮捕されますか？」

「そんなことは忘れていたよ」

十津川が、そういうと、亀井は、びっくりした顔になって、

「しかし、小林には、他に容疑はありませんよ。野見山と立花を毒殺して、火をかけたという疑いはありますが、動機も証拠もありませんからね。もともと、野見山は、自殺すると公言していたんだし、立花は、それに殉じたわけですから、小林の罪は、せいぜい自殺幇助じゃないですか？」

「前をよく見て運転してくれよ。私は、死んだら天国へ行けるなんて信じてないからね」

「それとも、警部は、小林が、自分が野見山に代って、神の王国のリーダーになりたくて、邪魔な人間を、次々に殺していったとお考えなんですか？　確かに、今や、あの王国に残っているのは、小林の他に三人だけで、その中では、彼はリーダー格ですし、あとは、新しく集った人々だけですが」

「小林は、そんな野心家じゃないよ。君も知っているように、あの男は、小心で、いつも義務感の虜になっている人間だよ」

「それなら、なぜ、急に？」

「小林がそんな人間だからこそ、不安になって来たんだ」

「よくわかりませんが？」

「行ってみればわかるさ」

二人の車が、神の王国に着いた時には、陽が落ちて、北海道の広大な原野に、夕闇がおり始めていた。気温も下ってきた。

焼け落ちた集会場の跡は、きれいに片付けられ、代りに、大きなテントが張られて、その下に、人々が集っている。

何カ所か、篝火が焚かれている。

慰霊祭の模様を中継するためにやって来たテレビ局の車が、強烈なライトを、彼等に向けていた。

道警のパトカーも、三台集っている。

十津川たちが、車からおりると、先に来ていた道警の荒木刑事が、近寄って来て、

「今、小林昌彦が、ファザーのために祈ろうといって、全員で、黙禱を捧げているところです」

と、いった。

テントの中では、小林一人が立っていて、他の人々は、腰を下している。立っている小林も頭

をたれ、他の人々も無言だった。

人々の数は、前よりも増えて、今や、百人近くなっていた。彼等は、いったい何を求めて集って来たのだろうか？　現実が不幸だから、幸福を求めて、この王国にやって来たのだろうか？　それとも、現実が平和過ぎて退屈なので、何か刺戟を求めて集ったのだろうか？

いずれにしろ、ここに、死という緊張感があることだけは確かだ。

長い黙禱が終ると、小林は、テレビ局が用意したと思われるマイクを手に取り、人々に向って話し始めた。

その話し方は、野見山のような雄弁さも、流暢さも持ち合せていなかった。ぎこちなく、声がふるえていた。が、二人の人間の死というドラマチックな出来事のあとでは、かえって、小林の無器用な喋り方が、好意的に人々に受け入れられていくようだった。

「私たちは、ファザーの死を、この眼で見ました。ファザーは、まさに、現代のイエス・キリストとして、自ら、死の十字架にかけられたのです。イエス・キリストは、神の子であることを証明するために、十字架にかかったといわれます。また、マルコ福音書によれば、イエスは、最後の晩餐の時、弟子たちに、パンをさいて与え、『取れ、これはわたしのからだである』といわれ、また、杯をとって、弟子たちと共に飲み、『これは、多くの人のために流すわたしの契約の血である』といわれたとあります。つまり、イエスは、別離の時、すでに、復活を予言し、約束しているのです。それが、契約ということです。私は、そう思っています。今、私たちは、ファザーを失いました。しかし、それは、ファザーの復活が約束された別離であると確信しています。皆さんは、今、全て、ファザーの弟子です。私たちは、昔、イエスの弟子たちがそうしたように、パンを分けて食べ、ぶどう酒を飲み合って、ファザーの復活を待とうではありませんか」

小林は、時々、言葉を途切らせ、考えながら、それだけのことを話し終った。

他の三人の弟子たちが、用意されたパンと、カップに注がれたぶどう酒を、人々に配って廻る。

小林が、カップを持ちあげて、

「では、ファザーの復活を願って」

と、いった時、十津川は、いきなり、「やめろ！」と、怒鳴って、テントの中に駈け込んで行った。

11

小林は、顔をゆがめて、十津川を見た。

「このぶどう酒の中に、毒でも入っていると思うんですか？」

「その可能性もある」と、十津川は、いった。

「だが、その前に、君を逮捕しなきゃならん」

「あなたを、誘拐、監禁したからですか？」

「いや。君が殺人を犯したからだ」

「殺人？　またですか？」

「また？」

「あなたは、ファザーが、自殺に見せかけて弟子たちを殺したと難癖をつけた。ファザーは、そのため、無実を証明しようとして、自らを犠牲にされたんです。また、同じことを繰り返す気ですか？」

「野見山は、自殺したんじゃない。立花と一緒に君が殺したんだ」

「なぜ僕が、ファザーを殺さなければならないんですか？　第一、ファザーは、イエス・キリストのように、自ら十字架にかかったんですよ。あなたのいい方は、僕に対するだけでなく、ファザーに対する冒瀆(ぼうとく)だ」

小林は、むっとした表情で、十津川を見つめた。その顔が、興奮のためか、蒼(あお)ざめている。

「もう、妙な芝居は止(や)めたまえ」

十津川は、ひどくさめた眼で、小林を見すえた。彼の声も、小林の声も、マイクに入って、集った人々の耳に聞こえている。小林は、全く、マイクを切るのを忘れてしまっているようだった。

「芝居とは何ですか？　芝居で人間が死ねると思うんですか？　それなら、あなた自身、死んでごらんなさい」

「確かに、芝居で死ねるものじゃない。だがね、野見山は、自殺じゃなく、殺されたんだよ」

「嘘だ」

「まあ聞きたまえ。それとも、私の話を聞くのが怖いかね？　真実が明らかにされるのが怖いかね？」

「そんなことはない」

「野見山と立花の二人が炎の中に死んだ時、最初、私は二つの考え方をした。立花が、野見山の死に殉じたか、或は、野見山が、立花を道づれにしたかのどちらかではなかったかとね。だが、二人の腕にはめてあったブレスレットが交換されていたのを知って、考えを変えた。なぜ、ブレスレットを交換したのかを考えてみた」

「ファザーと、立花さんは、深い精神的な結びつきがあったからこそ、死にのぞんで、ブレスレットを交換し合ったんです。何も不審な点はないじゃありませんか」

「それは違うね。立花を含めて、君たち十二人の弟子たちのブレスレットには、『われらは』で始まる、いわば弟子としての決意に似た聖書の中の言葉が彫られていた。だが、野見山のブレスレットは違うのだ。そこに彫られていたのは、『I・N・R・I』つまり、ナザレのイエス、ユダヤ人の王という言葉だ。つまり、リーダーだけに許される言葉なんだよ。それを、弟子の立花と交換する筈がない。だが、死体では交換されていた。それは何を意味するだろうか？　一つだけ考えられることがある。それは、立花の焼死体を、野見山に見せかけるためだということだ。事実、焼け焦げた二つの死体は、背恰好も同じくらいで、最初は、区別がつかなかった。顔もわからず、指紋も焼け落ちてしまっているとすると、判別する手段は、腕にはめているブレスレットということになる。今度の場合、幸い、二人の着ていたローブの色が違っていて、その切れ端が辛うじて残っていたので、死体のブレスレットが交換されているとわかった。もし、ローブも取りかえていたら、われわれは、立花の死体を、野見山と思い込んだに違いない」

「それがどうかしたんですか？　二人とも、死んだのに」

「野見山は、死ぬ気なんか、全くなかったのさ。あの男の目的は、地上の王国を作りあげ、そこに、絶対者として君臨することなんだ。ところが、私が、風見冴子たちを自殺に見せかけて殺したに違いないといったために、野見山は、無実を証明するために自殺しなければならなくなってしまった。だが、野心満々の男が、喜んで自殺なぞする筈がない。そこで、野見山は、ある計画を立てた。自分に体格の似ている立花を、身代りに死なせておき、あとになって、現代のイエス・キリストとして復活して見せるということだよ。まず、金色と白のローブを用意し、金色のものを自分が着、立花には白色のものを着せ、最後の別れをするといって、集った人々を、一人ずつ、集会場に呼び入れた。人々は、嫌でも、金色のローブを着たのが野見山で、白色のローブを着たのが立花だと思い込んでしまう。そうしておいてから、ブレスレットを取りかえ、立花を毒殺する。発火装置をセットし、灯油をまいてから、野見山は、白いローブを着、フードを頭からかぶって、集会場を抜け出して行く。白いローブは、立花だと思い込んでいる人々は、それを、野見山だなどとは、全く思わない。立花になりすました野見山は、どさくさにまぎれて姿を消し、あとで、復活する。消えた立花については、イエスの死後、弟子たちが各地に散って行ったように、地方に行ったとでも説明するつもりだったのだろう。そして、集会場が炎に包まれ、焼け跡から、『I・N・R・I』のブレスレットをはめた、焼け焦げた死体が見つかれば、誰もが、野見山だと信じてしまう。本物の野見山は、その騒ぎの中を、白いローブ、フードの恰好で、姿を消してしまう筈だったに違いない。そして、復活になる筈だったのだが、手筈が狂って、野見山自身も死んでしまった。手筈を狂わせたのは、君だ。君が、土壇場で、野見山を裏切ったのだ」

12

十津川の声は、マイクにのって、集った人々の耳を打った。

テレビのカメラマンは、意外な事の成行きに、最初は戸惑っていたが、すぐ、興味津々の眼になって、カメラを、十津川に向けた。

「恐らく、野見山は、君に命じて、立花に毒を飲ませろといってあったのだろう。君は、ぶどう酒を、二人のところへ持って行った。立花にわたす杯にだけ、青酸カリを入れておくようにいわれていたのに、君は、土壇場で野見山を裏切り、両方の杯に、青酸カリを入れておいたのだ」

と、十津川は、言葉を続けた。

小林は、口元をゆがめて、

「なぜ、僕が、ファザーを殺さなきゃならないんです？　ファザーに代って、この王国の王になりたくてですか？」

「いや、君にそんな野心はない。小心な君に、他人を支配は出来ないよ」

「それなら、僕には、ファザーを殺す動機はないことになるじゃないですか？　違いますか？警部さん」

「いや。あるさ。君は、『スペース79』の中で死んだ風見冴子を愛していた。君のことだから、自分の気持を彼女に示すことも出来ず、ただ、悶々（もんもん）としていたのだろうがね。ところが、われわれの調べでは、風見冴子が、最近、妊娠（にんしん）し、中絶していたことがわかった。それを知らされて、君は、真っ赤になって怒った、と亀井刑事がいっていた。それをよく覚えているよ。君には、すぐ、彼女の相手が野見山とわかったのだ。それは当然だ。弟子たちの間で、恋愛は禁じられていた。そのタブーを犯せるのは、絶対の権力を持つ野見山以外には、いないからだ。阿部浩は、それを知って絶望し、グループを抜け出し、自殺を図った」

「あの男は、われわれを裏切ったユダだ」

「そういい切れるのかね？」

と、十津川が、強い眼で見つめると、小林は、言葉に詰ったように黙ってしまった。

十津川は、押しかぶせるように、

「君は、グループに残り、今まで以上に、野見山に心服している態度をとった。われわれ警察が行くと、必死になって、野見山を守る様子を見せた。だが、君は、すでに、野見山に対する尊敬を失い、憎んでさえいたんだ」

「そんなことはない」

「君は、愛する風見冴子のために、復讐（ふくしゅう）を誓っていたのか？　いや、君に、そんなドラマチックな感情がある筈がない。あったなら、もっと早く、野見山を殺していただろう。君の心を占領していたのは、風見冴子のために何かしなければならないという義務感だ。愛していた女が、別の男に辱められ、しかも殺された時、恋人は、何をしなければならないかと考え、その義務感に、君は毎日、責めさいなまれ続けたに違いない。君は、そんな男だ。いつだったか、チンピラ二人に中年のサラリーマンがからまれていた時、君は、立ち去る勇気もなく、されぱといって、すぐ、サラリーマンを助けに入る勇気もなく、良心にさいなまれて、蒼い顔をしていたのを、私は、はっきり覚えているよ。それと同じなのだ。君は、風見冴子のために、何かしなければならないという義務感に怯(おび)えながら、野見山を見守っていた。何かしなければと思いながら、君は、野見山が怖くて、なかなか、義務を果すことが出来ずにいたが、やっと、ここに来て、そのチャンスをつかんだのだ」

「――――」

「私が、野見山を追い詰めた時、君は、チャンスが来たと思った。君は、さも、忠実な弟子のような顔をして、自分も十字架にかかると約束しているファザーが、弟子たちを自殺に見せかけて殺す筈がないと主張した。あの言葉は、一見、野見山をかばっているように見えて、実は、更に一層、彼を追い詰める効果を持っていた。私が追い詰めた段階では、野見山は、証拠がないと、突っぱねることも出来たのだが、君が、更に追い詰めた結果、彼は、無実を証明するために、みんなの見ている前で、自殺して見せなければならなくなってしまったんだ」

13

「君は、これで、義務を果せたと思ったのかも知れない。だが、野見山は、一筋縄ではいかない男だった。さっき、私がいったように、弟子の立花を身代りに死なせ、自分は、いつか、現代のイエス・キリストとして復活して見せようと計画した。聖書にあるように三日後に、復活して見せるつもりだったのかも知れない。君は、それに気付いた。というより、野見山は、君に命じたのだろう。立花に飲ませる杯にだけ、青酸カリを入れておけとね。君は、承知したふりをして、両方の杯に、青酸カリを入れたのだ。立花が、なぜ、全く疑おうとしなかったのかについては、こう考えられる。立花が野見山を信じていたこともあるだろう。また、野見山は、ぶどう酒を飲む前に、お互のブレスレットを交換しようと、立花に申し出たのではないかと思う。私がいなくなったあと、君が、この王国のリーダーになってくれ、リーダーには、このブレスレットこそふさわしいぐらいのことは、いったに違いない。そういわれて、立花は感激し、杯の中に、青酸カリが入っているかどうか疑う気持など、全く起きなくなってしまったのだと思う。野見山は、上手くいったとほくそ笑んだろうが、その野見山も、君が、自分を裏切ろうとは、露ほども疑わなかった。君のような小心な男が、自分に反抗し、自分を裏切ることがあろうなどと考えたこともなかったに違いないからね。そして、野見山と立花は死んだ。二人が死んでしまえば、もう、ロープを交換する必要もない。そう考え、君はそのままの状態で火をつけて、集会場を出たんだ。多分、君は、衣が燃えつきてしまうと考えたのかも知れない。だが、その小さな切れ端は、死体に貼りついて残っていて、ブレスレットとの食い違いから、私に疑問を抱かせたのだ。小さな疑問だったが、それが君の命取りになったんだよ。君を、殺人容疑で逮捕する」

十津川は、亀井刑事を見て、こちらに来るように合図した。

小林以外の三人の弟子たちは、意外な事の成行きに、呆然としていたし、王国に集った百人近い人々は、明らかに、当惑し、どうしたらいいのかわからずにいるようだった。

亀井が、傍までやって来たとき、蒼ざめた顔で、じっと唇を嚙んでいた小林が、ふいに、相手を押し止めるように、コップを持つ手を高くあげた。そして、マイクに向って、

「今、警察がいったことは、全て、何の証拠もない、いわばいいがかりだ。もともと、権力者というものは、われわれが、ファザーの指導のもと、ここに作りあげた神の王国のような存在は、眼ざわりで仕方がないものなのだ。なぜなら、国家の中に、もう一つの国家があるようなものだからね。だから、警察の力を利用して、われわれを、押し潰そうとするのだ。それも、卑劣な、殺人の汚名を着せて。僕が、なぜ、ファザーを殺さなければならないんだろう？　ファザーを殺して、自分が、この王国に君臨するつもりだとでも思っているのだろうか？　そんな推理は馬鹿げている。なぜなら、自ら十字架にかかったファザーは、イエス・キリストがそうだったように、三日後に、われわれの前に復活するからだ」

「君は、そんなことはぜんぜん信じていない」

十津川は、突き放すようにいった。その言葉に、小林は、一瞬、ひるんだような表情になったが、自分を励ますように、小さく首を振ってから、

「皆さん！　こんな警察のたわ言にはかまわず、杯を飲み干して、ファザーが復活するのを静かに待とうじゃありませんか」

と、人々に向って、声をかけた。

呆然としていた人々が、その声を受けて、気を取り直したように、杯を持ち直した。

「止めろ！」

と、十津川が、叫んだ。

小林は、皮肉な眼つきになって、

「このぶどう酒の中に、毒が入っているとでも思っているんですか？」

「違うのかね？」

「神聖な酒に、誰が毒を入れるんです？」

小林は、コップを口に持っていくと、ひと息に飲み干した。

近くに来ていた亀井刑事が、「あッ」と声をあげたときには、小林は、ニッコリ笑って、空になったコップを、人々に見せていた。

「美味い酒ですよ。警部さんも、一杯、いかがですか？」

小林は、微笑を浮べたまま、十津川を見た。

十津川は、黙って見返した。

その時、突然、若い女の悲鳴があがった。

十津川の眼の前で、小林の身体が、ふいに、ぐらりとゆれて、片膝をついた。

彼の顔が、苦痛にゆがんでいる。何かいいかけたが、そのまま、床の上に崩れて行った。

今度は、集団の中で、悲鳴と、苦痛の呻き声があがった。

小林に合せて、ぶどう酒を飲み干した数人が、のたうち廻って苦しんでいるのだった。

「救急車を呼べ！」

と、十津川が、マイクに向って怒鳴った。

14

救急車が到着するまでの間、刑事たちは、倒れた人々の口に、無理矢理、水を注ぎ込み、指を突っ込んで、毒を吐かせようとした。

救急車二台が到着したのは、三十分後だった。

札幌からはもちろん、千歳からも遠い場所だけに、仕方がないとはいえ、あまりにも遅過ぎた。

小林をはじめとして、五人の男女が、すでに死亡してしまっていた。二十一歳の青年一人が、辛うじて、救急車で運ばれて行ったに過ぎなかったし、この青年も、病院に着く前に死亡してしまった。

神の王国に用意されていた毛布が持ち出され、それで死体が蔽われた。

「私には、この男の気持がわかりませんね」

亀井は、小林の死体を、毛布で包みながら、ぶぜんとした顔で、十津川にいった。

「自ら毒を飲んで死んだことかね？」

「そうじゃなく、ここに集った人々全員に、毒を飲ませようとしたことです。調べたところ、配られたぶどう酒には、全て、青酸カリが入っていたそうです。それに、小林以外の三人の弟子たちは、ぶどう酒の中に、青酸カリが入っていたことは、全く知らなかったといっています。その言葉に嘘は感じられません。とすると、小林は、勝手に、自分を含めて、王国の全員を皆殺しにしようとしたんです。なぜ、そんな馬鹿げたことを考えたんでしょう？　その気持が、私には全くわからんのです」

「彼は、自分の気持の中で、夢を完結させようとしたんじゃないかな」

「と、いいますと？」

「小林は、野見山の下に走った時、神の王国を作りあげるという夢を持っていたことは確かだと思う。だが、その夢は、たちまち、破れ去ってしまった。自分が好きになった風見冴子が、野見山と関係し、しかも子供を堕ろしたと知ったからだ。その彼女が、自殺に見せかけて、野見山に殺されたとわかると、小林は、野見山を殺した。しかし、小林の場合、かっとして、野見山を殺したというのではなかった。彼女のために何かしなければならないという義務感が、強迫観念にまで高まったあげく、野見山を毒殺したのだ。もし、本当の愛情から、止むに止まれず、彼女の仇(かたき)を打ったというのであれば、それで終っている筈だよ。彼の心の中で、全てが完結したに違いないからだ。だが、小林の場合は違っていた。何かしなければならないという義務感からの行為だった。義務感というのは、自分を正当化しようという欲望と結びついているものだ。第三者の眼を絶えず意識していることだからね。小林は、殺人犯だ。だが、彼は、自分を殺人犯ではなく、現代のイエス・キリストの弟子の一人であり、神の王国を作りあげた一人だということにしたくなったのさ」

「しかし、警部。彼は、野見山も、神の王国も、信じなくなっていたわけでしょう？」

「だから、自分を含めた全員を毒殺するような気違いじみた計画を立てたんだ。彼自身さえ信じなくなった夢を完結させようというのだからね。神の王国に関係した人間が、全て死んでしまえば、真相はかくされ、美しい夢物語だけが残ると考えたんだろう」

15

夜明けと共に、人々は、神の王国から引き揚げ始めた。

車で来た者は、車に乗って、王国を出て行き、千歳から歩いて来た者は、数人ずつ、ひとかたまりになって、姿を消していった。

危うく死をまぬがれたという安堵の色が、どの顔にも浮んではいたが、積極的に、喜びの声をあげる者は少かった。

テレビのレポーターや、新聞記者が、彼等に向って、執拗に、現在の心境を問いただした。多分、「悪夢からさめた気持です」といったような答を期待しての質問だったに違いなかったが、不思議に、人々の口から、そうした言葉は聞けなかった。

確かに、一場の悪夢だったろう。だが、彼等は、もともと、現状にあき足らず、何かを求めて、この王国にやって来たのだ。とすれば、死をまぬがれたとはいえ、再び、満たされることのない現実の世界へ戻るだけのことである。彼等は、いつかまた、王国を求めて、出発して行くことになるのではないのか。そんなものが、ある筈がないとわかっていながら。

それから二、三日の間、新聞、テレビが、この事件を追い廻した。

何よりも、事件の「真相」が追及された。その結果、神の王国に君臨することを願った野見山は、現代のイエス・キリストから詐欺師の殺人鬼に引きずり下され、それにつれて、彼と十二人の弟子たちの集団は、まるで、背徳者の集りのように報道された。「リーダーと男の弟子たちはホモ関係にあり、女の弟子たちはリーダーの性の奴隷で、これはまさに、ソドムの市である」と書いた週刊誌もあった。

十津川は、新聞からコメントを求められ、テレビからは、座談会の出席を依頼されたが、全て断った。

刑事事件としての今度の事件は、全て解決したと、十津川は確信していたが、今度の事件は、いったい何だったのだろうかと考えると、彼にもわからなくなってくるからだった。野見山という異常な人間の果かなく消えた夢だったのか、それとも、他に何か意味があったのだろうか？

捜査本部が解散してから、十津川は、その答を求める気持で、たったひとり、再び、北海道を訪ねてみた。

あの「神の王国」に着いた時は、夕方になっていた。百人近い人々が、それぞれの夢を求めて集った場所は、今や、元の荒涼とした廃村に戻っている。

篝火もなく、人の声もない。だが、集会場跡へ近づいた時、月明りの中に、小さな人影がうずくまっているのを見つけて、十津川は、ぎょッとなった。

十津川は、無宗教で、イエス・キリストの復活など信じていない男である。

だが、その人影を眼にした時、一瞬、野見山の亡霊を見たような気がして、ぎくッとした。

しかし、落着いて見れば、それは、野見山でも小林でもなく、弟子たちの中で一番若い十八歳の片岡敏子だった。

彼女は、白いローブを着、焼け跡に膝まずいて、大きな眼で、夜空を見上げていた。十津川が近づいても、それに気付く気配がない。人々が立ち去ったあとも、この少女は、たった一人で、ここに残っていたらしい。ローブの汚れや、衰弱し、眼ばかり異様に大きく見える顔の表情が、それを示していた。

少女が、ここで何を待ち続けているのか、十津川には、すぐわかった。

実現することのない奇蹟を、この少女は待ち続けているのだ。それは、彼女にとって、この事件がまだ終っていないこと、事件が彼女に与えた傷の深いことを示していた。

解　説

二上洋一

〈亀井と公子が、玄関に出て行くと、マユミは、久しぶりの父親との外出に大喜びで、スキップをして、はしゃいでいる。男の子の健一の方は、嬉しいのだろうが、照れてもいる感じだった。

その小さな頭を、こつんと一つ叩いてから、亀井は、「さあ、行こうか」といった。

警視庁に勤め、事件の捜査では、たびたび銀座にも出かけているのに、日曜日の歩行者天国を見るのは、亀井は、初めてだった〉

警視庁捜査一課の亀井刑事は四十五歳、健一は小学校五年、マユミは五歳、それに妻の公子の四人で、久々の休日を銀座に出た亀井一家の団欒(だんらん)の場面から、『黙示録殺人事件』はスタートする。

亀井刑事は、十津川警部とのコンビで、目下、最も多忙な探偵役の一人といってもいいだろう。それは、作者西村京太郎氏が、流行作家の筆頭であることの証明でもあり、逆に云えば、西村京太郎氏が、いかにこの十津川警部と亀井刑事に愛着を持ち、多くの事件に起用するかの証明でもある。

ミステリに於(おい)て、探偵役は、絶対不可欠のキャラクターだといっていい。名探偵の存在するところに名犯罪があり、推理小説の傑作が生まれると断言しても、決して過言ではあるまい。

例えば、故横溝正史氏が描く金田一耕助の周囲では、『獄門島』や『本陣殺人事件』や『悪魔の手毬歌』の傑作が誕生した。また、江戸川乱歩氏の生み出した明智小五郎は、怪人二十面相を相手に、推理史上に残る死闘を繰り返し、『D坂の殺人事件』や『心理試験』『黒手組』の事件を解決して、ミステリ・ファンに強い印象を残したのである。

名探偵像には、確かに、いくつかのパターン化されたイメージがある。

高木彬光氏の神津恭介に代表される神の如き名探偵像。都筑道夫氏の退職刑事や、バロネス・オルツィー夫人の隅の老人がそうであるアームチェア・ディテクティブ。生島治郎氏が描く志田司郎や、ロス・マクドナルドのリュー・アーチャなど、ハード・ボイルド派の行動的探偵などなど……。

警察機構が整備発達するにつれ、警察の捜査活動を組織として描く警察小説が、新しくミステリのジャンルとして登場したが、それとは別に、犯罪捜査のプロとしての警察関係者が探偵役として登場する作品も、少なくはなかった。

ジョルジュ・シムノンが創り出したメグレ警部や、クロフツのフレンチ警部は世界的に有名であり、ジョイス・ポーターのドーヴァー警部は、極めて個性的な風貌を見せてくれる。

世界でも有数の警察機能を誇る日本でも、それは例外ではない。

鮎川哲也氏が、『黒いトランク』でデビューさせた鬼貫警部、名前も面白いが、行動はもっと変わっている海渡英祐氏描くところの吉田茂警部補、そして、赤川次郎氏の片山義太郎刑事も、三毛猫ホームズが傍に控えていれば、名探偵の列に加えても、さしつかえはあるまい。
『黙示録殺人事件』で、犯人達に誘拐(ゆうかい)されるという意外な展開を見せる十津川警部も、現代を代表して活躍する、重要な名探偵役の一人である。

今、名探偵登場風に、十津川警部のキャラクターを抜き書きしてみよう。作品に於て重要な登場人物を熟知することは、その人物が、殊に幾つかの作品に登場するシリーズ探偵である場合は尚のこと、作品を楽しく読む要素の一つになるからである。

昭和四十八年に出版された『赤い帆船(クルーザー)』の時代、十津川は警部補であった。

〈十津川は、まだ三十歳だが、頭の切れることで知られている。中肉中背だが、どこか鋼鉄(はがね)を思わせる身体(からだ)つきだった。眼つきも鋭い。

「まあ、すわりたまえ」

と、課長は、十津川に椅子をすすめてから、

「君は確か大学時代にヨットの経験があったな?」

「ええ、いまでも、ときどき乗っていますが」〉と描写される。

十津川警部補、三十歳、独身、大学時代にヨットの経験があり、煙草を吸い、部下がミスをすると、ベテラン刑事であれ、どなりつける。英語が話せる。十津川のアウトラインはこの作品できまる。この時期は、海の知識を生かし、その関係の事件にたずさわることが多かった。

昭和五十年の『消えたタンカー』では〈十津川には、さまざまなアダ名がついている。ある人は、タヌキといい、ある人は狼(おおかみ)と呼ぶ。タヌキというのは、たぶん、彼のどことなくユーモラス

な外形からきているのだろう。一六三センチ、六八キロの身体は、お世辞にもスマートとはいえないし、中年太りでややせり出した腹のあたりは、いかにもタヌキだ〉と描かれる。この時、三十七歳、独身、年よりやや老けて見られる。

新進の平刑事の頃、殺人犯に左手を射抜かれ、その後遺傷で、いまだに、左手は少し不自由である。この事件でも、十津川警部補は脇腹を射たれ、入院の破目になる。

昭和五十一年の『消えた乗組員(クルー)』で、十津川省三は、警部に昇進して登場する。不器用で、ネクタイがまっすぐに結べないし、胸ポケットのハンカチが、格好よく差し込めないし、靴の紐(ひも)も巧く結べないのは、多分、左手が、不自由であるからに違いない。

この作品で十津川警部は、一課長に見合いを勧められるが、いい返事をしない。三十七歳まで独身で通した理由が、もちろん、あったからである。それは、五十三年に出版された『イブが死んだ夜』で判明する。警察の内部で切れる男といわれ、エリート街道を走る十津川省三警部は、恐ろしく人間的な過去を持っていたのである。

〈妙子は、一度、十津川を裏切った女だった。刑事部長の紹介で知り合い、婚約した。三年前のことである。

十津川が、警部補の時で、その直後、彼は、全国の警察から選ばれて、ICPO(国際刑事警察機構＝インターポール)に派遣された。約二年半、パリで働いたあと帰国し、浅草署に戻った。帰国後の結婚を考えていたのだが、その時、妙子から、彼が日本にいない間におかしたあやまちを告白された〉のだ。女性不信におちいったのか、以後、十津川警部は、独身生活を続けることになる。

その間も、十津川警部は、帰宅途中、クロロフォルムをかがされて絶海の孤島に連れ去られた昭和五十二年の『七人の証言』や、終戦時に沈没した潜水艦からSOSの無線が発信された不可解な事件に挑む『発信人は死者』などで活躍を続け、昭和五十三年には、トラベル・ミステリの『寝台特急殺人事件』に至る。トラベル・ミステリは、今や最も流行のジャンルであることは、論を俟たない。

ところで、もう少し十津川警部の私生活を追いたい。

昭和五十四年に出版された『夜間飛行殺人事件』で、十津川省三は、ついに結婚した。〈式の間、十津川一人が照れていた。七月二十一日。大安吉日である。

四十歳で、初婚だから無理はない。捜査一課の敏腕警部も、冷や汗のかき通しだった。

そんな十津川に比べると、花嫁の直子は、三十五歳でも、再婚だから、終始、落ち着き払っていた。

見合いだった〉と冒頭から、結婚シーンでこの作品は始まっている。仲人は、お膳立てをしてくれた本多捜査一課長。新婦の直子はインテリア・デザイナーで、背が高く、鋭角的な顔立ち、夜間飛行の香水を愛用している。

機内では、十津川の世話をするために通路側に座席を取る程優しく、頭がいいから、これで、十津川省三の家にも、家庭的な雰囲気が作られるに違いない。

余談を承知でつけ加えれば、直子の叔父は大阪の中心部に四つか五つのビルを持つ資産家で、死ねば億単位の遺産を貰えるという設定が作られており、この後の西村京太郎氏の作品の伏線になっているのかも知れない。

結婚後も、十津川警部は、『終着駅殺人事件』『夜行列車殺人事件』『北帰行殺人事件』『日本一周〝旅号〟殺人事件』など、大活躍を続け、西村京太郎氏の作品の魅力は、十津川警部のキャラクターの魅力が、その多くの部分を担っているといえる程、切っても切れない関係になってしまった。

亀井刑事の休日から始まり、十津川警部の誘拐に発展する、この『黙示録殺人事件』は宗教問題に関連した若者達の生き方をテーマにした題材のユニークさと共に、西村京太郎氏の才質の見事さを示す作品として、特記しなければならない。『黙示録殺人事件』は、昭和五十四年一月から九月まで「週刊新潮」に連載され、昭和五十五年に新潮社から出版された。西村京太郎氏の特質の一つである、イントロの奇抜さと、サスペンス溢れるストーリー運びが、巧みに融合した作品でもある。

その魅力を支える十津川警部を創り出した西村京太郎氏の経歴に、簡単に触れておきたい。西村京太郎氏は、本名を矢島喜八郎といい、昭和五年九月六日、東京で生まれた。都立電気工業高校を卒業し、臨時人事委員会に就職、十年間の公務員生活を送った。文学の勉強のために退職、運転手、保険のセールスマン、ガードマン、私立探偵、中央競馬会職員等、次々と職を変えながら、小説への夢を育んだ。この体験が、氏の作品の爽やかな読後感と、暖かな作家の眼を培ったに違いない。

昭和三十八年に『歪んだ朝』で「オール讀物」推理小説新人賞、四十年には『天使の傷痕』で第十一回の江戸川乱歩賞、昭和四十二年には、総理府が募集した「二十一世紀の日本」という課題小説に『太陽と砂』で文部大臣賞、昭和五十六年には『終着駅殺人事件』で、第三十四回の日本推理作家協会賞長編部門賞を受賞し、今や、名実共に日本の推理小説界を支える重鎮であるといっていい。

しかも、常に新しい分野の意欲的な作品に挑み、ミステリの面白さを十二分に満喫させてくれるのである。

（昭和五十七年十一月）

この作品は昭和五十五年一月新潮社より刊行された。

文字づかいについて

新潮文庫の文字表記については、なるべく原文を尊重するという見地に立ち、次のように方針を定めた。

一、口語文の作品は、旧仮名づかいで書かれているものは現代仮名づかいに改める。
二、文語文の作品は旧仮名づかいのままとする。
三、一般には常用漢字表以外の漢字も音訓も使用する。
四、難読と思われる漢字には振仮名をつける。
五、送り仮名はなるべく原文を重んじて、みだりに送らない。
六、極端な宛て字と思われるもの及び代名詞、副詞、接続詞等のうち、仮名にしても原文を損うおそれが少ないと思われるものを仮名に改める。

西村京太郎著
ミステリー列車が消えた
全長二〇〇メートルに及ぶ列車「ミステリー号」が四〇〇人の乗客ごと姿を消した！ 奇想天外なトリックの、傑作鉄道ミステリー。

西村京太郎著
展望車殺人事件
SL展望車の展望デッキから、若い女性が姿を消した……。自殺か、それとも？ 旅情とロマンあふれるトラベル・ミステリー5編。

西村京太郎著
大垣行345M列車の殺意
東京駅23時25分発の夜行列車に乗っていた若い女が殺された。その容疑者に十津川警部の友人が!? 傑作トラベル・ミステリー4編。

西村京太郎著
ひかり62号の殺意
「ひかり62号」で、護送中の宝石強盗の片割れが射殺された！ 主犯の男を追い、十津川警部はマニラに飛ぶが……。長編ミステリー。

西村京太郎著
特急「あさしお3号」殺人事件
特急「あさしお3号」の車内で、十津川警部の友人の新進作家が殺された！ 鉄壁のアリバイに十津川警部が挑む表題作など3編を収録。

松本清張著
憎悪の依頼
金銭貸借のもつれから友人を殺した孤独な男の、秘められた動機を追及する表題作をはじめ、多彩な魅力溢れる10編を収録した短編集。

森村誠一著

腐蝕花壇

タクシー強盗殺人、ラブホテル腹上死、マンション落下物死亡事故……。一見無関係な事件の連鎖の中に、巨悪の影を捉えた長編推理。

森村誠一著

青の魔性

教え子に愛情を感じながら、その母親と肉体関係を結ぶ教師。それを知った少女が自殺した時、教師は普通の女性を愛せなくなる……。

森村誠一著

新・新幹線殺人事件

博多発ひかり116号の座席に男の刺殺体が！〝走る密室〟での殺人はいかにして可能だったか。トレイン・ミステリーの最高傑作パートⅡ。

森村誠一著

致死海流

黒潮に運ばれてきた若い女の死体と、八丈富士で発見された女の他殺体。二つの殺人事件をさぐっていくうちに巧緻な完全犯罪が……。

森村誠一著

都市の遺言

偶然つながった5本の電話回線。「混線クラブ」と称し、声だけの特異な交遊を続けるうち、そのメンバーが次々に消息を絶った……。

森村誠一著

魚葬

銀座のホステスから製薬会社の特殊な接待社員に転身した女が、社内の力関係急変の裏にひそむ謎を追う表題作など5編を収録する。

栗本薫著
十二ヶ月 栗本薫バラエティ劇場

ミステリー、SF、捕物帖、都会派恋愛小説、芸道小説……。才女・栗本薫が〈十二ヶ月〉にわたって書きついだ12のジャンルの物語。

栗本薫著
吸血鬼 ―お役者捕物帖―

その美貌と名推理で江戸中に知られる若き名女形・嵐夢之丞。彼の周辺では、常に不吉な謎が渦を巻く！　新感覚の時代ロマン第一作。

栗本薫著
地獄島 ―お役者捕物帖―

若き人気女形・嵐夢之丞の突然の失踪と共に巻き起こる怪事件。怨霊渦巻く地獄島に隠された恐るべき秘密とは？　シリーズ第二作。

栗本薫著
シンデレラ症候群(シンドローム)

平凡なサラリーマン秋葉誠一が出会った蠱惑的な女・リズ。めくるめく日々が過ぎ、死の影が密やかに忍び寄る。文庫書下ろし長編。

佐野洋著
楽しい犯罪

イヤなヤツらを、懲らしめてやりたい！　三人の若い女性の、万能鍵を駆使した罪なき復讐を描く、新感覚のピカレスク・ミステリー。

佐野洋著
言えない関係

夫が失踪した日、妻が逢っていた意外な人物とは？　表題作など、愛憎のドラマを短編の名手が描いた、文庫版封切りミステリー8編。

三浦哲郎著　忍ぶ川　芥川賞受賞作

貧窮の中に結ばれた夫婦の愛を高らかにうたって芥川賞受賞の表題作ほか「初夜」「帰郷」「団欒」「恥の譜」「幻燈画集」「驢馬」を収める。

三浦哲郎著　結婚

貧しくとも、不幸のさなかにあっても、明るさといたわりを失わない人々の感情の機微をユーモアの漂う筆でとらえた珠玉短編10編。

三浦哲郎著　木馬の騎手

危ういバランスで生と死の境に立ち、死の深淵を覗き見た子供たち――。抒情とユーモアを交錯させた、著者会心の連作短編12編。

水上勉著　霧と影

旧友の転落死に疑問を持つ新聞記者小宮の姿を追いながら、風光絶佳の秘境・若狭猿谷郷に呪われた人間たちの宿命を描くサスペンス。

水上勉著　土を喰う日々

京都の禅寺で小僧をしていた頃に習いおぼえた精進料理の数々を、著者自ら包丁を持ち、つくってみせた異色のクッキング・ブック。

水上勉著　長い橋（上・下）

暴走族、窃盗、売春……非行少女の更生に情熱を傾ける女性保護司の真摯な生き方を通して、人間の哀しさと優しさを描く長編小説。

大岡昇平著　事件

結婚相手の姉を殺害した容疑で少年が逮捕された。裁判は予想に反して複雑な様相を呈していく——裁判における〈真実〉の意味を問う。

大岡昇平著　無罪

裁判の進行につれて現われてくる複雑な事件の背景と、人間性の不可解な謎。——英米の著名な裁判事件をもとにした13の裁判物語。

井上靖著　猟銃・闘牛

芥川賞受賞

ひとりの男の十三年間にわたる不倫の恋を、妻・愛人・愛人の娘の三通の手紙によって浮彫りにした「猟銃」、芥川賞の「闘牛」等、3編。

井上靖著　射程

憧れ続けた一人の女性が原因で自分の〝射程〟の限界を越える取引に失敗、破滅する諏訪高男。孤独な青年実業家の暗い情熱を描く長編。

新田次郎著　縦走路

冬の八ヶ岳を舞台に、四人の登山家の男女をめぐる恋愛感情のもつれと、自然と対峙する人間の緊迫したドラマを描く山岳長編小説。

新田次郎著　蒼氷・神々の岩壁

富士山頂の苛烈な自然を背景に、若い気象観測所員達の友情と死を描く「蒼氷」。谷川岳衝立岩に挑む男達を描く「神々の岩壁」など。

城山三郎著
総会屋錦城
直木賞受賞
直木賞受賞の表題作は、総会屋の老練なボス錦城の姿を描いて株主総会のからくりを明かす異色作。他に本格的な社会小説6編を収録。

城山三郎著
ある倒産
定年を二年後にひかえた調査部長原口は、下請会社の専務へ出向を命じられたが……。倒産の裏面をあばいた表題作など8編を収録。

城山三郎著
乗取り
株の買占めによる老舗デパートの乗取り。金と若さだけを武器に、この闘いに挑む青井文麿。経済界をスピーディなタッチで暴く快作。

江戸川乱歩著
江戸川乱歩傑作選
日本における本格探偵小説の確立者乱歩の処女作「二銭銅貨」をはじめ、その独特の美学によって支えられた初期の代表作9編を収める。

星新一著
夢魔の標的
腹話術師の人形が突然、生きた人間のように喋り始めた。なぜ？　異次元の世界から不気味な指令が送られているのか？　異色長編。

星新一著
気まぐれ指数
ビックリ箱作りのアイディアマン、黒田一郎の企てた奇想天外な完全犯罪とは？　傑出したギャグと警句をもりこんだ長編コメディー。

小林信彦著　唐獅子株式会社

任侠道からシティ・ヤクザに変身！　大親分の指令のもとに背なの唐獅子もびっくりの改革が始まった！　ギャグとパロディの狂宴。

小林信彦著　背中あわせのハート・ブレイク
（『世間知らず』改題）

たがいに惹かれながらも、すれちがう少年と少女の想い。青春のワン・シーンを描き、爽やかな初恋の感動を甦らせるラヴ・ロマンス。

小林信彦著　紳士同盟

目標二億円——奇妙な四人組が知恵の限りのトリックを仕掛け金をせしめる。スマートで爽快、ユーモラスな本格的コン・ゲーム小説。

山本周五郎著　五瓣の椿

自分が不義の子と知ったおしのは、淫蕩な母と相手の男たちを次々と殺す。息絶えた五人の男たちのそばには赤い椿の花びらが……。

山本周五郎著　山彦乙女

徳川の天下に武田家再興を図るみどう一族と武田家の遺産の謎にとりつかれた江戸の若侍。著者の郷里が舞台の、怪奇幻想の大ロマン。

山本周五郎著　寝ぼけ署長

署でも官舎でもぐうぐう寝てばかりの〝寝ぼけ署長〟こと五道三省が人情味あふれる方法で難事件を解決する。周五郎唯一の探偵小説。

柴田錬三郎著
眠狂四郎
孤剣五十三次
幕府に対する謀議探索の密命を帯びて、東海道を西に向かう眠狂四郎。五十三の宿駅に待つさまざまな刺客に対峙する秘剣円月殺法！

柴田錬三郎著
眠狂四郎虚無日誌
大奥に出現した将軍家世継ぎ家慶の贋者。その正体を探る狂四郎は、刺客を倒しつつ江戸から京へ向かい世継ぎすり替えの陰謀を暴く。

柴田錬三郎著
眠狂四郎無情控
隠された太閤の御用金百万両をめぐって起る異変――安南の日本人町から鎖国令下の母国へ潜入した人々と共に、宝探しに挑む狂四郎。

柴田錬三郎著
眠狂四郎異端状
大飢饉下の秋田藩と武部仙十郎が共謀する清国との密貿易に巻き込まれた狂四郎は、初めて日本を離れ、南支那海を舞台に活躍する。

五味康祐著
秘剣・柳生連也斎
芥川賞受賞
芥川賞受賞作「喪神」、異色の剣の使い手の苦悩を描いた「秘剣」をはじめ剣に生きる者の苛酷な世界を浮彫りにする傑作11編を収録。

五味康祐著
薄桜記
一刀流堀内道場の双璧、中山安兵衛と丹下典膳――赤穂浪士の討入りに秘められた二人の剣士の物語を、格調高い筆で捉えた時代長編。

白石一郎著 天上の露

山中の獣の落し穴にはまった男を救ったのは、疱瘡を病んで山に捨てられた娘だった——異色の素材を滋味豊かに描く時代短編集。

白石一郎著 幽霊船

謎の幽霊船に遭遇し若者の船は沈没、そして漂着した島で、彼は思わぬ人物と出会う。時代小説の多彩な魅力を満喫させる短編10編。

司馬遼太郎著 梟の城 直木賞受賞

信長、秀吉……権力者たちの陰で、凄絶な死闘を展開する二人の忍者の生きざまを通して、かげろうの如き彼らの実像を活写した長編。

司馬遼太郎著 人斬り以蔵

幕末の混乱の中で、劣等感から命ぜられるままに人を斬る男の激情と苦悩を描く表題作ほか変革期に生きた人間像に焦点をあてた7編。

司馬遼太郎著 果心居士の幻術

戦国時代の武将たちに利用され、やがて殺されていった忍者たちを描く表題作など、歴史に埋もれた興味深い人物や事件を発掘する。

山手樹一郎著 江戸群盗記

徳川の御落胤と称し、葵の紋服を着用に及んで豪商を襲う義賊葵太郎を中心に、江戸の町に多彩な人物が繰り広げる波瀾万丈の物語。

池波正太郎著
忍者丹波大介

関ケ原の合戦で徳川方が勝利し時代の波の中で失われていく忍者の世界の信義……一匹狼となり暗躍する丹波大介の凄絶な死闘を描く。

池波正太郎著
男（おとこぶり）振

主君の嗣子に奇病を侮蔑された源太郎は乱暴を働くが、別人の小太郎として生きることを許される。数奇な運命をユーモラスに描く。

池波正太郎著
闇は知っている

金で殺しを請け負う男が情にほだされて失敗した時、その頭に残忍な悪魔が棲みつく。江戸の暗黒街にうごめく男たちの凄絶な世界。

池波正太郎著
雲霧仁左衛門（全二冊）

神出鬼没、変幻自在の怪盗・雲霧。政争渦巻く八代将軍・吉宗の時代、狙いをつけた金蔵をめざして、西へ東へ盗賊一味の影が走る。

海音寺潮五郎著
西郷と大久保

熱情至誠の人、西郷と冷徹智略の人、大久保。私心を滅して維新の大業を成しとげ、征韓論で対立して袂をわかつ二英傑の友情と確執。

海音寺潮五郎著
幕末動乱の男たち（全二冊）

変革期に、思想や立場こそ異なれ、自己の道を歩んだ維新のさまざまな人間像を冴えた史眼に捉え、実証と洞察で活写した列伝体小説。

フリーマントル
稲葉明雄訳
消されかけた男

KGBの大物カレーニン将軍が、西側に亡命を希望しているという情報が英国情報部に入った！　ニュータイプのエスピオナージュ。

フリーマントル
中村能三訳
別れを告げに来た男

ソ連から大物科学者が亡命して間もなく、今度は、その上司の天才科学者がイギリス大使館に保護を求めて来た。出色のサスペンス。

フリーマントル
稲葉明雄訳
明日を望んだ男

旧ナチ高官のリストが見つかった。イスラエル政府とナチ親衛隊組織は必死の奪回作戦を開始したが、深く関わるもう一人の男が……。

フリーマントル
稲葉明雄訳
再び消されかけた男

米英上層部を揺がした例の事件から二年、姿を現わしたチャーリーを、かつて苦汁を飲まされた両国の情報部が、共同してつけ狙う。

フリーマントル
稲葉明雄訳
呼びだされた男

逃亡中のチャーリーに、たった一人の友人から電話があった。恩義ある人を助けようと、危険を承知で元スパイは香港に出向いた。

フリーマントル
池　央耿訳
ディーケンの戦い

死の商人アジズの息子が誘拐された。犯人は、大量の武器を取戻そうとする反対勢力。妻を誘拐され、犯人の代理を強要された男の戦い。

新潮文庫最新刊

椎名誠著
銀座のカラス（上・下）
23歳の新米編集者が突然編集長に。ええい、こうなったら酒でもケンカでも女でも仕事でも何でもこい！　なのだ。自伝的青春小説。

宮尾登美子著
菊亭八百善の人びと
戦後まもなく江戸料理の老舗に嫁いだ汀子。店の再興を賭けて、消えゆく江戸の味を守ろうと奮闘する下町育ちの女性の心意気を描く。

瀬戸内寂聴著
手毬
寝ても覚めても良寛さまのことばかり……。雪深い越後の山里に師弟の契りを結んだ最晩年の良寛と若き貞心尼の魂の交歓を描く長編。

宮本輝著
螢川・泥の河
芥川賞・太宰治賞受賞
幼年期と思春期のふたつの視線で、人の世の哀歓を大阪と富山の二筋の川面に映し、生死を超えた命の輝きを刻む初期の代表作二編。

船戸与一著
砂のクロニクル（上・下）
山本賞・日本冒険小説協会大賞受賞
クルド民族の悲願、独立国家の樹立。その命運は謎の日本人が握っていた。銃は無事マハバードに届くのか。著者渾身の壮大なる叙事詩。

小林信彦著
イエスタデイ・ワンス・モア Part 2
ミート・ザ・ビートルズ
30年前の東京に迷いこんだ現代の青年が、ビートルズ来日の1966年に再びタイムトリップした!?　熱気と興奮のあの夏の冒険物語。

新潮文庫最新刊

吉本ばなな他著
中吊り小説
JR東日本電車の中吊りに連載されて話題となった《中吊り小説》が遂に一冊に！　吉本ばななから伊集院静まで、楽しさ溢れる19編。

宮部みゆき著
返事はいらない
失恋から犯罪の片棒を担ぐにいたる微妙な女性心理を描く表題作など6編。日々の生活と幻想が交錯する東京の街と人を描く短編集。

野田知佑著
ゆらゆらとユーコン
著者が初めて語る切ない日々――ナバホ居留地でのことを始め、亀山湖での暮らし、大河ユーコンの川旅などを描いたエッセイ集。

近藤唯之著
戦後プロ野球50年
―川上、ON、そしてイチローへ―
柳川事件、黒い霧事件など節目となった事件はもとより、個性的な選手・監督たちのエピソードも満載した、近藤版戦後プロ野球史。

縄田一男著
江戸市井図絵
―時代小説の楽しみ⑤―
威勢のいい女房と酒好き亭主が大喧嘩。子供は路地を駆け回り、食い詰め浪人は傘を貼る。すべてが優しかったあの時代へ誘う18の名品。

松本洋二著
アイルトン・セナ　日本伝説
神の御許へと疾走していった男――。日本人初のF1担当新聞記者となった著者が、20世紀最後の英雄を追いつづけた日々を振り返る。

新潮文庫最新刊

C・カッスラー
中山善之訳
インカの黄金を追え（上・下）
16世紀、インカの帝王が密かに移送のうえ保管させた財宝の行方は――？ 美術品窃盗団とゲリラを相手に、ピットの死闘が始まった。

A・J・クィネル
大熊栄訳
燃える男
誘拐・惨殺された少女の復讐に燃え、たったひとり敵地に乗りこむ元外人部隊兵士クリーシィ！ クィネルのデビュー作、待望の登場。

A・リプリー
森瑤子訳
スカーレット（一〜四）
スカーレットはレットの愛を、ふたりの心がひとつになる明日をとりもどせるのか……。永遠の愛の物語「風と共に去りぬ」の続編。

サガン
河野万里子訳
愛は束縛
美貌の妻ローランスと売れない作曲家ヴァンサン。闇の中に漂う濃く甘い香水と音楽の調べにのせて描かれる、苦く官能的な愛の現実。

J・ハンフリーズ
雨沢泰訳
愛にあふれて
家族を愛しつつも家を出た母、必死に捜す父、愛を確信できぬまま子を宿す姉、そして懸命に家族を支える17歳のわたしの愛の行方は？

C・ストラウド
二宮磬訳
狙撃警官キーオウ
同僚警官の殺害容疑をかけられ追い詰められるNY市警の狙撃手キーオウ。手に馴染んだレミントンを唯一の頼りに起死回生はなるか。

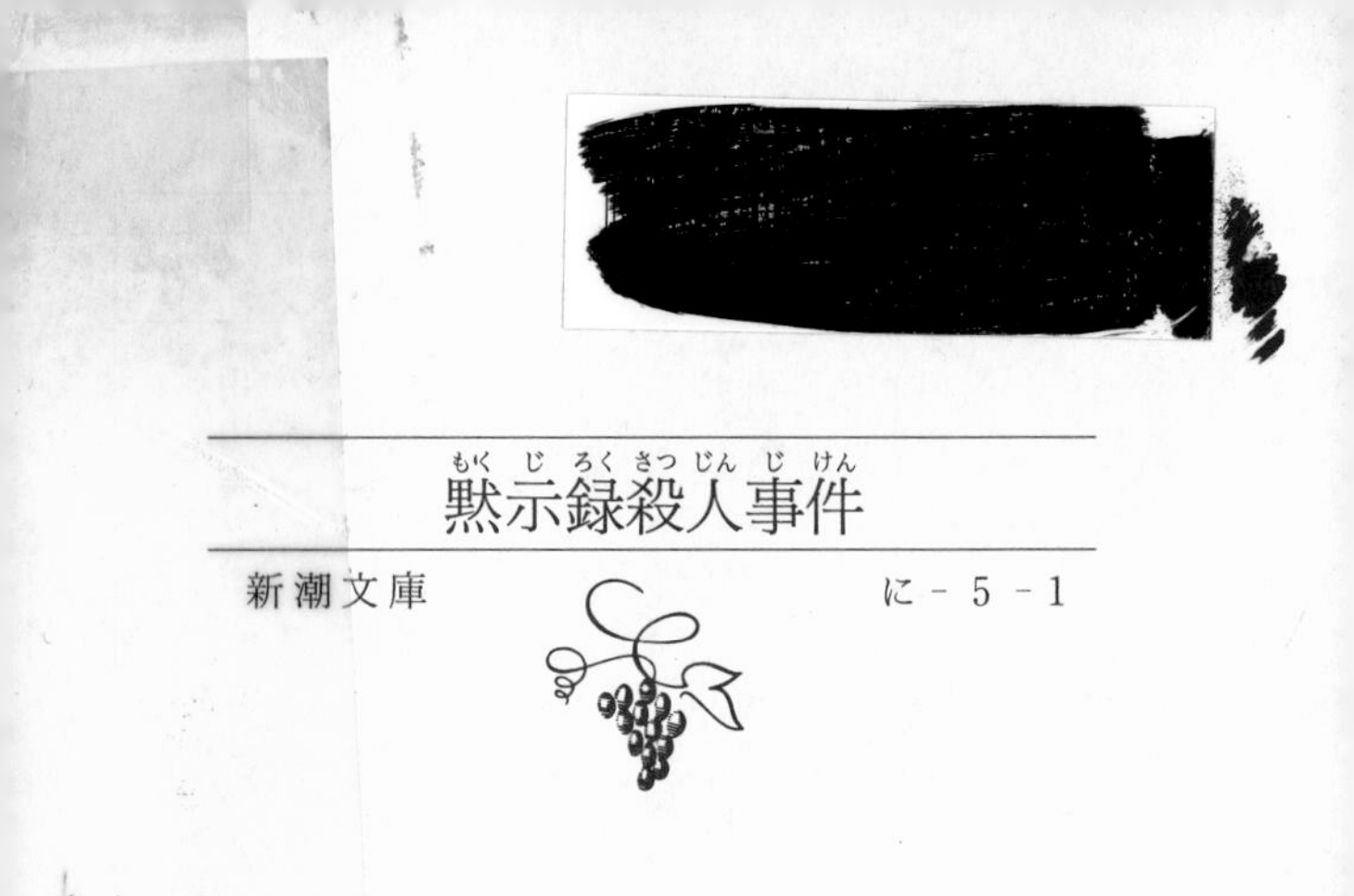

黙示録殺人事件

新潮文庫　に－5－1

昭和五十八年一月二十五日　発行
平成　六　年十一月二十五日　四十五刷

著者　西村京太郎
発行者　佐藤亮一
発行所　株式会社新潮社

郵便番号　一六二
東京都新宿区矢来町七一
電話　営業部（〇三）三二六六－五一一一
　　　編集部（〇三）三二六六－五四四〇
振替　東京四－八〇八番

価格はカバーに表示してあります。

乱丁・落丁本は、ご面倒ですが小社読者係宛ご送付ください。送料小社負担にてお取替えいたします。

印刷・株式会社光邦　製本・憲専堂製本株式会社
© Kyôtarô Nishimura 1980　Printed in Japan

ISBN4-10-128501-2 C0193